Diccionario de dudas

del estudiante de español
como lengua extranjera

Pilar Garnacho López
Lola Martín Acosta

SGEL

Primera edición, 2014

Produce: SGEL
          Avda. Valdelaparra, 29
          28108 Alcobendas (Madrid)

© María Dolores Martín Acosta, Pilar Garnacho López

© Sociedad General Española de Librería, S.A., 2014
     Avda. Valdelaparra, 29, 28108 Alcobendas (Madrid)

Coordinación editorial: Jaime Corpas
Edición: Ana Sánchez
Corrección: Susana López
Diseño de cubierta: Alexandre Lourdel
Diseño de interior: Verónica Sosa

ISBN: 978-84-9778-376-7
Depósito legal: M-8109-2014
Printed in Spain - Impreso en España

Impresión: Gohegraf Industrias Gráficas, S.L.

Índice

Prólogo

El hecho de que las autoras de este *Diccionario de dudas* de español como lengua extranjera me pidieran que prologara su obra, me produjo una gran satisfacción. En primer lugar por la confianza que depositaban en mí dos colegas Pilar Garnacho López y Lola Martín Acosta (esta última compañera en los Cursos de español para extranjeros de la FGUMA y coautora de los cuadernos 5 y 6 de *Nuevo Avance*) y en segundo lugar por el tipo de obra.

Desde muy joven me han atraído los diccionarios ya fueran monolingües o bilingües, y ya más tarde especialmente los diccionarios de dudas. Mi primer contacto fue con el *Diccionario de dudas y dificultades de la lengua española* de Manuel Seco, que, por supuesto, sigo utilizando y, desde su aparición, el *Diccionario panhispánico de dudas* de la RAE.

Estos diccionarios me parecen necesarios y útiles, por eso cuando las autoras me hablaron de su obra pensé que se trataba de un proyecto muy atractivo, ya que se echaba de menos un diccionario como este que permitiera resolver la gran cantidad de dudas a las que se ven expuestos los extranjeros que estudian y utilizan nuestra lengua, y en todo momento tuve plena confianza en el resultado.

El *Diccionario de dudas* es un manual de consulta, referencia y práctica que, como señalan más adelante las autoras, no solo posibilita la consulta alfabética con más de quinientas entradas, sino también la consulta temática y proporciona alrededor de ochocientos ejercicios prácticos.

En suma, una obra interesantísima, llevada a cabo con método y rigor, que servirá de ayuda y guía a los estudiantes extranjeros que la utilicen, porque, efectivamente, sus dudas quedarán resueltas de una forma sencilla y eficaz.

Mi enhorabuena a las autoras y mi agradecimiento.

Piedad Zurita

Abro el *pdf* de este *Diccionario de dudas*, que sus autoras me han invitado a prologar –'cosa que les agradezco afectuosamente'– y me dirijo al índice. Mi primera impresión es la pertinencia para los destinatarios de los elementos seleccionados. Cabría pensar al leerlo que sus autoras son demasiado ambiciosas. Querer resolver las dudas –¡todas!– sobre las preposiciones o *ser* y *estar* o el subjuntivo sería algo inabarcable. Pero dejan muy claro que no es ese su objetivo; los criterios seguidos según sus propias palabras son estos: «Durante la selección de las palabras incluidas hemos tenido en cuenta dos aspectos: que fueran errores o dudas frecuentes y que correspondieran a contenidos hasta un B2».

Sigo leyendo y en la introducción Pilar Garnacho López y Lola Martín Acosta desglosan los principios con los que han trabajado. En esa explicación encuentro un nuevo mérito y es el tratamiento que se da a las dudas: por un lado, se encontrará la palabra como en cualquier diccionario; por otro, se podrá consultar esa misma palabra desde una perspectiva gramatical. Las constantes remisiones de un apartado al otro hacen más completa la consulta.

Un mérito más, en mi opinión, es el hecho de que en la elaboración de las explicaciones y los ejemplos, se ha tenido en cuenta que el contexto es algo que un estudiante de español como lengua extranjera o segunda lengua necesita para entender los diferentes sentidos de un término o una expresión.

Y como profesora avezada, agradezco que hayan contemplado los usos incorrectos y la corrección de los mismos con sencillez y claridad. Es algo que hacemos constantemente en clase y que pocos manuales recogen por ese miedo patológico a que si el estudiante ve el error escrito, se le quede en la memoria visual. Pero si el estudiante quiere corregir ese error y no tiene cerca a su profesor o profesora, ¿cómo podrá hacerlo? En este *Diccionario de dudas* encontrará la respuesta, la cual estará apoyada por iconos que le ayudarán a recordar.

Y tratándose de un trabajo orientado al alumnado y a su autoaprendizaje, no podían faltar los ejercicios de aplicación, claros, bien estructurados y contextualizados. Recogen todo lo presentado en los apartados «Diccionario», «Gramática» y «Uso incorrecto». Me atrevo a anticipar que este último grupo de ejercicios encantará a un gran número de alumnos y alumnas que no siempre tienen a quien consultar.

Que nadie crea que esta serie de méritos es una enumeración elaborada por compromiso. Nada más lejos de la realidad. Este es un trabajo serio, riguroso, producto de la experiencia real del día a día en el aula. Al leer cualquier entrada se siente que Pilar y Lola se han encontrado muchas veces con esas dudas en sus respectivas clases. No obstante, han consultado obras de referencia para asegurarse de sus respuestas, pero en todo momento han tenido presentes a los destinatarios contemplados desde el principio. Por eso la redacción es clara y asequible, los ejemplos realistas y el conjunto un manual de consulta de gran utilidad y que desde mi experiencia recomiendo calurosamente. ¡Enhorabuena!

Concha Moreno
Universidad de Estudios Extranjeros de Tokio (TUFS).

Introducción

Los diccionarios son muy útiles tanto en el aula de español como fuera de ella, puesto que ayudan a encontrar la palabra precisa para construir una frase o simplemente para entender su significado. Sin embargo, en muchas ocasiones los estudiantes consultan el diccionario para hallar algo más que una definición o una traducción, quieren saber cómo se usa una palabra o tienen dudas sobre una determinada estructura sintáctica.

Los profesores de español como lengua extranjera hemos sido testigos de la frustración que sienten los estudiantes al comprobar que un diccionario estándar no basta para hacer un buen uso de la lengua. Los diccionarios convencionales de español como lengua extranjera no suelen informar sobre el uso correcto de una palabra: no dicen si una palabra se usa con el verbo *ser* o con el verbo *estar*, no explican si un determinado verbo o conector introduce una oración con infinitivo, indicativo o subjuntivo, no mencionan los usos incorrectos de palabras que se usan con mucha frecuencia, etc.

Los hispanohablantes nativos ya tenemos un excelente manual de consulta para un uso correcto de nuestra lengua, el *Diccionario panhispánico de dudas*. Así que pensamos que sería muy útil e interesante disponer de un diccionario de este tipo pero dirigido a las personas que aprenden o enseñan español como lengua extranjera.

El *Diccionario de dudas* nace, por tanto, con la intención de servir como manual de consulta, referencia y práctica en el ámbito del español como lengua extranjera.

Durante el proceso de elaboración del diccionario, consideramos conveniente no solo posibilitar la consulta alfabética de las palabras (I. DICCIONARIO), sino también facilitar la consulta temática (II. GRAMÁTICA) y proporcionar una práctica (III. EJERCICIOS). Hacer correctamente estos ejercicios es una forma de comprobar que las dudas están, por fin, resueltas.

Objetivo

En este diccionario se recogen las palabras y sus correspondientes explicaciones con el objetivo de resolver las dudas que pueden tener los estudiantes de español como lengua extranjera relacionadas con aspectos gramaticales, léxicos y ortográficos.

Durante la selección de las palabras incluidas hemos tenido en cuenta dos aspectos: que fueran errores o dudas frecuentes y que correspondiesen a contenidos hasta un nivel B2.

Los destinatarios de este manual son estudiantes de español, a partir de un nivel A2, que quieran resolver sus dudas sobre el español[1]. También va dirigido a profesores nativos y no nativos que podrán disponer de una útil herramienta para dirigir una clase de español.

---

1 El español al que nos referimos en este diccionario es el español de España. No hacemos referencia en ningún caso al español de América.

¿Cómo usar el diccionario?

La primera parte de este manual, el propio DICCIONARIO, está formado por una lista de palabras ordenadas alfabéticamente. Cada palabra presenta un esquema similar a este:

- Categoría gramatical (*verbo, adjetivo, sustantivo, conjunción, preposición*, etc.).
- Definición: '…'. En algunos casos, hemos incluido más de un significado que nos interesaba destacar (1., 2., etc.).
- Explicación centrada en el uso que suele dar lugar a duda o a error.
- Ejemplo que va precedido de un contexto […] donde se aporta información que ayuda a entender o a situar el ejemplo.
- Advertencias:

👍	Explicación de un uso correcto.
👎	Explicación de un uso incorrecto.
☺	Ejemplo de un uso correcto.
☹	Ejemplo de un uso incorrecto.
📖 Consulta	Indica que se puede completar la información consultando otra palabra o en la segunda parte del manual, en GRAMÁTICA.
▶	Indica el capítulo al que se remite en la GRAMÁTICA. En una misma palabra pueden aparecer varias remisiones que hacen referencia a distintos capítulos.

Categoría gramatical   Definición

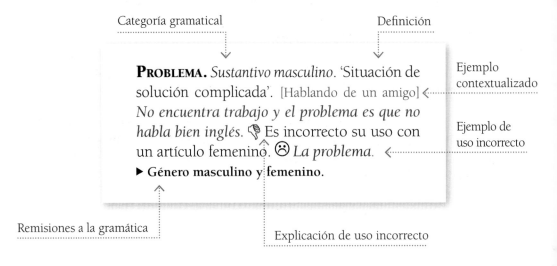

PROBLEMA. *Sustantivo masculino.* 'Situación de solución complicada'. [Hablando de un amigo] *No encuentra trabajo y el problema es que no habla bien inglés.* 👎 Es incorrecto su uso con un artículo femenino. ☹ *La problema.*
▶ **Género masculino y femenino.**

Ejemplo contextualizado

Ejemplo de uso incorrecto

Remisiones a la gramática

Explicación de uso incorrecto

La GRAMÁTICA, la segunda parte del manual, está dividida en capítulos que ofrecen explicaciones sobre uno o varios aspectos gramaticales mediante esquemas y cuadros fáciles de consultar. Los capítulos son:

1. Género masculino y femenino
2. Ser / Estar
3. Verbos de afección
4. Verbos con uso pronominal y uso no pronominal
5. Verbos que necesitan un pronombre de complemento indirecto
6. Preposiciones
7. Verbos con preposición
8. Indicativo y Subjuntivo
9. Verbos de cambio
10. Perífrasis
11. Palabras con tilde y sin tilde
12. Uso incorrecto de una palabra
13. Verbos irregulares

En la tercera parte, EJERCICIOS, se incluyen actividades realizadas a partir de una selección de los ejemplos que se muestran en el DICCIONARIO. La solución de los ejercicios puede consultarse en el mismo diccionario o en la Claves de los ejercicios.

Fuentes principales

• Las definiciones de las palabras las hemos extraído del *Diccionario de la lengua española* (Real Academia Española) y del diccionario en línea *Wordreference*. En muchos casos, hemos creado o modificado una definición con la intención de que la explicación fuera más fácil de entender.

• Hemos usado como fuentes principales para la consulta de aspectos gramaticales el *Diccionario panhispánico de dudas* y la *Gramática de la lengua española*.

• Hemos consultado los manuales de *Nuevo Avance* para establecer la limitación de los contenidos que se incluyen en el diccionario. También nos hemos ayudado de estos manuales para la explicación de algunos contenidos, así como de otros que citamos en la bibliografía.

Notas de las autoras

A continuación hacemos algunas indicaciones sobre aspectos concretos y criterios usados en la elaboración del diccionario.

- La selección de las palabras incluidas corresponde a dos criterios concretos:

    1 Palabras de uso frecuente que ocasionan incorrecciones en los estudiantes y que son errores que deberían estar superados en un nivel B1 o B2.

    2 Contenidos que suelen ser más problemáticos correspondientes a los siguientes niveles: A1, A2, B1 y B2, establecidos por el *Marco común europeo de referencia para las lenguas.*

- Solo están incluidos los significados de las palabras que podían causar dudas, o aquellos significados que hemos considerado que eran importantes para entender el uso correcto que se hace del término en cuestión.

- La clasificación de los capítulos en la parte de GRAMÁTICA se ha realizado con el objetivo de facilitar a los estudiantes la organización de los contenidos que suelen causar problemas y que se incluyen en el diccionario.

- Con el objeto de facilitar al estudiante la búsqueda de algunas palabras, se han recogido como entradas las siguientes formas verbales: *dé, sé, hay que* y *hace.*

- Los verbos con uso pronominal y no pronominal tienen entradas independientes en el diccionario.

- Hemos usado el término *conjunción* para referirnos tanto a las conjunciones simples como a las conjunciones compuestas (locuciones conjuntivas).

- No se incluyen ejercicios de práctica de los verbos irregulares.

Agradecimientos

A Piedad Zurita y Concha Moreno, por servirnos de referencia para la realización de esta obra.

A María José Fernández, Concha León, Conchi Muñoz, Elena García, Pepa Reyes y Nadine Chariatte, por todas sus sugerencias.

A los profesores y alumnos de Malaca Instituto y del Curso de español para extranjeros de la Universidad de Málaga.

A nuestras familias y amigos, especialmente a Jaime, por su paciencia y apoyo.

I Diccionario

A

A. *Preposición.* **1.** Detrás de verbos de movimiento (*ir, salir, venir, viajar,* etc.) indica una dirección. [Con un amigo, proponiendo un plan] *Voy al centro. ¿Vienes conmigo?* 👎 Es incorrecto el uso de la preposición *en* con este sentido. ☹ *Voy en el centro.* **2.** Acompaña a verbos que exigen un complemento directo (*ver, mirar, escuchar, oír, llamar, conocer, esperar, invitar, obligar,* etc.) cuando se refieren a una persona, a un animal doméstico o a los pronombres: *alguien, nadie, quien* o *quienes.* [En el trabajo, preguntando por una compañera] *¿Habéis visto a María por aquí?* [Hablando de planes] *No conozco a nadie que haya ido a ese hotel.* 👎 Es incorrecto su uso sin la preposición *a.* ☹ *¿Habéis visto María?* **3.** Con los verbos de afección (*gustar, encantar, importar,* etc.) es necesario su uso delante del pronombre personal en función de complemento indirecto. [Hablando del tiempo libre] *A nosotros nos gusta mucho esquiar en Sierra Nevada.* **4.** Marca el tiempo (hora o edad) en el que sucede algo. [Con un amigo, haciendo planes] *¿Quedamos a las cinco?* [Un profesor hablando de Picasso] *A los ocho años pintó su primer óleo.* **5. Estar + a.** Indica distancia. [Organizando un viaje] *Si queréis, podemos ir a Tarifa. Solo está a 100 km.* **6. Estar + a.** Indica precio variable. [En el mercado, con el pescadero] *¿A cómo están hoy las gambas?*

▶ **Preposiciones.**

ABIERTO, -A. *Adjetivo.* ■ **Estar abierto.** 'Objeto o lugar no cerrado'. [Con un amigo extranjero] *¿Hasta qué hora están abiertos los bancos en España?* ■ **Ser abierto. 1.** 'Persona simpática y sociable'. [Con una amiga, hablando de un viaje] *Los mexicanos han sido muy abiertos y acogedores con nosotros.* **2.** 'Persona comprensiva y tolerante'. [Con un compañero de clase] *Me gusta mucho esta profesora. Es muy abierta y podemos hablar de todo en clase.*

▶ **Ser / Estar.**

ABRIR. *Verbo.* 'Descubrir lo que está cerrado u oculto'. Irregularidad en el participio: *abierto.* [En una fiesta de cumpleaños] *¿Has abierto ya todos los regalos?*

▶ **Verbos irregulares.**

ABURRIR. *Verbo.* 'Producir cansancio o fastidio'. Verbo de afección. 📖 [1] Modelo: *apetecer.* [En casa, viendo la televisión] *Me aburre la tele. No hay nada interesante.* ■ **Infinitivo.** Aburrir + infinitivo. Los verbos hacen referencia a la misma persona. [Hablando de un compañero de clase] *Le aburre hacer tantos ejercicios en clase y por eso no ha venido.* ■ **Subjuntivo.** Aburrir que + subjuntivo. Los verbos hacen referencia a personas distintas. [Con un amigo, en una cola] *Me aburre que nos hagan esperar tanto tiempo.*

▶ **Verbos con uso pronominal y no pronominal.**
▶ **Verbos de afección.**
▶ **Indicativo / Subjuntivo. Verbos.**

ABURRIRSE. *Verbo.* 'Cansarse de alguna cosa o sentirse decaído'. Verbo con uso pronominal. **Aburrirse + con.** [Hablando de una amiga] *Le encanta salir con Amanda. Dice que es muy divertida y que nunca se aburre con ella.* **Aburrirse + de.** [Hablando del trabajo] *Me aburro de hacer cada día lo mismo.*

▶ **Verbos con uso pronominal y no pronominal.**
▶ **Verbos con preposición.**

ACABAR + [gerundio]. *Perífrasis de gerundio.* 'Llegar el momento de producirse algo'. Indica el desenlace de una acción. Puede expresar distintos matices. **Desenlace inesperado.** [Hablando del partido de fútbol de la noche anterior] *Íbamos ganando, pero acabamos perdiendo.* **Acción desaprobada.** [Hablando de un objeto de valor que ha cogido un niño] *Le dije que no lo cogiera y al final acabó rompiéndolo.* En la mayoría de las ocasiones es sustituible por la perífrasis *acabar por + infinitivo.*

▶ **Perífrasis.**

ACABAR DE + [infinitivo]. *Perífrasis de infinitivo.* **1.** Expresa el final reciente de una

---

1 📖 Indica que se puede completar la información consultando la parte de GRAMÁTICA.

acción. Presente de indicativo. [Con una amiga, por teléfono] *Acabo de llegar a casa, luego te llamo.* En este ejemplo se indica que el sujeto ha llegado a casa hace poco tiempo. Imperfecto de indicativo. [Contando una anécdota] *Acababa de salir de casa cuando me llamaron para la entrevista.* En este ejemplo se indica que el sujeto había salido de casa hacía poco tiempo. **2.** 'Terminar'. Indica la finalización de una actividad. Pretérito perfecto simple (indefinido). [Con un compañero de piso] *Por fin acabé de estudiar. ¿Te apetece que vayamos a tomar algo?* Presente de subjuntivo. [En una cafetería] *En cuanto acabe de tomarme el café, nos vamos.*
▶ **Perífrasis.**

ACABAR POR + [infinitivo]. *Perífrasis de infinitivo.* 'Llegar el momento de producirse algo'. Indica el desenlace de una acción. [Hablando de un amigo] *Se presentó al examen en varias ocasiones, pero como no aprobaba, acabó por dejar la carrera.* Además, la acción expresada por el infinitivo es la última de una serie de acciones sucesivas. [Explicando el final de una discusión] *Le costó admitir que estaba equivocado, pero acabó por darme la razón.* En la mayoría de las ocasiones es sustituible por la perífrasis *acabar + gerundio.*
▶ **Perífrasis.**

A CAMBIO DE. *Locución preposicional.* 'Por, en lugar de'. [Con un amigo, hablando de la compra de un coche] *En el concesionario me han ofrecido 3000 € a cambio de mi antiguo coche.* ☞ No debe confundirse con *en cambio* que significa 'por el contrario'.
▶ **Uso incorrecto de una palabra.**

ACEPTAR. *Verbo.* **1.** 'Admitir algo sin poner oposición'. ■ **Indicativo.** Aceptar que + indicativo. [Con una amiga, jugando a las cartas] *Vale, acepto que eres la mejor, siempre me ganas.* **2.** 'Permitir o acceder a algo'. ■ **Subjuntivo.** Aceptar que + subjuntivo. [Con un compañero de clase] *Gracias a tu propuesta, el director ha aceptado que tengamos las clases por la tarde.*
▶ **Indicativo / Subjuntivo. Verbos.**

ACERCA DE. *Locución preposicional.* 'Sobre'. Introduce un tema o asunto del que se trata. [El profesor pregunta a sus alumnos] *¿Tenéis alguna duda acerca del examen del próximo viernes?* ☞ No debe confundirse con *cerca de* que significa 'próximo'.
▶ **Uso incorrecto de una palabra.**

A CONDICIÓN DE QUE. *Conjunción condicional.* Indica la condición necesaria que debe cumplirse para conseguir algo. ■ **Subjuntivo.** A condición de que + subjuntivo. [En un documento] *La información puede ser copiada para su uso personal a condición de que se respeten los derechos de autor.*
▶ **Indicativo / Subjuntivo. Conectores.**

ACONSEJAR. *Verbo.* 'Dar un consejo'. Generalmente necesita un pronombre en función de complemento indirecto cuando se refiere a un destinatario determinado. [Hablando del profesor de una amiga] *Le aconsejó que estudiara todos los días.* Puede usarse con infinitivo o con subjuntivo y el significado no cambia. ■ **Infinitivo.** Aconsejar + infinitivo. Los verbos tienen distinto sujeto. [Con un amigo extranjero] *Te aconsejo no llamar a su casa a la hora de la siesta.* ■ **Subjuntivo.** Aconsejar que + subjuntivo. Los verbos tienen distinto sujeto. [Con un amigo extranjero] *Te aconsejo que no llames a su casa a la hora de la siesta.* Necesita un pronombre en función de complemento directo si no hay un infinitivo o una oración subordinada. [Hablando de un abuelo y su nieta] *Siempre la aconseja muy bien.*
▶ **Verbos que necesitan un pronombre de complemento indirecto.**
▶ **Indicativo / Subjuntivo. Verbos.**

ACORDAR. *Verbo.* 'Ponerse de acuerdo'. Cambio vocálico (o→ue) en algunos tiempos y personas. ▯ Consulta en *Verbos irregulares.* [En el

A

periódico] *Los sindicatos han acordado ir a la huelga el 29 de septiembre.*

▶ Verbos irregulares.

▶ Verbos con uso pronominal y no pronominal.

ACORDARSE. *Verbo.* Cambio vocálico (o→ue) en algunos tiempos y personas. 📖 Consulta en *Verbos irregulares.* Verbo con uso pronominal. **Acordarse + de. 1.** 'Tener presente algo en la memoria'. [Con un amigo] *¿Te acuerdas de cómo nos conocimos?* En este caso *acordarse* tiene el significado de 'recordar'. = *¿Recuerdas cómo nos conocimos?* El verbo *acordarse*, a diferencia del verbo *recordar,* siempre va seguido de la preposición *de* y es pronominal. **2.** 'Sentir nostalgia por algo o alguien'. [Con un amigo] *Desde que vivo en el extranjero, me acuerdo mucho de mi familia.*

▶ Verbos irregulares.

▶ Verbos con uso pronominal y no pronominal.

▶ Verbos con preposición.

▶ Uso incorrecto de una palabra.

ACOSTUMBRARSE. *Verbo.* 'Adquirir un hábito o costumbre'. Verbo con uso pronominal. **Acostumbrarse + a.** [Con un amigo extranjero, hablando de los horarios en España] *Todavía no me he acostumbrado a comer tan tarde.*

▶ Verbos con preposición.

ACTUALMENTE. *Adverbio de modo.* **1.** 'Ahora mismo'. [En una entrevista de trabajo] *Actualmente vivo en Barcelona, pero estoy dispuesto a trasladarme.* **2.** 'En nuestros días'. [Con un amigo extranjero] *Actualmente la Iglesia en España no tiene tanto poder como antes.* ☞ Debe evitarse su confusión con *de hecho* que significa 'verdaderamente, en realidad'.

▶ Uso incorrecto de una palabra.

ACTUAR. *Verbo.* 'Trabajar en un espectáculo público (teatro, cine, concierto, etc.) interpretando un papel o un tema musical'. [Con un amigo, hablando de una película] *Me gusta mucho como actúa Javier Bardem. Su personaje es muy real.* [Con un amigo, hablando de

planes] *Este fin de semana actúa Shakira en Madrid. ¿Vamos al concierto?* ☞ No debe confundirse con el verbo *jugar.*

▶ Uso incorrecto de una palabra.

ADENTRO. *Adverbio de lugar.* 'Hacia la parte interior'. Se usa con verbos de movimiento (*ir, pasar,* etc). [Recibiendo una visita en casa] *Pasa adentro que está María esperándote.* Es incorrecto el uso de la preposición *a* delante de este adverbio. ☞ No debe confundirse con *dentro* que se usa con verbos que no son de movimiento.

▶ Uso incorrecto de una palabra.

ADMITIR. *Verbo.* **1.** 'Reconocer como cierta una cosa'. ▪ **Indicativo.** Admitir que + indicativo. [En el periódico] *El presidente del Real Madrid admite que se ha equivocado.* ▪ **Subjuntivo.** Negación + admitir que + subjuntivo. [En el periódico] *El presidente del Real Madrid no admite que se haya equivocado.* **2.** 'Permitir o tolerar algo'. ▪ **Subjuntivo.** Admitir que + subjuntivo. [En una discusión] *No admito que me hables así.*

▶ Indicativo / Subjuntivo. Verbos.

AFIRMAR. *Verbo.* 'Asegurar o dar por cierto algo'. ▪ **Indicativo.** Afirmar que + indicativo. [Con un amigo, comentando una noticia] *El presidente del gobierno ha afirmado esta mañana que habrá elecciones anticipadas.* ▪ **Subjuntivo.** Negación + afirmar que + subjuntivo. [Con un amigo, desmintiendo una noticia] *Eso no es cierto, el presidente no ha afirmado que haya elecciones anticipadas.*

▶ Indicativo / Subjuntivo. Verbos.

AGRADABLE. *Adjetivo.* **1.** 'Persona amable, simpática o de buen trato'. [Con una amiga] *El chico que me presentaste ayer me pareció muy agradable.* **2.** 'Algo que agrada o gusta'. [En una tienda] *Este vestido tiene un tejido muy agradable.* [Hablando de la ciudad en la que estoy viviendo] *Es una ciudad muy agradable.* ☞ En este segundo caso, es incorrecto el uso de *amable.* ☹ *Es una ciudad muy amable.*

▶ Uso incorrecto de una palabra.

A

AGRADECER. *Verbo.* 'Sentir o mostrar gratitud por algo recibido'. Irregularidad (**c→zc**) en algunos tiempos y personas. 📖 Consulta en *Verbos irregulares*. Necesita un pronombre en función de complemento indirecto cuando se refiere a un destinatario determinado. [Con un amigo, por teléfono] *Te agradezco la llamada.*
■ **Subjuntivo.** Agradecer que + subjuntivo. [Dando las gracias por un ascenso en el trabajo] *Le agradezco que haya pensado en mí.*
▸ **Verbos irregulares.**
▸ **Verbos que necesitan un pronombre de complemento indirecto.**
▸ **Indicativo / Subjuntivo. Verbos.**

AGUA. *Sustantivo femenino.* 'Líquido sin olor, color ni sabor'. En singular, exige el uso del artículo masculino porque comienza por /a/ tónica. [Con un compañero de piso] *¿Dónde has puesto el agua? No encuentro la botella por ninguna parte.* Los demostrativos, adjetivos, etc. que lo acompañan deben ir en femenino. [En la playa, con un familiar] *¿No te vas a bañar? El agua está muy buena.*
▸ **Género masculino y femenino.**

AGUANTAR. *Verbo.* 'Resistir, soportar'. Normalmente se usa con una negación. [Con una compañera de trabajo] *No aguanto el frío en la moto por las mañanas.* ■ **Infinitivo.** Aguantar + infinitivo. Los dos verbos tienen el mismo sujeto. [Hablando del trabajo] *No aguanto trabajar tantas horas seguidas.* ■ **Subjuntivo.** Aguantar que + subjuntivo. Los dos verbos tienen distinto sujeto. [Hablando de un compañero de trabajo] *No aguanto que siempre me diga cómo tengo que hacer mi trabajo.*
▸ **Indicativo / Subjuntivo. Verbos.**

AL. *Contracción.* Es necesario su uso cuando a la preposición *a* le sigue el artículo *el*. [Proponiendo planes] *¿Vamos al cine esta noche o a la discoteca?* 🖐 Es incorrecto el uso del artículo *el* separado de la preposición *a*. ☹ *¿Vamos a el cine?* **Al + infinitivo.** Tiene valor temporal y significa 'cuando'. [Con un amigo,

hablando de hábitos] *Al llegar a casa, me ducho y me pongo cómodo.*
▸ **Uso incorrecto de una palabra.**

ALEGRAR. *Verbo.* 'Causar alegría'. Verbo de afección. 📖 Modelo: ***gustar***. [Hablando de unos familiares] *Les ha alegrado mucho tu visita.*
▸ **Verbos de afección.**
▸ **Verbos con uso pronominal y no pronominal.**

ALEGRARSE. *Verbo.* 'Sentir alegría'. Verbo con uso pronominal. [Hablando de la salud de un conocido] *¡Qué bien que ya está mejor tu padre! Me alegro mucho.* **Alegrarse + de.** ■ **Infinitivo.** Alegrarse de + infinitivo. Los verbos tienen el mismo sujeto. [Hablando del encuentro de un amigo] *Me dijo que se alegró mucho de volver a verte.*
■ **Subjuntivo.** Alegrarse de que + subjuntivo. Los verbos tienen distinto sujeto. [Con una compañera de clase] *Me alegro mucho de que hayas aprobado todas las asignaturas.*
▸ **Verbos con uso pronominal y no pronominal.**
▸ **Verbos con preposición.**
▸ **Indicativo / Subjuntivo. Verbos.**

ALEGRE. *Adjetivo.* ■ **Ser alegre. 1.** 'Persona que siempre está de buen humor'. [Hablando de un bebé] *Es un niño muy alegre. Siempre se está riendo.* **2.** 'Objeto o lugar bonito o colorido'. [En casa de un amigo] *La decoración de tu salón me gusta mucho, es muy alegre.* ■ **Estar alegre. 1.** 'Excitado por la bebida'. [En un bar, con un amigo] *Me he tomado dos cervezas y ya estoy alegre.* **2.** 'Persona que está de buen humor en un momento concreto'. [Con un amigo] *Estás más alegre desde que estás enamorado.* Con este último significado es mucho más frecuente usar el adjetivo *contento. Estás más contento desde que estás enamorado.*
▸ **Ser / Estar.**

AL FIN. *Locución adverbial.* Señala con cierto énfasis el término de una situación de espera. [Con un compañero de clase] *¡Al fin es viernes! Mañana no tenemos que madrugar. Al fin = por fin.* 🖐 Debe evitarse la confusión con *al*

A

final que hace referencia a un cambio en las circunstancias o planes.

▶ Uso incorrecto de una palabra.

AL FINAL. *Locución adverbial.* **1.** Expresa un cambio en las circunstancias o planes. [Con un amigo, hablando de planes] *He hablado con Marta y al final no vamos a cenar al restaurante italiano.* ✎ En un contexto formal se prefiere el uso de *finalmente*. **2.** Indica un lugar que se encuentra en el extremo más alejado. [En la calle, con un amigo] *Mi casa está al final de la calle.* ✎ Debe evitarse la confusión con *por fin* y con *al fin* que expresan el término de una situación de espera.

▶ Uso incorrecto de una palabra.

ALGUIEN. *Pronombre indefinido.* Se refiere a una persona sin indicación de género ni número. [Con unos amigos] *¿Alguien quiere venir conmigo a comprar el regalo para Hugo?* Si le acompaña un adjetivo, este debe ir en masculino singular. [Un empresario] *Necesito a alguien muy trabajador para este puesto.* ✎ Debe evitarse su uso seguido de la preposición *de*. ☹ *¿Alguien de vosotros quiere venir conmigo?*

▶ Uso incorrecto de una palabra.

ALGUNO, -A. *Adjetivo o pronombre indefinido.* **1.** Indica una cantidad imprecisa. [Hablando de una fiesta] *Vinieron algunos amigos de la infancia.* **Algún + sustantivo** masculino singular. [En una librería] *¿Tienen algún libro de cocina madrileña?* ✎ Es incorrecto el uso de *alguno* delante de un sustantivo. ☹ *Alguno libro.* ✎ Es incorrecto el uso de *algún* o *alguno, -a* cuando hay una negación. ☹ *No hay algún libro.* ✎ Lo correcto es: ☺ *No hay ningún libro.* **2.** Se aplica a una persona o cosa respecto de otras. [Con unos amigos] *¿Alguno de vosotros va a venir conmigo?* [En clase] *¿Alguno de estos libros es tuyo?*

▶ Uso incorrecto de una palabra.

AL MISMO TIEMPO QUE. *Conjunción temporal.* 'A la vez que'. Expresa la simultaneidad de

dos o más acciones. ■ **Indicativo.** Al mismo tiempo que + indicativo. [Hablando de una aplicación para el móvil] *Puedes aprender al mismo tiempo que juegas.*

▶ Indicativo / Subjuntivo. Conectores.

A LO MEJOR. *Locución adverbial.* Indica posibilidad. ■ **Indicativo.** A lo mejor + indicativo. [Con un amigo, un día soleado] *Han dicho que a lo mejor llueve mañana.*

▶ Indicativo / Subjuntivo. Conectores.

AMABLE. *Adjetivo.* 'Agradable y afectuoso en el trato y en la conversación'. Solo se usa para referirse a personas. [Hablando de un amigo] *Antonio es una persona muy amable con todo el mundo.* ✎ Es incorrecto su uso para referirse a un lugar. ☹ *Es una ciudad muy amable.* ✎ En este caso puede usarse el adjetivo *agradable*. [Hablando de la ciudad en la que estoy viviendo] *Es una ciudad muy agradable.*

▶ Uso incorrecto de una palabra.

A MEDIDA QUE. *Conjunción temporal.* 'Al mismo tiempo de manera progresiva'. ■ **Indicativo.** Sentido habitual. [Dirección General de Tráfico] *A medida que aumenta la velocidad, el campo de visión del conductor se va reduciendo.* Acción pasada. [Hablando de un alumno] *A medida que fue conociendo a sus compañeros, se empezó a sentir mejor en clase.* ■ **Subjuntivo.** Sentido futuro. [Hablando de un alumno] *A medida que vaya conociendo a sus compañeros, se sentirá mejor en clase.*

▶ Indicativo / Subjuntivo. Conectores.

A MENOS QUE. *Conjunción condicional.* 'Si no…'. Indica una condición en forma negativa. ■ **Subjuntivo.** A menos que + subjuntivo. [En clase de Español] *No voy a explicar la diferencia otra vez a menos que alguien no lo tenga claro.*

▶ Indicativo / Subjuntivo. Conectores.

ANCIANO, -A. *Adjetivo.* 'Persona de mucha edad'. [Hablando de un conocido] *El cura de* mi *pueblo es muy anciano.* También es muy frecuente el uso del adjetivo **mayor** cuando hablamos de una persona de cierta o mucha edad. *El cura de mi pueblo es muy mayor.* 🖐 Debe evitarse el uso del adjetivo *viejo.* 😣 *El cura de mi pueblo es muy viejo.* 🖐 No se usa para hablar de lugares ni objetos, en este caso se usa el adjetivo **antiguo.** [Con un amigo, delante de un edificio] *Aquí es donde yo vivo, es un edificio muy antiguo.* 😣 *Es un edificio muy anciano.*

▶ **Uso incorrecto de una palabra.**

ANDAR. *Verbo.* Irregularidad en algunos tiempos y personas. 📖 Consulta en *Verbos irregulares.* **1.** 'Estar'. Equivale al verbo *estar* cuando se habla de una localización o de un estado (físico o emocional). [Con un amigo, por teléfono] *¿Dónde andas?* = *¿Dónde estás?* [Hablando de un familiar] *Últimamente no anda muy bien.* = *No está bien.* **2.** 'Ir de un lugar a otro dando pasos'. [Con un amigo] *Todos los días ando media hora hasta el trabajo.* [Con un amigo] *Todos los días ando 3 kilómetros hasta el trabajo.* Se suele usar la estructura: **ir + andando,** cuando no se indica ni duración, ni distancia. [Con un compañero de clase] *Yo no cojo el autobús, voy andando porque vivo cerca.* 🖐 Es incorrecto decir: 😣 *Yo ando porque vivo cerca.*

▶ **Verbos irregulares.**
▶ **Uso incorrecto de una palabra.**

A NO SER QUE. *Conjunción condicional.* 'Si no…'. Indica una condición en forma negativa. ■ **Subjuntivo.** A no ser que + subjuntivo. [Hablando de planes] *Iremos a la playa a no ser que llueva.*

   ▶ **Indicativo / Subjuntivo. Conectores.**

ANTES. *Adverbio de tiempo.* Presenta un acontecimiento como anterior a otro. [En una entrevista de trabajo] *Antes trabajaba en una empresa multinacional.* **Antes + de.** Antes de + sustantivo. [Con un compañero de clase] *¿Comemos algo antes de clase?* 🖐 Es incorrecto su uso sin la

preposición *de* cuando le sigue un sustantivo. 😣 *¿Comemos algo antes clase?*

▶ **Uso incorrecto de una palabra.**

ANTES DE (QUE). *Conjunción temporal.* Presenta un acontecimiento como anterior a otro. ■ **Infinitivo.** Antes de + infinitivo. Los verbos tienen el mismo sujeto. [Con un compañero de clase] *¿Comemos algo antes de entrar en clase?* ■ **Subjuntivo.** Antes de que + subjuntivo. Los verbos tienen distinto sujeto. [Con un compañero de piso] *No te preocupes, que yo limpio todo antes de que lleguen tus amigos.*

▶ **Indicativo / Subjuntivo. Conectores.**

ANTIGUO, -A. *Adjetivo.* **1.** 'Objeto o lugar que existe desde hace mucho tiempo'. [Con un amigo, delante de un edificio] *Aquí es donde yo vivo, es un edificio muy antiguo.* 🖐 Es incorrecto el uso del adjetivo *anciano* con este significado. 😣 *Es un edificio muy anciano.* **2.** 'Persona que tiene una mentalidad de otra época pasada'. [Hablando de un familiar] *Mi tío es un antiguo: piensa que antes de casarse no es bueno convivir con la pareja.* **3.** 'Persona que lleva mucho tiempo en un empleo o profesión'. [Con una compañera] *Creo que mi profesor es el más antiguo de la escuela.* 🖐 Nunca se refiere a la edad de la persona.

▶ **Uso incorrecto de una palabra.**

A PESAR DE (QUE). *Conjunción concesiva.* Introduce una objeción o dificultad que no afecta al desarrollo normal de la acción principal. ■ **Sustantivo.** A pesar de + sustantivo. [Con un amigo, comentando una noticia] *Dicen que a pesar de la crisis habrá mucho turismo.* ■ **Infinitivo.** A pesar de + infinitivo. Se puede usar infinitivo, en lugar de indicativo o subjuntivo, y el significado no cambia. [Hablando de un conocido] *A pesar de tener setenta años, parece más joven.* ■ **Indicativo.** A pesar de que + indicativo. La dificultad o impedimento se presenta como un hecho del que se informa. [Con un amigo, hablando de un viaje] *La agencia de viajes no nos ha reservado el hotel, a pe-*

A

sar de que pagamos el viaje con antelación. ▪ **Subjuntivo.** A pesar de que + subjuntivo. La dificultad o impedimento se presenta como un hecho del que se duda o al que no se le da importancia. [Un padre con su hijo, antes de una carrera] *Pues a pesar de que sea viejo, voy a ganarte, ya lo verás.* 📖 Consulta *aunque* si quieres más información sobre el uso de indicativo y subjuntivo.

▸ **Indicativo / Subjuntivo. Conectores.**

APETECER. *Verbo.* 'Tener ganas de algo'. Irregularidad (**c→zc**) en algunos tiempos y personas. 📖 Consulta en *Verbos irregulares.* Verbo de afección. 📖 Modelo: *apetecer.* [Invitando a un amigo] *¿Te apetece un café?* ▪ **Infinitivo.** Apetecer + infinitivo. Los verbos hacen referencia a la misma persona. [Recibiendo a un amigo en casa] *¿Te apetece tomar algo? ¿Una cerveza?* ▪ **Subjuntivo.** Apetecer que + subjuntivo. Los verbos hacen referencia a personas distintas. [Proponiendo un plan] *¿Te apetece que vayamos esta noche de tapas?*

▸ **Verbos irregulares.**
▸ **Verbos de afección.**
▸ **Indicativo / Subjuntivo. Verbos.**

A PIE. *Locución adverbial.* 'Andando'. [Con un compañero de clase] *Como vivo cerca de la escuela, voy a pie.* 🖐 No debe confundirse con *de pie* que se refiere a la posición de una persona.

▸ **Uso incorrecto de una palabra.**

APRENDER. *Verbo.* 'Adquirir un conocimiento a través del estudio o de la experiencia'. [Con una amiga, hablando de su hijo] *Juan quiere aprender chino el año que viene.* **Aprender + a.** Si le sigue un infinitivo, es necesario el uso de la preposición *a.* [Con una amiga, hablando de su hijo] *Juan quiere aprender a hablar chino.*

▸ **Verbos con preposición.**

A (QUE). *Conjunción final.* 'Para que'. Va detrás de verbos de movimiento (*ir, venir,* etc.). ▪ **Infinitivo.** A + infinitivo. Los verbos tienen el mismo sujeto. [Una profesora hablando de sus cla-

ses particulares] *Esta tarde he ido a explicarle matemáticas a Pedro.* ▪ **Presente de subjuntivo.** Los verbos tienen distinto sujeto. [Hablando de la hija de un amigo] *Esta tarde viene la hija de Pablo a que le explique matemáticas.* [Con un familiar] *Vamos a ir al oculista a que te gradúe la vista.* ▪ **Imperfecto de subjuntivo.** Los verbos tienen distinto sujeto. [Hablando de la hija un amigo] *Ayer vino la hija de Pablo a que le explicara matemáticas.*

▸ **Indicativo / Subjuntivo. Conectores.**

ASÍ. *Adverbio de modo.* 'De esta o de esa manera'. [Con un familiar, viendo unas fotos antiguas] *¿Has visto las fotos de la boda de tus padres? Así era la moda en los años 70.* 🖐 Es incorrecto: 😖 *Como así.*

▸ **Uso incorrecto de una palabra.**

ASÍ (ES) QUE. *Conjunción consecutiva.* 'Por eso'. Introduce la consecuencia o el resultado de una acción anterior. ▪ **Indicativo.** Así (es) que + indicativo. [En una clase] *Vuestro profesor está enfermo, así es que yo voy a dar la clase.* ▪ **Imperativo.** Así (es) que + imperativo. [Con un amigo, hablando de planes] *Marta viene al cine con nosotros, así que recógela en su casa.*

▸ **Indicativo / Subjuntivo. Conectores.**

ASISTIR. *Verbo.* **Asistir + a. 1.** 'Ir o estar presente en un lugar o evento determinado'. [Con un compañero de clase] *No voy a asistir al congreso de Filología.* **2.** 'Socorrer o ayudar a alguien'. [Comentando un accidente] *Un médico está obligado a asistir a los heridos en caso de accidente.*

▸ **Verbos con preposición.**

ATENTO, -A. *Adjetivo.* ▪ **Estar atento.** 'Persona que fija la atención en algo'. [Un profesor a sus alumnos] *Hoy tenéis que estar muy atentos porque la lección que voy a explicar es muy importante.* ▪ **Ser atento.** 'Persona que se preocupa por los detalles y es muy cuidadosa en el trato'. [Hablando de un hotel] *Me gustó mucho porque el personal era muy atento.*

▸ **Ser / Estar.**

ATRÁS. *Adverbio de lugar.* **1.** 'Hacia la parte posterior'. Suele usarse con verbos que indican movimiento (*ir, venir*, etc.). [En un gimnasio] *Echa la cabeza atrás.* ☞ Debe evitarse el uso de *detrás* con este significado. **2.** 'En la parte posterior', en este caso indica estado o situación y sí puede sustituirse por *detrás*. [En el coche de un amigo] *Pon la chaqueta atrás.* = *Pon la chaqueta detrás.*
▶ **Uso incorrecto de una palabra.**

ATRASO. *Sustantivo masculino.* 'Falta de desarrollo en cualquier área'. [Con un amigo, hablando de la solicitud para hacer un curso] *Es un atraso no poder enviar la documentación de mi solicitud por internet.* ☞ No debe confundirse con *retraso* que se refiere al tiempo.
▶ **Uso incorrecto de una palabra.**

AULA. *Sustantivo femenino.* 'En un centro docente, sala destinada a la enseñanza'. En singular, exige el uso del artículo masculino porque comienza por /a/ tónica. [En una escuela] *Perdona, ¿sabes dónde está el aula tres?* Los demostrativos, adjetivos, etc. que lo acompañan deben ir en femenino. [En una escuela, con un compañero] *Esta aula es muy pequeña para nosotros.*
▶ **Género masculino y femenino.**

AUN. *Adverbio de modo.* **Aun + gerundio.** 'Aunque'. [Dos profesores hablando de un alumno] *Aun sabiendo que no aprobaría, se presentó al examen.*
▶ **Palabras con tilde y sin tilde.**

AÚN. *Adverbio de tiempo.* 'Todavía'. [Con un amigo] *¿Aún no sabes cuándo empieza el torneo de pádel?*
▶ **Palabras con tilde y sin tilde.**

AUN CUANDO. *Conjunción concesiva.* 'Aunque'. ■ **Indicativo.** Aun cuando + indicativo. Presenta una información o acepta un hecho. [En el periódico universitario] *Los alumnos insisten en protestar aun cuando se ha mejorado el sistema de exámenes.* ■ **Subjuntivo.** Aun cuando + subjuntivo. La información se desconoce, no se acepta o no se le da importancia. [En el periódico] *El agente inmobiliario tiene derecho a sus honorarios, aun cuando la venta no se formalice.*
▶ **Indicativo / Subjuntivo. Conectores.**

AUNQUE. **1.** *Conjunción concesiva.* Introduce una objeción o dificultad que no afecta al desarrollo normal de la acción principal. ■ **Indicativo.** Aunque + indicativo. **1.** Informa de la objeción o dificultad. [Con un amigo, hablando de su nuevo jefe] *Tiene una forma de trabajar muy organizada, aunque es un poco serio.* **2.** Se comparte o acepta esa objeción. [Dos compañeros de trabajo hablando sobre su nuevo jefe] *Sí, es cierto, pero aunque es un poco serio, se puede hablar con él.* ■ **Subjuntivo.** Aunque + subjuntivo. **1.** La objeción se presenta como un hecho que todavía no se ha realizado. [Con una amiga] *Me presentaré al examen, aunque no apruebe.* **2.** La objeción se presenta como un hecho desconocido. [Con un amigo, hablando de un coche] *Todavía no he mirado los precios, pero aunque cueste muy caro, me lo pienso comprar.* **3.** La objeción se presenta como un hecho al que no se le da importancia. [Con un amigo, hablando de un coche] *No me importa, aunque sea pequeño, me lo voy a comprar.* **4.** La objeción se presenta como un hecho que se cuestiona y no se acepta. [Con un amigo, hablando de un coche] *Aunque costara muy caro, que no creo, me lo pienso comprar.* **2.** *Conjunción adversativa.* 'Pero'. Expresa la coordinación de dos o más acciones opuestas. ■ **Indicativo.** Aunque + indicativo. [Hablando de amigos comunes] *Son buenos amigos, aunque no lo parecen porque siempre están discutiendo.*
▶ **Indicativo / Subjuntivo. Conectores.**

AYUDAR. *Verbo.* **Ayudar + a.** 'Cooperar, colaborar'. Generalmente necesita un pronombre en función de complemento directo. [Hablando del profesor de un alumno] *Lo ayudó a aprobar inglés. Es muy buen profesor.*
▶ **Verbos con preposición.**

B

B

BARRIO. *Sustantivo masculino.* 'Cada una de las zonas en las que se divide una ciudad o población'. [Hablando de la ciudad en la que estoy viviendo] *Me gusta mucho mi barrio porque hay muchas tiendas.* 👎 No debe confundirse con *suburbio* que significa 'barrio marginal'.
▶ **Uso incorrecto de una palabra.**

BASTANTE. *Adjetivo.* **1.** 'Suficiente'. [En la cocina] *¿Hay bastantes tomates para hacer la salsa?* **2.** 'Mucho'. [Un día caluroso] *Hace bastante calor.* 👎 Con este sentido, es incorrecto el uso de la palabra *suficiente*.
▶ **Uso incorrecto de una palabra.**

BIBLIOTECA. *Sustantivo femenino.* 'Lugar donde hay un depósito de libros que se pueden consultar'. Este lugar suele tener la función de sala de estudio. [Con un amigo, hablando de planes] *Esta noche voy a estar estudiando en la biblioteca porque pasado mañana tengo un examen.* 👎 No debe confundirse con *librería* que es el lugar donde se compran libros.
▶ **Uso incorrecto de una palabra.**

BIEN. *Adverbio de modo.* ■ **Estar bien. 1.** 'Que goza de buena salud o buen ánimo'. [Con un compañero] *Ayer no vine a clase porque no estaba bien. Me dolía la cabeza.* **2.** 'Algo correcto, adecuado o apropiado para un fin'. [En clase] *Este ejercicio está bien.* ■ **Infinitivo.** Estar (3.ª persona) bien + infinitivo. Valoración general. [Hablando de las dietas] *Está bien cuidarse un poco.* ■ **Subjuntivo.** Estar (3.ª persona) bien que + subjuntivo. Valoración referida a un sujeto concreto. [Hablando del medioambiente] *Está bien que la gente joven recicle cada vez más.* 👎 Es incorrecto su uso con el verbo *ser.* 🙁 *Es bien.*
▶ **Ser / Estar.**
▶ **Indicativo / Subjuntivo. Expresiones impersonales.**
▶ **Uso incorrecto de una palabra.**

BILLETE. *Sustantivo masculino.* **1.** 'Dinero de papel'. [Con un billete de 20 € en las manos] *Me*

hace falta cambio. ¿Tienes dos billetes de 10 €?* **2.** 'Tarjeta que da derecho a entrar en un medio de transporte público: tren, avión, etc.'. [Con un amigo, hablando de un viaje] *Ya tengo los billetes para Berlín.* 👎 Nunca se usa para referirse a la tarjeta que da derecho a entrar en un museo, teatro, sala de conciertos, etc., ya que en estos casos se usa la palabra *entrada*.
▶ **Uso incorrecto de una palabra.**

BOLSA. *Sustantivo femenino.* **1.** 'Es el objeto de plástico o de papel que sirve para guardar lo que hemos comprado en una tienda'. [Con la cajera de un supermercado] *¿Quieres bolsas? ¿Cuántas?* **2.** 'Bolso grande para guardar ropa u otras cosas en viajes o traslados'. [Con un familiar, antes de ir a la playa] *¿Has metido las toallas en la bolsa?* 👎 No debe confundirse con *bolso*.
▶ **Uso incorrecto de una palabra.**

BOLSO. *Sustantivo masculino.* 'Es el objeto de cuero, tela u otros materiales que usan, especialmente, las mujeres para llevar dinero, documentos, etc.'. [Con una amiga, buscando las llaves] *Nunca encuentro nada en este bolso.* 👎 No debe confundirse con *bolsa*.
▶ **Uso incorrecto de una palabra.**

BONITO, -A. *Adjetivo.* **1.** 'Que tiene belleza'. Se aplica a objetos y lugares. [Con una amiga, en su nueva casa] *¡Qué bonito has puesto el salón!* [Con una niña pequeña que tiene un papel en la mano] *¡Qué dibujo más bonito! ¿Lo has hecho tú?* También se puede referir a la parte del cuerpo de una persona. [Con un amigo, describiendo a un actor] *Es muy simpático con la prensa y tiene unos ojos muy bonitos.* **2.** 'Guapo'. [Con una amiga que tiene un bebé] *¡Qué bonito es!* Normalmente se usa para hablar de niños o bebés. También puede usarse para referirse a una mujer, aunque en España es más habitual usar el adjetivo *guapa*. 👎 No se usa para referirse a un hombre. 👎 Es incorrecto su uso para referirse a la

C

comida o a su sabor. 👆 En este caso se usa el adjetivo *bueno*.
▶ Uso incorrecto de una palabra.

BUENO, -A. *Adjetivo.* ■ **Estar bueno. 1.** 'Que tiene un sabor agradable'. [En una fiesta] *¿Quién ha hecho el postre? Está muy bueno.* **2.** 'Sano'. [Una madre con su hijo pequeño] *Si te tomas esta medicina, seguro que mañana ya vas a estar bueno.* ■ **Ser bueno. 1.** 'Persona bondadosa, que no tiene malos sentimientos'. [Con un compañero de clase, hablando de un profesor] *Seguro que te aprueba, es muy buena persona y sabe que te has esforzado.* **Buen + sustantivo** masculino singular. [Hablando de un alumno] *Es un buen chico. En clase se comporta muy bien.* **2.** 'Que tiene calidad'. [En una tienda de electrodomésticos] *Esta marca es muy buena y tiene tres años de garantía.* **3.** 'Saludable'. [Una madre con su hijo] *No es bueno que tomes tantos refrescos con gas.* **4.** 'Beneficioso o útil'. [El director de un colegio] *Es bueno que los niños que empiezan el colegio tengan un período de adaptación.* ■ **Infinitivo.** Ser (3.ª persona) bueno + infinitivo. Valoración general. [Hablando de hábitos] *Es bueno caminar un poco todos los días.* ■ **Subjuntivo.** Ser (3.ª persona) bueno que + subjuntivo. Valoración referida a un sujeto concreto. [Hablando de educación] *Es bueno que los niños empiecen a estudiar inglés desde pequeños.*
▶ Ser / Estar.
▶ Indicativo / Subjuntivo. Expresiones impersonales.

C

CADA VEZ QUE. *Conjunción temporal.* 'Siempre que'. ■ **Indicativo.** Sentido habitual en presente. [Después de llamar a alguien varias veces] *Cada vez que lo llamo, me sale el buzón de voz.* Sentido habitual en pasado. [Hablando de la infancia] *Cada vez que tenía que ir al dentista, me ponía a llorar.* ■ **Subjuntivo.** Sentido futuro. [Con un amigo, hablando de planes futuros] *Voy a viajar cada vez que tenga la oportunidad.*

[Con un buen amigo] *Pídeme el coche cada vez que lo necesites.*
▶ Indicativo / Subjuntivo. Conectores.

CALIDAD. *Sustantivo femenino.* 'Propiedad o conjunto de propiedades de algo'. Suele usarse con los adjetivos: *buena, mala, mejor* o *peor*. [En una zapatería, con una amiga] *Prefiero gastarme más dinero y que los zapatos sean de buena calidad.* 👆 Debe evitarse la confusión con la palabra **cualidad** que normalmente se usa para referirse a los aspectos positivos de una persona.
▶ Uso incorrecto de una palabra.

CALIENTE. *Adjetivo.* ■ **Estar caliente.** 'Que tiene o produce calor'. Se usa mucho para hablar de comidas y bebidas. [En casa, a la hora de la comida] *Esperad un poco, que la sopa está muy caliente.* También se usa para referirse a una persona que tiene fiebre. [Unos padres hablando de su hija] *Esta niña está muy caliente, vamos a ponerle el termómetro.* 👆 Es incorrecto su uso para hablar del tiempo. 🙁 [Hablando del tiempo] *Es muy caliente.* 👆 También es incorrecto su uso para referirse a una persona que tiene calor.
▶ Ser / Estar.
▶ Uso incorrecto de una palabra.

CALOR. *Sustantivo masculino.* **1.** 'Sensación que se experimenta ante una elevación de temperatura'. Se usa normalmente con los verbos *tener* y *sentir*. [En casa de un familiar] *Tengo calor, ¿puedes poner el aire acondicionado?* **2.** 'Temperatura alta del ambiente'. Se usa con el verbo *hacer* (en tercera persona del singular). [Un día caluroso] *Hoy hace mucho calor.* 👆 Es incorrecto el uso de la palabra *caliente* con este significado.
▶ Uso incorrecto de una palabra.

CAMINAR. *Verbo.* 'Andar una determinada distancia'. [Con un amigo] *Hoy he caminado dos kilómetros.* Cuando queremos expresar

C

la acción de ir hacia un determinado lugar, solemos usar la estructura *ir + caminando*. [Con un amigo] *Todos los días voy caminando a la escuela.* ☞ Es incorrecto decir: ☹ *Todos los días camino a la escuela.*
▸ Uso incorrecto de una palabra.

CAPITAL. *Sustantivo femenino.* 'Ciudad principal de un país o estado'. [En clase de Historia] *Toledo fue la capital de España hasta 1560.* ☞ Es incorrecto su uso con un artículo masculino cuando la palabra *capital* hace referencia a una ciudad. ☹ *El capital.*
▸ Género masculino y femenino.

CARAMELO. *Sustantivo masculino.* 'Pasta de azúcar de distintos colores y sabores'. [Con un amigo que está tosiendo] *¿Quieres un caramelo de menta?* ☞ No debe confundirse con la palabra *dulce* que significa 'pastel'.
▸ Uso incorrecto de una palabra.

CARNE. *Sustantivo femenino.* 'Alimento consistente en una parte muscular del cuerpo de un animal'. [En un restaurante] *¿Cómo quiere la carne?* ☞ Es incorrecto su uso con un artículo masculino. ☹ *El carne.*
▸ Género masculino y femenino.

CARTA. *Sustantivo femenino.* 'Papel escrito que se mete en un sobre y se envía a alguien para comunicarle algo'. [Con un amigo] *Me hace ilusión cuando recibo una carta.* ☞ Es incorrecto el uso de la palabra *letra* que significa 'signo con que se representan los sonidos'.
▸ Uso incorrecto de una palabra.

CAUSAR. *Verbo.* 'Motivar, originar o producir algo'. [Hablando de unas obras] *Las obras de mi barrio están causando muchas molestias a los vecinos.* ∎ **Subjuntivo.** Causar que + subjuntivo. [Revista sobre medioambiente] *La contaminación está causando que muchas especies se extingan.*
▸ Indicativo / Subjuntivo. Verbos.

CERCA. *Adverbio de lugar.* ∎ **Estar cerca.** 'Próximo'. [En una clase de Español] *Mi ciudad está cerca de la frontera con Alemania.* ☞ Es incorrecto su uso con el verbo *ser*. ☹ *Mi ciudad es cerca.*
▸ Ser / Estar.

CERCA DE. *Locución preposicional.* 'Casi'. Se emplea seguida de una expresión cuantitativa. [Hablando de un amigo común] *La ONG en la que trabaja ayuda a cerca de quince mil personas sin recursos.* ☞ No debe confundirse con *acerca de* que significa 'sobre'.
▸ Uso incorrecto de una palabra.

CIERTO. *Adjetivo.* 'Verdadero'. ∎ **Ser cierto.** [Con un amigo, hablando de trabajo] *¿Es cierto que te han ascendido?* ∎ **Indicativo.** Ser (3.ª persona) cierto que + indicativo. [Con una amiga, hablando de planes] *¿Es cierto que te vas a trabajar a Japón?* ∎ **Subjuntivo.** Negación + ser (3.ª persona) cierto que + subjuntivo. [Desmintiendo una noticia] *No es cierto que el gobierno haya hecho cambios.*
▸ Ser / Estar.
▸ Indicativo / Subjuntivo. Expresiones impersonales.

CIUDAD. *Sustantivo femenino.* 'Área habitada con gran densidad de población dentro de un país'. [En una guía turística] *Cádiz es la ciudad más antigua de Europa.* ☞ Es incorrecto su uso con un artículo masculino. ☹ *El ciudad.*
▸ Género masculino y femenino.

CLARO, -A. *Adjetivo.* 'Evidente'. ∎ **Estar claro.** [En clase, un profesor explicando] *¿Está claro? ¿Alguna pregunta?* ☞ Es incorrecto su uso con el verbo *ser*. ☹ *¿Es claro?* ∎ **Indicativo.** Estar (3.ª persona) claro que + indicativo. [En clase] *Está claro que para aprobar el examen tenemos que estudiar mucho.* ∎ **Subjuntivo.** Negación + estar (3.ª persona) claro que + subjuntivo. [Hablando de un examen] *Todavía no está claro que haya suspendido el examen. Voy a esperar a que me den la nota.*
▸ Ser / Estar.
▸ Indicativo / Subjuntivo. Expresiones impersonales.

CLASE. *Sustantivo femenino.* **1.** 'Aula o sala en la que se enseña'. [En una facultad] *Perdona, ¿sabes dónde están las clases?* **2.** 'Lección impartida por un profesor'. [Con un compañero de la facultad] *¿Sabes dónde tenemos la clase de Lingüística?* ☞ Es incorrecto su uso con un artículo masculino. ☹ *El clase.*
▶ **Género masculino y femenino.**

COCHE. *Sustantivo masculino.* 'Vehículo con motor, de cuatro ruedas, usado específicamente para el transporte de personas'. [Con un compañero después del trabajo] *¿Dónde has aparcado el coche?* ☞ Es incorrecto su uso con un artículo femenino. ☹ *La coche.*
▶ **Género masculino y femenino.**

COMENTAR. *Verbo.* 'Transmitir y expresar una información u opinión sobre algo'. Necesita un pronombre en función de complemento indirecto cuando se refiere a un destinatario determinado. ▪ **Indicativo.** Comentar que + indicativo. [Informando a una amiga sobre las rebajas] *Me han comentado que ponen rebajas en esta tienda la semana que viene.* ▪ **Subjuntivo.** Negación + comentar que + subjuntivo. [En una tienda donde hay rebajas] *No me habían comentado que hubiera rebajas.*
▶ **Verbos que necesitan un pronombre de complemento indirecto.**
▶ **Indicativo / Subjuntivo. Verbos.**

COMENZAR A + [infinitivo]. *Perífrasis de infinitivo.* 'Empezar'. Expresa el inicio de una actividad. Cambio vocálico (e→ie) en algunos tiempos y personas. 📖 Consulta en *Verbos irregulares.* [Con un compañero de clase, mirando por la ventana] *Ha comenzado a llover.*
▶ **Verbos irregulares.**
▶ **Perífrasis.**

COMO. 1. *Conjunción causal.* Normalmente va al inicio de la oración, a diferencia de *porque* que suele ir en medio. ▪ **Indicativo.** Como + indicativo. [Con una amiga] *Como*

no me llamaste, creí que no ibas a venir. **2.** *Conjunción modal.* 'De la manera que'. Señala la forma en que se realiza lo indicado en la oración principal. ▪ **Indicativo.** Como + indicativo. Indica que se conoce la manera en que se hace algo. [Preparando unas lentejas] *Yo hago las lentejas como mi madre me enseñó.* ▪ **Subjuntivo.** Como + subjuntivo. Indica que se desconoce la manera en que se hace algo. [Con un amigo, preparando una paella] *Haz la paella como tú sepas. Yo no tengo ni idea de cómo se prepara.* **3.** *Conjunción condicional.* Incluye la idea de advertencia o amenaza. ▪ **Subjuntivo.** Como + subjuntivo. [Una madre amenazando a su hijo pequeño] *Como no termines, no sales esta tarde.* = *Si no terminas, no sales esta tarde.* **4.** *Adverbio* con valor comparativo. ▪ **Indicativo.** Como + indicativo. [Comentando una foto] *No es tan alto como parece en la foto.*
▶ **Palabras con tilde y sin tilde.**
▶ **Indicativo / Subjuntivo. Conectores.**

CÓMO. 1. *Pronombre interrogativo.* [En un colegio] *¿Cómo se llama tu profesora?* **2.** *Pronombre exclamativo.* [En una fiesta, con una amiga] *¡Cómo puedes llevar esos tacones tan altos!* También se usa en las interrogativas indirectas con los verbos: *entender, saber, preguntar,* etc. [Hablando de un amigo al que tienen que darle una mala noticia] *No sé cómo decírselo.* ☞ Es incorrecto su uso seguido de un adjetivo o adverbio. ☹ *¡Cómo alto es!* ☜ Lo correcto es: ☺ [Hablando del novio de una amiga] *¡Qué alto es!*
▶ **Palabras con tilde y sin tilde.**
▶ **Uso incorrecto de una palabra.**

COMO SI. *Conjunción comparativa.* Introduce una comparación irreal. ▪ **Imperfecto de subjuntivo.** Como si + imperfecto de subjuntivo. Se refiere al momento presente. [En un bar, hablando de un amigo] *Juan ha llegado hace un rato y no nos ha saludado. Parece como si estuviera enfadado con nosotros.* ▪ **Pluscuamperfecto de subjuntivo.** Como si + pluscuamperfecto de sub-

C

juntivo. Se refiere al pasado. [Con un compañero de trabajo, al llegar a la oficina] *¡Qué sueño tengo! Estoy como si no hubiera dormido en toda la noche.*

▸ **Indicativo / Subjuntivo. Conectores.**

COMPLETO, -A. *Adjetivo.* 'Que no queda espacio libre'. [En la parada del autobús] *Este autobús va completo, tendremos que esperar al siguiente.* 🖐 Es incorrecto su uso para decir que no podemos comer más. 👍 En este caso solo es posible usar el adjetivo *lleno.* ☺ [En la mesa, antes de terminar de comer] *No puedo más. Estoy lleno.*

▸ **Uso incorrecto de una palabra.**

COMPOSICIÓN. *Sustantivo femenino.* 'Ejercicio de escritura en el que el alumno desarrolla un tema'. [En clase de Español] *Para mañana tenéis que escribir una composición sobre vuestro tiempo libre.* 🖐 Es incorrecto usar las palabras *papel* o *ensayo* por influencia del inglés.

▸ **Uso incorrecto de una palabra.**

COMPRENDER. *Verbo.* **1.** 'Tener una idea clara de las cosas'. [Un estudiante que está aprendiendo español] *Cuando me hablan despacio, lo comprendo casi todo.* ▪ **Indicativo.** Comprender que + indicativo. [Hablando de una amiga] *Cuando la oí hablar de él, comprendí que estaba enamorada.* **2.** 'Encontrar justificados o razonables los actos o sentimientos de otro'. ▪ **Subjuntivo.** Comprender que + subjuntivo. [Con un amigo que lleva un rato esperando] *Siento llegar tan tarde. Comprendo que estés enfadado conmigo.*

▸ **Indicativo / Subjuntivo. Verbos.**

COMPROBADO, -A. *Adjetivo.* ▪ **Estar comprobado.** 'Revisado o analizado'. ▪ **Indicativo.** Estar (3.ª persona) comprobado que + indicativo. [En el periódico] *Está comprobado que el alcohol es uno de los principales enemigos del conductor.* ▪ **Subjuntivo.** Negación + estar (3.ª persona) comprobado que + subjuntivo. [En una revista] *No está comprobado científicamente que el agua quite el hambre.*

▸ **Ser / Estar.**

▸ **Indicativo / Subjuntivo. Expresiones impersonales.**

COMUNICAR. *Verbo.* 'Informar'. Cambio ortográfico (c→qu) en algunos tiempos y personas. 📖 Consulta en *Verbos irregulares.* Necesita un pronombre en función de complemento indirecto cuando se refiere a un destinatario determinado. Normalmente se usa para informar de algo oficialmente. [Hablando de un familiar] *Le comunicaron que el presidente de su empresa había dimitido.* ▪ **Indicativo.** Comunicar que + indicativo. [Informando a una amiga] *Me acaban de comunicar que tengo que presentarme mañana a una prueba médica.* ▪ **Subjuntivo.** Negación + comunicar que + subjuntivo. [En la consulta de un médico, hablando con una enfermera] *¿Y ahora qué hago? Nadie me había comunicado que no hubiera consulta.* 🖐 Es incorrecto el uso de *comunicar* con el significado de 'hablar'.

▸ **Verbos irregulares.**

▸ **Verbos con uso pronominal y no pronominal.**

▸ **Verbos que necesitan un pronombre de complemento indirecto.**

▸ **Indicativo / Subjuntivo. Verbos.**

▸ **Uso incorrecto de una palabra.**

COMUNICARSE. *Verbo.* 'Entenderse'. Cambio ortográfico (c→qu) en algunos tiempos y personas. 📖 Consulta en *Verbos irregulares.* Verbo con uso pronominal. [Hablando de un compañero de clase] *Lo he intentado, pero no puedo comunicarme bien con Harry, no habla nada de español.*

▸ **Verbos irregulares.**

▸ **Verbos con uso pronominal y no pronominal.**

CON. *Preposición.* **1.** Señala el instrumento, medio o modo que sirve para hacer algo. [Con una compañera de piso] *Abre la puerta con esta llave.* **2.** Expresa el contenido o la composición de algo. [En una hamburguesería] ¿*Quieres las patatas con mayonesa?* **3.** 'Conjuntamente, en compañía de'. [Con un amigo, proponiendo un plan] *Vamos al centro. ¿Vienes con nosotros?* La preposición *con* delante del pronombre personal de primera persona singular se transforma en una sola palabra. Con + yo → conmigo. [Con un amigo, proponiendo un plan] *Voy al centro. ¿Vienes conmigo?* ☞ Es incorrecto: ☹ ¿*Vienes con mí?* La preposición *con* delante del pronombre personal de segunda persona singular se transforma en una sola palabra. Con + tú → contigo. [Aceptando un plan] *De acuerdo. Voy contigo.* ☞ Es incorrecto: ☹ *Voy con ti.*

▸ **Preposiciones.**
▸ **Uso incorrecto de una palabra.**

CONDUCIR. *Verbo.* 'Guiar un vehículo automóvil'. Irregularidad en algunos tiempos y personas. 📖 Consulta en *Verbos irregulares.* [Hablando de un viaje] *Condujimos hasta Madrid y allí cogimos un avión.*

▸ **Verbos irregulares.**

CON EL FIN DE (QUE). *Conjunción final.* 'Para que'. Suele usarse en el lenguaje escrito o en el lenguaje formal. ■ **Infinitivo.** Con el fin de + infinitivo. El sujeto es el mismo. [En una reunión de trabajo] *Os hemos reunido a todos con el fin de informaros de los nuevos planes de la empresa.* ■ **Subjuntivo.** Con el fin de que + subjuntivo. Los sujetos son distintos. [En el periódico] *La Universidad Europea ofrece la posibilidad de realizar estancias en el extranjero, con el fin de que todos sus estudiantes tengan una visión internacional de su profesión.*

▸ **Indicativo / Subjuntivo. Conectores.**

CON EL OBJETIVO DE (QUE). *Conjunción final.* 'Para que'. Suele usarse en el lenguaje escrito o en el lenguaje formal. ■ **Infinitivo.** Con el objetivo de + infinitivo. El sujeto es el mismo. [En la presentación de un trabajo de investigación] *He añadido un índice de términos con el objetivo de facilitar su búsqueda.* ■ **Subjuntivo.** Con el objetivo de que + subjuntivo.

Los sujetos son distintos. [En un anuncio comercial] *Hemos bajado los precios con el objetivo de que nuestros clientes estén más satisfechos.*

▸ **Indicativo / Subjuntivo. Conectores.**

CON EL OBJETO DE (QUE). *Conjunción final.* 'Para que'. Suele usarse en el lenguaje escrito o en el lenguaje formal. ■ **Infinitivo.** Con el objeto de + infinitivo. El sujeto es el mismo. [Un profesor] *He creado un blog con el objeto de subir todo el temario de clase.* ■ **Subjuntivo.** Con el objeto de que + subjuntivo. Los sujetos son distintos. [Un profesor] *He colgado toda la información en internet con el objeto de que podáis consultarla fácilmente.*

▸ **Indicativo / Subjuntivo. Conectores.**

CONFIAR. *Verbo.* **1.** 'Encargar a alguien el cuidado o la atención de algo'. Necesita un pronombre en función de complemento indirecto cuando se refiere a un destinatario determinado. [Con un amigo íntimo] *Te voy a confiar un secreto, pero no se lo digas a nadie.* **2. Confiar + en.** 'Tener confianza en alguien o en algo'. [Con un amigo, en la montaña] *No estamos perdidos. Confía en mí, que yo sé cómo regresar.*

▸ **Verbos que necesitan un pronombre de complemento indirecto.**
▸ **Verbos con preposición.**

CON LA INTENCIÓN DE (QUE). *Conjunción final.* 'Para que'. Suele usarse en el lenguaje escrito. Puede ir al inicio o en medio de la oración. ■ **Infinitivo.** Con la intención de + infinitivo. El sujeto es el mismo. [Hablando de un compañero de trabajo] *Está haciendo méritos con la intención de promocionarse en la empresa.* ■ **Subjuntivo.** Con la intención de que + subjuntivo. Los sujetos son distintos. [En el periódico] *La asamblea decidió dirigirse formalmente a los grupos políticos con la intención de que cada uno de ellos se posicionara.*

▸ **Indicativo / Subjuntivo. Conectores.**

CONOCER. *Verbo.* 'Tener idea o experimentar la naturaleza, las cualidades y circuns-

C

tancias de las personas o las cosas'. Irregularidad (**c→zc**) en algunos tiempos y personas. 📖 Consulta en *Verbos irregulares*. [Hablando de una boda] *Yo no conocía al novio.* 🖐 Es incorrecto su uso sin la preposición *a* cuando se refiere a una persona. 😣*¿Conoces Juan?* 👍 Lo correcto es: 😊 [Con un amigo] *¿Conoces a Juan?* 👎 Es incorrecto el uso del verbo *saber* cuando hablamos de ciudades o personas. 😣*¿Sabes Granada?* 👍 Lo correcto es: 😊 [Preguntando por una ciudad] *¿Conoces Granada?*

▸ Verbos irregulares.
▸ Uso incorrecto de una palabra.

CONQUE. *Conjunción consecutiva.* 'Así que'. Su uso es más frecuente en el lenguaje oral. ■ **Indicativo.** Conque + indicativo. [Con un amigo, hablando de fútbol] *Ya se ha resuelto la situación del equipo, conque ahora todos estaremos más tranquilos.* En muchas ocasiones se usa para manifestar sorpresa o censura. [Con un amigo que acaba de llegar] *¡Conque no ibas a venir! Siempre dices lo mismo y al final vienes.*

▸ Indicativo / Subjuntivo. Conectores.

CON TAL DE (QUE). *Conjunción condicional.* Indica la condición necesaria que debe cumplirse para conseguir algo. ■ **Infinitivo.** Con tal de + infinitivo. El sujeto es el mismo. [Hablando de trabajo] *Prefiero tener menos ingresos con tal de tener más flexibilidad en el horario.* ■ **Subjuntivo.** Con tal de que + subjuntivo. Los sujetos son distintos. [Unos padres con su hijo] *Estamos dispuestos a comprarte un ordenador nuevo con tal de que estudies.*

▸ Indicativo / Subjuntivo. Conectores.

CONTAMINACIÓN. *Sustantivo femenino.* 'Suciedad ambiental'. [En el periódico] *El Gobierno aprueba un plan para intentar reducir la contaminación.* 🖐 Debe evitarse el uso de la palabra *polución* que significa 'contaminación intensa del agua o del aire', pero que no se usa para hablar de la degradación del medioambiente en general.

▸ Uso incorrecto de una palabra.

CONTAR. *Verbo.* 'Referir o relatar un suceso'. Cambio vocálico (**o→ue**) en algunos tiempos y personas. 📖 Consulta en *Verbos irregulares*. Necesita un pronombre en función de complemento indirecto cuando se refiere a un destinatario determinado. ■ **Indicativo.** Contar que + indicativo. [Con una compañera de trabajo] *Me han contado que te vas a jubilar. ¿Estás contenta?* ■ **Subjuntivo.** Negación + contar que + subjuntivo. [Con un compañero de trabajo] *¡Vas a jubilarte ya! No me habías contado que hubieras tomado la decisión tan pronto.*

▸ Verbos irregulares.
▸ Verbos que necesitan un pronombre de complemento indirecto.
▸ Indicativo / Subjuntivo. Verbos.

CONTENTO, -A. *Adjetivo.* ■ **Estar contento.** 'Satisfecho y de buen humor'. [Con un compañero de clase] *Estoy muy contento con los resultados de los exámenes.* 🖐 Es incorrecto el uso de este adjetivo con el verbo *ser*.

▸ Ser / Estar.

CONTESTAR. *Verbo.* 'Responder a una pregunta o a un escrito'. [Después de un examen] *He contestado a casi todas las preguntas.* Necesita un pronombre en función de complemento indirecto cuando se refiere a un destinatario determinado. ■ **Indicativo.** Contestar que + indicativo. [Hablando sobre un viaje] *Le he escrito un correo electrónico al hotel y me han contestado que tienen camas supletorias.*

▸ Verbos que necesitan un pronombre de complemento indirecto.
▸ Indicativo / Subjuntivo. Verbos.

CONTINUAR + [gerundio]. *Perífrasis de gerundio.* 'Seguir haciendo algo'. Expresa una acción que había empezado en algún momento previo y que sigue y se prolonga. [Con un amigo, hablando de un familiar] *Mi hermano continúa trabajando en la misma empresa desde*

hace diez años. Esta perífrasis puede negarse de dos maneras con distinto significado. **1.** No + continuar + gerundio. [Hablando de un familiar] *Mi hermano no continúa trabajando.* = *Antes trabajaba, ahora no.* **2.** Continuar + sin + infinitivo. [Hablando de un familiar] *Mi hermano continúa sin encontrar trabajo.* = *Antes no trabajaba, ahora tampoco.* ☞ Es incorrecto el uso de *continuar* seguido de un infinitivo.
▸ **Perífrasis.**

CONTINUAR + [*participio*]. *Perífrasis de participio.* 'Seguir en un estado concreto'. Expresa la persistencia de algo o alguien en un determinado estado. [Hablando de una compañera de piso] *Creo que Carla continúa dormida, así que es mejor que la dejemos tranquila.* Es importante recordar que el participio concuerda en género y número con el sujeto.
▸ **Perífrasis.**

CONTINUAR SIN + [*infinitivo*]. *Perífrasis de infinitivo.* Indica que una acción sigue sin realizarse. [Hablando de un familiar] *Mi hermano continúa sin encontrar trabajo.* Es la forma negativa de la perífrasis *continuar + gerundio.*
▸ **Perífrasis.**

CONTRARIO. *Sustantivo masculino.* **Es lo contrario.** Expresión usada para indicar que algo es de modo opuesto o al revés. [En una clase de Español] *¿Qué es lo contrario de dulce?* ☞ En este caso, es incorrecto decir: ☹ *Es contrario.* ☹ *Es el contrario.*
▸ **Uso incorrecto de una palabra.**

CONVERTIRSE. *Verbo.* Irregular en algunos tiempos y personas. ☐ Consulta en *Verbos irregulares.* **Verbo de cambio.** Generalmente expresa un cambio en una persona. [Titular en una revista] *No hace falta ser inteligente para convertirse en un genio.* Suele ir acompañado de sustantivos que hacen referencia a cambios que están relacionados con la **magia** y la **ficción**: *bruja, rana,* etc.; y el **esfuerzo** o **logro profesional** o **social**: *un campeón, un*

profesional, etc. ☐ Consulta en *Verbos de cambio.*
▸ **Verbos irregulares.**
▸ **Verbos de cambio.**

COSTAR. *Verbo.* Cambio vocálico (o→ue) en algunos tiempos y personas. ☐ Consulta en *Verbos irregulares.* **1.** 'Tener que pagar un precio por una cosa'. [En una tienda] *Perdone, ¿cuánto cuestan estas copas de vino?* **2.** 'Resultar algo difícil'. Verbo de afección. ☐ Modelo: *gustar.* [Con un compañero de clase] *Las matemáticas me cuestan mucho. En cambio, el inglés no me cuesta nada.* ■ **Infinitivo.** Costar + infinitivo. Los verbos hacen referencia a la misma persona. [Con una amiga extranjera] *Me cuesta mucho entenderte cuando hablas en inglés.* ■ **Subjuntivo.** Costar que + subjuntivo. Los verbos hacen referencia a personas distintas. [Hablando de su perro] *Voy a buscar ayuda profesional porque me cuesta que nos haga caso.*
▸ **Verbos irregulares.**
▸ **Verbos de afección.**
▸ **Indicativo / Subjuntivo. Verbos.**

COSTUMBRE. *Sustantivo femenino.* **1.** 'Hábito adquirido por la práctica frecuente de un acto'. [Con un amigo extranjero] *En España no tenemos la costumbre de pedir agua del grifo cuando salimos a tomar algo.* **2.** 'Conjunto de inclinaciones y de usos que forman el carácter distintivo de una nación o de una persona'. [Con un amigo extranjero] *Cuéntame algunas costumbres de tu país.* ☞ Es incorrecto su uso con un artículo masculino. ☹ *El costumbre.*
▸ **Género masculino y femenino.**

CREER. *Verbo.* Cambio ortográfico (i→y) en algunos tiempos y personas. ☐ Consulta en *Verbos irregulares.* **1.** 'Pensar u opinar algo'. ■ **Indicativo.** Creer que + indicativo. [Con un amigo, hablando de fútbol] *Creo que el Real Madrid es el mejor equipo de la liga.* ■ **Subjuntivo.** Negación + creer que + subjuntivo. [Discutiendo sobre fútbol] *No creo que el Real Madrid sea el mejor equipo de la liga.* **2.** 'Tener por cierto o aceptar como verdad'.

C

[Con un amigo] *Creo todo lo que me estás contando.* **3. Creer + en.** 'Expresar una creencia'. [Con un amigo, hablando de religión] *¿Tú crees en Dios?* **4.** Se usa para expresar cierta duda cuando se confirma o se niega sobre lo que se ha preguntado. [Con un compañero de clase] *– ¿Vas a ir a la biblioteca esta tarde? – Creo que sí / no.* 👎 Debe evitarse el uso del verbo *pensar.* ⊗ *Pienso que sí.* ⊗ *Pienso que no.*
▸ Verbos irregulares.
▸ Indicativo / Subjuntivo. Verbos.
▸ Verbos con preposición.
▸ Uso incorrecto de una palabra.

Cual. *Pronombre relativo.* Designa a una persona, una cosa o un hecho ya mencionados. Introduce una explicación o ejemplificación de lo mencionado en el antecedente. [En un libro de gramática] *Es necesario el uso del verbo* ser, *el cual puede tener distintos significados.* Siempre va junto con los artículos determinados: *el cual, la cual, los cuales, las cuales* y *lo cual.* Se suele usar en el lenguaje formal o en el lenguaje escrito. [En una guía turística] *La terraza del hotel, desde la cual se puede contemplar el mar, está abierta solo durante los meses de julio y agosto.* Se usa en oraciones explicativas (que llevan una coma). 👎 Es incorrecto el uso de *cual* en oraciones de relativo sin coma. ⊗ *Me gusta ir a pueblos los cuales tengan ríos.*
▸ Palabras con tilde y sin tilde.
▸ Uso incorrecto de una palabra.

Cuál. *Pronombre interrogativo.* [Con una amiga, delante de unos pasteles] *¿Cuál de los dos prefieres?* Puede usarse en plural y también se escribe con tilde. [En el probador de una tienda, hablando de varios pantalones] *¿Cuáles te gustan más? ¿Estos o esos?* También se escribe con tilde en las interrogativas indirectas con los verbos: *entender, saber, darse cuenta de,* etc. [Eligiendo un vestido] *No sé cuál ponerme. Los dos vestidos son preciosos.* 👎 No deben confundirse *cuál* y *qué* en preguntas. **Cuál + ser.** Se usa para preguntar por

una información concreta. [Con un compañero de clase] *¿Cuál es tu correo electrónico?* Además *cuál* permite el uso de verbos que expresan elección como: *gustar, preferir,* etc. [En una tienda, hablando de unas camisetas] *¿Cuál te gusta más de las dos?* 👎 Es incorrecto usar *cuál* seguido de un sustantivo. ☹️*¿Cuál camiseta te gusta más?* ✍️ En este caso se usa el interrogativo *qué.* [En una tienda, con una amiga] *¿Qué camiseta te gusta más?*
▸ Palabras con tilde y sin tilde.
▸ Uso incorrecto de una palabra.

Cualidad. *Sustantivo femenino.* 'Atributo positivo de una persona'. [Con una amiga] *¿Qué cualidades tiene que tener un chico para que te guste?* 👎 Debe evitarse la confusión con la palabra *calidad* que se refiere a las propiedades de algo.
▸ Uso incorrecto de una palabra.

Cualquiera. *Adjetivo o pronombre indefinido.* **1.** 'Persona o cosa indeterminada'. Se emplea para expresar que no importa la identidad del elemento al que hace referencia. [Delante de la librería de un amigo] *Déjame un libro cualquiera. No me importa cuál.* **Cualquier + sustantivo.** Se usa delante de un sustantivo masculino o femenino. [Delante de la librería de un amigo] *Déjame cualquier libro de estos que tienes aquí.* **2.** 'Todas las personas, cosas o lugares'. [En una tienda de electrodomésticos] *Este aparato es muy sencillo. Puede usarlo cualquiera sin ningún problema.* **Cualquier + sustantivo.** Se usa delante de un sustantivo masculino o femenino. [Recomendando un producto a una amiga] *Es estupendo para todo tipo de pieles y puedes encontrarlo en cualquier farmacia.* 👎 Es incorrecto el uso de *cualquiera* delante de un sustantivo. ☹️ *Cualquiera farmacia.*
▸ Uso incorrecto de una palabra.

Cuando. **1.** *Conjunción temporal.* ■ **Indicativo.** Sentido habitual. [Con un amigo, hablando de hábitos] *Cuando llego a casa, me ducho y*

D

me pongo cómodo. Acción pasada. [Con un amigo, contando lo que hizo el día anterior] *Cuando llegué a casa, me duché y me puse cómodo.* ▪ **Subjuntivo.** Sentido futuro. [Con un amigo] *Te escribiré un mensaje cuando lleguemos.* [Con un amigo] *Llámame cuando estés listo.* ☜ Es incorrecto el uso del futuro después de *cuando* por influencia de otras lenguas. ☹ *Te escribiré un mensaje cuando llegaremos.* **2. Conjunción condicional.** ▪ **Indicativo.** Cuando + indicativo. [Dándole un consejo a un amigo] *Cuando no se puede solucionar un problema, ¿de qué sirve que uno se preocupe?*
▸ Palabras con tilde y sin tilde.
▸ Indicativo / Subjuntivo. Conectores.
▸ Uso incorrecto de una palabra.

Cuándo. 1. *Adverbio de tiempo interrogativo.* [Con unos amigos que viven en otra ciudad] *¿Cuándo vais a venir a visitarnos?* También se escribe con tilde en las interrogativas indirectas con los verbos: *entender, saber, darse cuenta de,* etc. [En una fiesta, hablando de un amigo que se ha marchado] *Hay tanta gente que no me he dado cuenta de cuándo se ha ido.* ☝ El adverbio *cuándo* sí puede ir seguido de un verbo en futuro. [Con un amigo extranjero que va a su país] *¿Cuándo volverás a España?* **2.** *Adverbio de tiempo exclamativo.* [Una madre enfadada con su hijo] *¡Cuándo aprenderás a ser responsable!*
▸ Palabras con tilde y sin tilde.

Cuanto, -a. 1. *Adjetivo.* Introduce estructuras comparativas proporcionales. Antepuesto a *más* o *menos,* indica el incremento o la disminución progresiva de dos magnitudes paralelas. [Comentando una información] *Dicen que cuantas más proteínas tomas, más adelgazas.* ▪ **Indicativo.** Sentido habitual. [Hablando de hábitos] *Cuantas más horas duermo, más sueño tengo.* Acción pasada. [Hablando de antiguos hábitos] *Antes, cuanto más ejercicio hacía, mejor me sentía.* ▪ **Subjuntivo.** Sentido futuro. [Dando un consejo a un amigo] *Cuantas más horas duermas, más descansado estarás.*

2. Unos cuantos. 'Algunos'. [En una fiesta] *He invitado a unos cuantos compañeros de trabajo.* **3. Cuanto.** *Adverbio.* Antepuesto a *más, menos, mejor, peor, mayor, menor,* etc., introduce estructuras comparativas proporcionales. [Cita de Cicerón] *Cuanto mayor es la dificultad, mayor es la gloria.* ▪ **Indicativo.** Sentido habitual. [Hablando de hábitos] *Cuanto más duermo, más sueño tengo.* Acción pasada. [Hablando de antiguos hábitos] *Antes, cuanto más iba al gimnasio, mejor me sentía.* ▪ **Subjuntivo.** Sentido futuro. [Dando un consejo a un amigo] *Cuanto más duermas, más descansado estarás.* **4. Cuantos.** *Pronombre relativo.* 'Todas las personas que'. [En el periódico] *La exposición se inaugura hoy. Un espacio abierto que acogerá a cuantos deseen acercarse a ella.*
▸ Palabras con tilde y sin tilde.
▸ Indicativo / Subjuntivo. Conectores.

Cuánto. 1. *Pronombre interrogativo.* [Con un amigo] *Al final, ¿cuántos somos para la comida?* También lleva tilde en las oraciones interrogativas indirectas con los verbos: *entender, saber, imaginar,* etc. [Con un amigo, hablando de su futuro matrimonio] *No sabes cuánto me ha costado decidirme.* **2.** *Pronombre exclamativo.* [Un encuentro de dos amigos] *¡Hombre, cuánto tiempo sin verte!*
▸ Palabras con tilde y sin tilde.

Cubrir. *Verbo.* 'Ocultar y tapar una cosa con otra'. Irregularidad en el participio: *cubierto.* [Hablando del fin de semana] *No pudimos salir de casa porque la nieve había cubierto toda la carretera.*
▸ Verbos irregulares.

D

Dado que. *Conjunción causal.* 'Puesto que'. Puede ir al inicio o en medio de la oración. Se suele usar en el lenguaje formal o en el lenguaje escrito. ▪ **Indicativo.** Dado que + indicativo. [En un periódico] *Dado que no es posible entrevistar a toda la población, es necesario*

D

hacer una selección para realizar la encuesta.
▸ **Indicativo / Subjuntivo. Conectores**.

DAR. *Verbo*. Irregular en algunos tiempos y personas. 📖 Consulta en *Verbos irregulares*. **1.** 'Entregar una cosa a alguien'. Necesita un pronombre en función de complemento indirecto cuando se refiere a un destinatario determinado. [Con un amigo que se ha comprado un coche] *Esta tarde me dan el coche.* Se usa mucho para pedir cosas. [Con un amigo que tiene un paquete de chicles] *¿Me das un chicle?* **2. Dar clases.** 'Impartir clase (el profesor)' o 'recibir clase (los alumnos)'. [En una presentación] *Soy profesora y doy clases en la facultad.* [Un alumno] *Estoy dando clases de inglés en la Escuela de Idiomas.* **3. Dar a.** 'Estar algo situado hacia un lugar determinado'. [En un hotel] *La ventana de mi habitación da a la plaza principal.*
▸ **Verbos irregulares**.
▸ **Verbos con uso pronominal y no pronominal**.
▸ **Verbos que necesitan pronombre de complemento indirecto**.

DAR IGUAL O **DAR LO MISMO.** *Locución verbal*. 'No importar'. Verbo de afección. 📖 Modelo: *gustar*. [Hablando de una crítica] *Me dan igual los comentarios de la gente.* ▪ **Infinitivo.** Dar igual + infinitivo. Los verbos hacen referencia a la misma persona. [Hablando de planes] *Me da igual salir un poco más tarde.* ▪ **Subjuntivo.** Dar igual que + subjuntivo. Los verbos hacen referencia a personas distintas. [Hablando de una amiga] *Me da igual que no venga. Estoy enfadada con ella.*
▸ **Verbos de afección**.
▸ **Indicativo / Subjuntivo. Verbos**.

DAR MIEDO. *Locución verbal*. 'Sentir temor'. Verbo de afección. 📖 Modelo: *gustar*. [Hablando de un viaje] *Me dan miedo los aviones.* ▪ **Infinitivo.** Dar miedo + infinitivo. Los verbos hacen referencia a la misma persona. [Con una amiga que tiene moto] *Me da miedo montar en moto. Prefiero ir andando.* ▪ **Subjuntivo.** Dar miedo

que + subjuntivo. Los verbos hacen referencia a personas distintas. [Viajando en coche] *Me da miedo que corras tanto con el coche.*
▸ **Verbos de afección**.
▸ **Indicativo / Subjuntivo. Verbos**.

DAR PENA. *Locución verbal*. 'Sentir tristeza'. Verbo de afección. 📖 Modelo: *gustar*. [En un zoo] *Me dan pena los animales que están en un espacio tan pequeño.* ▪ **Infinitivo.** Dar pena + infinitivo. Los verbos hacen referencia a la misma persona. [Hablando de planes] *Me da pena no poder ir con vosotros.* ▪ **Subjuntivo.** Dar pena que + subjuntivo. Los verbos hacen referencia a personas distintas. [Hablando de la abuela] *Le da pena que no vayamos a verla.*
▸ **Verbos de afección**.
▸ **Indicativo / Subjuntivo. Verbos**.

DAR RABIA. *Locución verbal*. 'Sentir coraje o enfado'. Verbo de afección. 📖 Modelo: *gustar*. [Expresando una opinión] *Me da rabia la gente que está todo el día mirando el móvil.* ▪ **Infinitivo.** Dar rabia + infinitivo. Los verbos hacen referencia a la misma persona. [Hablando del cumpleaños de un amigo] *Me da rabia haberme olvidado de su cumple.* ▪ **Subjuntivo.** Dar rabia que + subjuntivo. Los verbos hacen referencia a personas distintas. [Hablando de su pareja] *Me da rabia que no se haya acordado de nuestro aniversario.*
▸ **Verbos de afección**.
▸ **Indicativo / Subjuntivo. Verbos**.

DARSE CUENTA. *Locución verbal*. Darse cuenta + de. 'Notar o advertir algo'. Irregular en algunos tiempos y personas. 📖 Consulta en *Verbos irregulares*. Verbo con uso pronominal. [Con una amiga] *¿No te has dado cuenta de que me he cortado el pelo?* ▪ **Indicativo.** Darse cuenta de que + indicativo. [Con un compañero de clase] *Me acabo de dar cuenta de que María lleva dos días sin venir a clase.* ▪ **Subjuntivo.** Negación + darse cuenta de que + subjuntivo. [Con un compañero de clase] *¡Es verdad! No me había dado cuenta de que María llevara dos días sin venir* *a clase.* 🖐 Es incorrecto el uso del verbo *realizar* que significa 'efectuar o hacer algo'.

▸ **Verbos con preposición.**

▸ **Verbos irregulares.**

▸ **Verbos con uso pronominal y no pronominal.**

▸ **Indicativo / Subjuntivo. Verbos.**

▸ **Uso incorrecto de una palabra.**

DAR VERGÜENZA. *Locución verbal.* 'Sentir timidez o sentirse ridículo'. Verbo de afección. 📖 Modelo: *gustar*. ▪ **Infinitivo.** Dar vergüenza + infinitivo. Los verbos hacen referencia a la misma persona. [Con un amigo] *Me da vergüenza bailar en público.* ▪ **Subjuntivo.** Dar vergüenza que + subjuntivo. Los verbos hacen referencia a personas distintas. [Con una compañera de clase] *Me da vergüenza que me pregunten en clase.* 🖐 Para expresar la idea de 'sentirse avergonzado por algo', es incorrecto decir: ☹ *Estoy embarazado.* 👎 Lo correcto es: ☺ *Me da vergüenza.*

▸ **Verbos de afección.**

▸ **Indicativo / Subjuntivo. Verbos.**

▸ **Uso incorrecto de una palabra.**

DE. *Preposición.* **1.** Denota el origen o procedencia de alguien. [Con un compañero que no conoces] *¿De dónde eres?* **2.** Expresa posesión. [Con una compañera de clase] *Este es el libro de Marisa. Ella siempre se sienta aquí.* **3.** Indica pertenencia. [Hablando de fútbol] *¿Tú eres del Real Madrid o del Sevilla?* **4.** Señala la materia de que está hecho algo. [En una tienda] *¿Este bolso es de piel?* **5.** Señala el momento del día en el que algo sucede. [Con una compañera de clase] *Yo prefiero estudiar de noche. De día no me concentro tanto.* **6.** Detrás de la hora. [Con un amigo] *Normalmente me acuesto a las 23:00 de la noche.* 🖐 Debe evitarse el uso de la preposición *por* seguida de una hora concreta. ☹ *Me acuesto a las 23:00 por la noche.* **7.** Señala lo contenido en algo. [En un restaurante] *Dos vinos y un plato de queso.* **8.** Indica el asunto o materia de lo que trata algo. [Hablando de un libro] *Aunque es un libro de filosofía, es fácil de leer.* **9. De… a.** Indica el punto de partida

(de) y de llegada *(a)* de un recorrido. [Con un amigo extranjero] *De Málaga a Granada hay 126 km.* **10. De… a.** Marca el límite o término en un intervalo de tiempo. [Hablando de horarios] *Tenemos clases de lunes a viernes, de 8:30 a 14:30.* **11. Del.** De + el. [Presentando a un amigo] *Él es Miguel, un amigo del colegio.* 🖐 Es incorrecto el uso del artículo *el* separado de la preposición *de.* ☹ *Un amigo de el colegio.*

▸ **Palabras con tilde y sin tilde.**

▸ **Preposiciones.**

▸ **Uso incorrecto de una palabra.**

DÉ. *Verbo.* Del verbo *dar*. Primera persona y tercera persona del presente de subjuntivo. [En la recepción de un hotel] *Preferimos una habitación que no dé a la piscina.*

▸ **Palabras con tilde y sin tilde.**

DE AHÍ QUE. *Conjunción consecutiva.* Expresa una consecuencia debido a algo que se ha expuesto con anterioridad. Se usa en el lenguaje formal. ▪ **Subjuntivo.** De ahí que + subjuntivo. [En el periódico] *La imagen de un producto es lo primero que vemos, de ahí que el diseño gráfico esté tan de moda.*

▸ **Indicativo / Subjuntivo. Conectores.**

DEBER + [infinitivo]. *Perífrasis de infinitivo.* **1.** Expresa la obligación de realizar una actividad. Presente. [En casa] *Debes ayudar a tu madre con las tareas del hogar.* = *Tienes que ayudar a tu madre con las tareas del hogar.* El uso de *tener que + infinitivo* es más frecuente. [Un padre a su hijo] *Debes portarte bien en clase.* 🖐 Es incorrecto el uso de *deber + que.* ☹ *Debo que estudiar.* 👎 Lo correcto es: ☺ *Tengo que estudiar.* **2.** Es frecuente su uso para dar consejos o recomendaciones. Condicional. [Recomendando una ruta a un amigo] *Deberíais pasar por Frigiliana, vale la pena visitar este pueblo.* Imperfecto. [Una madre a su hija] *Debías llamar a la abuela, hace mucho que no la ves.*

▸ **Perífrasis.**

▸ **Uso incorrecto de una palabra.**

D

DEBER DE + [*infinitivo*]. *Perífrasis de infinitivo*. Expresa la probabilidad en el cumplimiento de una actividad. [Esperando a unos amigos] *Deben de llegar sobre las 18:00.* = *Probablemente llegarán sobre las 18:00.*
▸ **Perífrasis.**

DECIDIR. *Verbo.* **1.** 'Tomar una determinación sobre algo'. ▪ **Indicativo.** Decidir que + indicativo. [Con una amiga] *Aunque me ha costado, he decidido que voy a dejar mi actual trabajo.* ▪ **Subjuntivo.** Negación + decidir que + subjuntivo. [Un jefe aclarando una información] *Todavía no he decidido que vayamos a tener la jornada partida.* **2.** 'Tomar una determinación sobre alguien'. ▪ **Subjuntivo.** Decidir que + subjuntivo. [Hablando de su hija] *Decidimos que Luisa no viniera al viaje con nosotros.*
▸ **Indicativo / Subjuntivo. Verbos.**

DECIR. *Verbo.* Irregular en algunos tiempos y personas. 📖 Consulta en *Verbos irregulares*. Irregularidad en el participio: *dicho*. Necesita un pronombre en función de complemento indirecto cuando se refiere a un destinatario determinado. **1.** 'Expresar verbalmente una información'. ▪ **Indicativo.** Decir que + indicativo. [Informando a una amiga] *Me han dicho que van a poner rebajas en esta tienda.* ▪ **Subjuntivo.** Negación + decir que + subjuntivo. [Hablando de unos amigos] *A mí no me han dicho que vayan a venir.* **2.** 'Ordenar o mandar'. ▪ **Subjuntivo.** Decir que + subjuntivo. [Una madre regañando a su hijo, a la hora de comer] *Te he dicho mil veces que no hables con la boca llena.*
▸ **Verbos irregulares.**
▸ **Verbos que necesitan un pronombre de complemento indirecto.**
▸ **Indicativo / Subjuntivo. Verbos.**

DE HECHO. *Locución adverbial.* 'Verdaderamente, en realidad'. Se usa para reforzar un argumento aportando más información o detalles. [Un extranjero hablando de España] *No es la primera vez que estoy aquí. De hecho, los tres últimos años he venido en verano.*

☞ Debe evitarse su confusión con *actualmente* que significa 'en nuestros días'.
▸ **Uso incorrecto de una palabra.**

DEJAR. *Verbo.* 'Permitir'. Necesita un pronombre en función de complemento indirecto cuando se refiere a un destinatario determinado. Puede usarse con infinitivo o con subjuntivo y el significado no cambia. ▪ **Infinitivo.** Dejar + infinitivo. [En casa de un amigo] *¿Me dejas ayudarte con la comida?* ▪ **Subjuntivo.** Dejar que + subjuntivo. [En casa de un amigo] *¿Me dejas que te ayude con la comida?*
☞ Debe evitarse la confusión con la perífrasis *dejar de* + *infinitivo* que indica la interrupción de un proceso.
▸ **Verbos que necesitan un pronombre de complemento indirecto.**
▸ **Indicativo / Subjuntivo. Verbos.**
▸ **Uso incorrecto de una palabra.**

DEJAR + [*participio*]. *Perífrasis de participio.* 'Pasar a estar de una determinada manera por causa de alguien'. Expresa el efecto que provoca en un sujeto la acción de otro sujeto. [Hablando de un niño pequeño] *¡Qué bien habla este niño! Me ha dejado asombrado.* Es importante recordar que el participio concuerda en género y número con la persona que experimenta la acción.
▸ **Perífrasis.**

DEJAR DE + [*infinitivo*]. *Perífrasis de infinitivo.* 'No continuar, abandonar'. Expresa la interrupción de un proceso. [Hablando de un amigo] *Ha dejado de venir a nuestra casa desde que discutimos.* También puede expresar la finalización definitiva de una actividad. [Hablando de hábitos] *Pedro ha dejado de fumar.*
☞ No debe confundirse con *dejar* + *infinitivo*. [Un hijo pidiendo permiso a su padre] *Déjame salir esta noche, papá.* = *Dame permiso para salir esta noche.*
▸ **Perífrasis.**
▸ **Uso incorrecto de una palabra.**

D

DELICADO, -A. *Adjetivo.* ■ **Ser delicado. 1.** 'Algo frágil, que se deteriora con facilidad'. [Lavando los platos] *Ten cuidado con las copas que son muy delicadas.* **2.** 'Difícil, que exige cuidado y habilidad'. [En un hospital] *Es una operación muy delicada.* ■ **Estar delicado.** 'Persona débil, enfermiza o de mala salud'. [Hablando de una amiga] *Desde que la operaron está bastante delicada.*

▶ Ser / Estar.

DEMOSTRADO, -A. *Adjetivo.* ■ **Estar demostrado.** 'Probar algo o manifestar su verdad'. ■ **Indicativo.** Estar (3.ª persona) demostrado que + indicativo. [En el periódico] *Está demostrado que el alcohol es uno de los principales enemigos del conductor.* ■ **Subjuntivo.** Negación + estar (3.ª persona) demostrado que + subjuntivo. [Hablando del universo] *No está demostrado que haya vida inteligente en otros planetas.*

▶ Ser / Estar.

▶ Indicativo / Subjuntivo. Expresiones impersonales.

DENTRO. 1. *Adverbio de lugar.* 'En la parte interior de un espacio'. [Con un amigo] *Abre el coche, que me he dejado el móvil dentro.* **Dentro + de.** Dentro de + sustantivo. [Con un compañero de piso] *He dejado las llaves del coche dentro del cajón de la entrada.* **2.** *Locución preposicional.* **Dentro de.** 'Después de'. [En clase, el profesor informa a los alumnos] *Los exámenes empezarán dentro de dos semanas.* ☞ Es incorrecto su uso sin la preposición *de* cuando le sigue un sustantivo o una expresión de tiempo.

▶ Uso incorrecto de una palabra.

DE PIE. *Locución adverbial.* 'En posición vertical'. Lo contrario de *sentado*. [Con un amigo] *No había asientos libres en el autobús, así que fui todo el camino de pie.* ☞ No debe confundirse con *a pie* que significa 'ir andando'.

▶ Uso incorrecto de una palabra.

DESDE. *Preposición.* **1.** Señala el lugar de procedencia. [Con un compañero de piso] *He venido andando desde el centro.* En muchas ocasiones se contrasta con *hasta.* **1.1. Desde… hasta…** Marca el origen y el destino en un espacio. [Hablando de un compañero de clase] *Todos los días va andando a clase desde el centro hasta la escuela.* **2.** Indica el tiempo exacto (día, mes, estación, año, etc.) del inicio de la acción. [Con un amigo extranjero] *Estudio español desde el verano.* ☞ En este caso, es incorrecto el uso de *desde* seguido de *hace.* ☹ *Estudia español desde hace el verano.* **2.1. Desde… hasta…** Marca el inicio y el final en un intervalo de tiempo. [Con un compañero de clase] *Tenemos clases desde las 8:30 hasta las 14:30.* ☞ Es incorrecto su uso sin el artículo delante de una hora concreta. ☹ *Desde 8:30 hasta 14:30.* **2.2. Desde + hace.** Utilizamos esta estructura cuando el verbo va en presente y nos interesa destacar el inicio de una acción, pero centrándonos en su duración, sin hablar del límite. [Con un amigo extranjero] *Estudio español desde hace un año.* ☹ *Estudio español desde un año.*

▶ Preposiciones.

▶ Uso incorrecto de una palabra.

DESDE QUE. *Conjunción temporal.* Expresa el punto de inicio de una acción. ■ **Indicativo.** Desde que + indicativo. Acción pasada. [Con un amigo, hablando del tiempo] *Desde que llegué aquí no ha salido el sol.* ■ **Subjuntivo.** Desde que + subjuntivo. Acción pasada. Con subjuntivo es frecuente encontrarlo en la prensa, pero tiene el mismo valor que con indicativo. [En el periódico] *La televisión estatal cubana emitió el lunes el primer vídeo del presidente de Cuba, desde que fuera operado.* = *Desde que fue operado.*

▶ Indicativo / Subjuntivo. Conectores.

DESEAR. *Verbo.* 'Querer algo con mucha intensidad'. [En una boda] *Os deseo mucha felicidad.* ■ **Infinitivo.** Desear + infinitivo. Los verbos tienen el mismo sujeto. [Hablando de un lugar de la infancia] *Deseo volver otra vez porque allí*

D

siempre he sido muy feliz. ▪ **Subjuntivo.** *Desear que + subjuntivo. Los verbos tienen distinto sujeto.* [En una boda] *Os deseo que seáis muy felices.*

▸ Indicativo / Subjuntivo. Verbos.

Despierto, -a. *Adjetivo.* ▪ **Estar despierto.** 'Que no está dormido'. [Hablando de planes] *Vamos a llamar a Marina, ya son las 12:00 y seguro que está despierta.* ▪ **Ser despierto.** 'Listo y espabilado'. [Un profesor hablando con los padres de un alumno] *Su hijo es un niño muy despierto y muy sociable.*

▸ Ser / Estar.

Después. *Adverbio de tiempo.* 'Más tarde'. Expresa posterioridad de tiempo. [Con un amigo, por teléfono] *Ahora no puedo hablar. Te llamo después.* **Después + de.** Después de + sustantivo. [Con un amigo] *Nos vemos después de las clases.* ✋ Es incorrecto su uso sin la preposición *de* cuando le sigue un sustantivo. ☹ *Después las clases.*

▸ Uso incorrecto de una palabra.

Después de (que). **1.** *Conjunción temporal.* Indica posterioridad. ▪ **Infinitivo.** Después de + infinitivo. Se puede usar el infinitivo en lugar de indicativo o subjuntivo y el significado no cambia. [Con un amigo] *Nos vemos después de comer.* ✋ Es incorrecto su uso sin preposición. ☹ *Nos vemos después comer.* ▪ **Presente de subjuntivo.** Después de que + presente de subjuntivo. Sentido futuro. [Una madre hablando con su hijo] *Después de que hagas los deberes, puedes ir a jugar.* ▪ **Imperfecto de subjuntivo.** Después de que + imperfecto de subjuntivo. Acción pasada. [Hablando de un amigo] *Dos días después de que se comprara la moto, tuvo un accidente.* = ▪ **Indicativo.** Después de que + pretérito perfecto simple (indefinido). Acción pasada. *Dos días después de que se compró la moto, tuvo un accidente.* **2.** *Conjunción adversativa.* Añade una idea de reproche. ▪ **Indicativo.** Después de que + indicativo. [Con un familiar, hablando de planes] *¿Ahora no quieres ir al cine? Después de*

que he salido del trabajo antes para poder ir juntos.

▸ Indicativo / Subjuntivo. Conectores.
▸ Uso incorrecto de una palabra.

Destino. *Sustantivo masculino.* 'Punto de llegada de un viaje o lugar'. [En una agencia de viajes] *¿Qué destino estáis buscando?* 👎 Debe evitarse el uso de la palabra *destinación* por influencia del inglés.

▸ Uso incorrecto de una palabra.

Detrás. *Adverbio de lugar.* 'En la parte posterior'. Normalmente va seguido de la preposición *de* para indicar el lugar de referencia. [Explicando una dirección] *La calle Salitre está detrás de la oficina de Correos.* ✋ Es incorrecto su uso sin preposición. ☹ *Detrás la oficina de Correos.* ✋ No debe confundirse con *atrás* que significa 'hacia la parte posterior'.

▸ Uso incorrecto de una palabra.

Devolver. *Verbo.* Cambio vocálico (o→ue) en algunos tiempos y personas. 📖 Consulta en *Verbos irregulares.* **1.** 'Restituir a una persona lo que tenía'. Necesita un pronombre en función de complemento indirecto cuando se refiere a un destinatario determinado. [Con una amiga] *Préstame tu guía de Berlín. Te la devuelvo a la vuelta del viaje.* **2.** 'Restituir a una persona la cantidad que le sobra de un pago'. [En una tienda, con un amigo] *Le he dado 50 €. ¿Cuánto me tiene que devolver?* **3.** 'Entregar de nuevo en un establecimiento comercial lo que antes había sido comprado, a cambio del importe, un vale u otro objeto'. [Con una amiga, por teléfono] *¿Vienes al centro esta tarde? Tengo que devolver una falda que no me queda bien.* ✋ Debe evitarse la confusión con el verbo *volver* que significa 'regresar a un lugar'.

▸ Verbos irregulares.
▸ Verbos que necesitan un pronombre de complemento indirecto.
▸ Uso incorrecto de una palabra.

DINERO. *Sustantivo masculino.* Normalmente esta palabra se usa en singular. [Con un familiar que tiene problemas económicos] *No te preocupes por el dinero, que si hace falta, yo te ayudo.* ☞ Debe evitarse su uso en plural. ☹ *Dineros.*

▶ **Uso incorrecto de una palabra.**

DISCUTIR. *Verbo.* **1.** 'Pelearse'. [Con un amigo] *Me siento un poco mal porque esta mañana he discutido con mi hermano.* En español *discutir con alguien* suele tener un sentido negativo. **2.** 'Alegar razones contra el parecer de una persona, manifestar cierta oposición'. También se usa cuando se debate sobre temas más serios como: política, religión, etc. [En una reunión de amigos] *¿Por qué siempre acabáis discutiendo de política?* ☞ Es incorrecto su uso con el significado de 'hablar'.

▶ **Uso incorrecto de una palabra.**

DISFRUTAR. *Verbo.* **1.** 'Pasarlo bien'. [En la playa] *Los niños disfrutan mucho en verano.* **2. Disfrutar + de.** 'Sentir satisfacción o gozar de algo'. [Con un amigo extranjero] *En Málaga puedes disfrutar de la playa casi todo el año.*

▶ **Verbos con preposición.**

DIVERTIR. *Verbo.* 'Causar diversión'. Cambio vocálico (**e→ie**) en algunos tiempos y personas. 📖 Consulta en *Verbos irregulares.* Verbo de afección. 📖 Modelo: **apetecer.** [Hablando de un amigo] *Le divierten mucho las series americanas.*

▶ **Verbos irregulares.**
▶ **Verbos de afección.**
▶ **Verbos con uso pronominal y no pronominal.**

DIVERTIRSE. *Verbo.* 'Sentir diversión'. Cambio vocálico (**e→ie**) en algunos tiempos y personas. 📖 Consulta en *Verbos irregulares.* Verbo con uso pronominal. [Hablando de un juego] *Es estupendo. Aprendes y te diviertes al mismo tiempo.*

▶ **Verbos irregulares.**
▶ **Verbos con uso pronominal y no pronominal.**

DOLER. *Verbo.* 'Sentir dolor o disgusto'. Cambio vocálico (**o→ue**) en algunos tiempos y personas. 📖 Consulta en *Verbos irregulares.* Verbo de afección. 📖 Modelo: **apetecer.** [Estudiando con una amiga] *Voy a hacer un descanso, que me duele la cabeza.* ☞ Es incorrecto el uso de este verbo seguido de un adjetivo posesivo. ☹ *Me duele mi cabeza.* ■ **Infinitivo.** Doler + infinitivo. Los verbos hacen referencia a la misma persona. [Con una persona que tiene problemas] *Me duele no poder ayudarte más.* ■ **Subjuntivo.** Doler que + subjuntivo. Los verbos hacen referencia a personas distintas. [Hablando de una amiga] *Me duele que nunca se acuerde de mí.*

▶ **Verbos irregulares.**
▶ **Verbos de afección.**
▶ **Indicativo / Subjuntivo. Verbos.**
▶ **Uso incorrecto de una palabra.**

DONDE. *Adverbio relativo.* Indica el lugar en el que se lleva a cabo una acción, o en el que está una persona o cosa. [Con un amigo, delante de un edificio] *Este es el colegio donde yo estudié.* Se puede sustituir por: en + artículo + que. *Este es el colegio en el que yo estudié.*

▶ **Palabras con tilde y sin tilde.**

DÓNDE. *Adverbio interrogativo.* Equivale a preguntar por el lugar en el que se lleva a cabo una acción, o en el que está algo o alguien. [Con un amigo] *¿Dónde has estado este fin de semana?* También lleva tilde en las oraciones interrogativas indirectas con los verbos: *entender, saber, no tener ni idea,* etc. [Buscando unas llaves] *No sé dónde he puesto las llaves del coche.*

▶ **Palabras con tilde y sin tilde.**

DORMIR. *Verbo.* Cambio vocálico (**o→ue**) en algunos tiempos y personas. 📖 Consulta en *Verbos irregulares.* **1.** 'Estar en un estado de reposo con ausencia de actividad consciente y movimiento voluntario'. Indica la duración de la acción. [Con una compañera de trabajo] *Estoy un poco cansada porque últimamente solo*

E

duermo seis horas al día. **2.** 'Hacer que alguien se quede dormido'. [Con un amigo, por teléfono] *Te llamo en cuanto duerma al niño.*
▶ **Verbos irregulares.**
▶ **Verbos con uso pronominal y no pronominal.**

DORMIRSE. *Verbo.* 'Quedarse dormido'. Indica el inicio de la acción. Cambio vocálico (**o→ue**) en algunos tiempos y personas. 📖 Consulta en *Verbos irregulares.* Verbo con uso pronominal. [Hablando de unos niños] *Anoche se durmieron viendo la tele.*
▶ **Verbos irregulares.**
▶ **Verbos con uso pronominal y no pronominal.**

DUDAR. *Verbo.* 'No estar seguro, no creer'.
■ **Subjuntivo.** Dudar que + subjuntivo. Los dos verbos tienen distinto sujeto. [Hablando del sueldo] *Dudo que nos paguen más. La empresa no está en una buena situación.*
▶ **Indicativo / Subjuntivo. Verbos.**

DULCE. *Sustantivo masculino.* 'Pastel (alimento hecho con azúcar)'. Normalmente los dulces se compran en las pastelerías y son más pequeños que las tartas. [Delante de una pastelería] *¿Compramos unos dulces para el café?* 🖐 No debe confundirse con la palabra *caramelo* que es una pasta de azúcar de distintos colores y sabores.
▶ **Uso incorrecto de una palabra.**

DURANTE. *Preposición.* 'Indica el período de tiempo a lo largo del cual ocurre algo'. [Hablando de un compañero de clase] *Se distrae mucho durante la explicación, por eso nunca se entera de nada.* 🖐 No debe confundirse con *mientras* que siempre va seguido de un verbo.
☺ [Hablando de un compañero de clase] *Siempre se distrae mientras explica el profesor.*
▶ **Uso incorrecto de una palabra.**

DURAR. *Verbo.* 'Ocupar cierta cantidad de tiempo'. Se usa para hablar del tiempo que transcurre desde el principio al fin de una clase, un vuelo, una película, una conferencia,

etc. [Hablando de una clase] *Esta clase dura una hora y media.* 🖐 Debe evitarse su confusión con el verbo *tardar* que se usa cuando el sujeto es una persona o un medio de transporte. ☺ *Yo tardo quince minutos en llegar a clase.*
▶ **Uso incorrecto de una palabra.**

E

EL. *Artículo determinado.* Forma de masculino singular. [En un restaurante] *El vino de esta región es muy bueno.* El artículo masculino no solo acompaña a un sustantivo masculino singular, sino también a un sustantivo femenino en singular cuando comienza por /a/ o /ha/ tónica. [En la playa] *El agua está muy buena.* Su forma en femenino es *la.* **1.** Hace referencia a algo o alguien identificable tanto por el hablante como por el oyente. [Hablando de su único coche] *Tengo el coche en el garaje.* [Hablando del hermano de una amiga] *El hermano de Lola tiene dos hijos.* 🖐 Sin embargo, es incorrecto cuando decimos: ☹ *Alemán es muy difícil.* 👍 Lo correcto es: [Hablando de un idioma] *El alemán es muy difícil.* **2.** Se refiere a algo único o que se presenta como único. [En una guía turística] *La catedral de Málaga es una de las joyas renacentistas de Andalucía.* **3.** Se usa para dar una información genérica. [Con un amigo, dando una opinión] *Los ordenadores de Apple me parecen caros.* 🖐 Es incorrecto: ☹ *Ordenadores de Apple son caros.* **4.** Acompaña a los días de la semana. [Quedando con un amigo] *Nos vemos el viernes a las diez.* 🖐 Sin embargo, es incorrecto usarlo con los días de la semana cuando va detrás del verbo *ser.* ☹ *Hoy es el viernes.* 👍 Lo correcto es: ☺ *Hoy es viernes.* 🖐 Es incorrecto usar una preposición en lugar del artículo. ☹ *Nos vemos en viernes.* **5.** Se usa con las horas. [Dando la hora] *Son las 9:00.* 🖐 Es incorrecto: ☹ *Son 9:00.* **6.** Detrás de verbos de afección: *gustar, encantar, doler, molestar*, etc. cuando el sujeto es un sustantivo. [Hablando de aficiones] *Me gusta el fútbol.*

E

👎 Es incorrecto: ☹ *Me gusta fútbol*. **7.** Para referirse al desayuno, la comida, la merienda o la cena, es necesario su uso. [En un hotel, informando a un cliente] *El desayuno es en la primera planta*. 👎 Es incorrecto: ☹ *Desayuno es en la primera planta*. **8.** Acompaña al verbo *tener* cuando el complemento es una parte del cuerpo. [Describiendo a un familiar] *Tiene los ojos marrones*. 👎 Es incorrecto: ☹ *Tiene ojos marrones*. **9.** Para referirnos a juegos y actividades. [Con un amigo] *¿Jugamos al ajedrez?* **10.** Se usa cuando hablamos de porcentajes. [En una tienda, informando a un cliente] *Todos los muebles tienen el treinta por ciento de descuento*. 👎 Es incorrecto: ☹ *Tienen treinta por ciento*.

▸ **Palabras con tilde y sin tilde.**
▸ **Uso incorrecto de una palabra.**

ÉL. *Pronombre personal*. **1.** Tiene función de sujeto. [Con una amiga, hablando de una pareja] *A mí me parece que él vale más que ella*. **2.** Puede ir acompañado de una preposición. [Con una amiga, hablando de un ex] *¿Otra vez estás saliendo con él?*

▸ **Palabras con tilde y sin tilde.**

EMPEZAR A + [infinitivo]. *Perífrasis de infinitivo.* 'Dar comienzo la acción expresada por el infinitivo'. Cambio vocálico (**e→ie**) en algunos tiempos y personas. 📖 Consulta en *Verbos irregulares.* [Con un compañero de clase, mirando por la ventana] *Ha empezado a llover.* = *Se ha puesto a llover.* A veces indica que se inicia una actividad que va a ser habitual en el futuro. [Hablando de nuevos hábitos] *He empezado a ir al gimnasio.* 👎 En este último caso, es incorrecto el uso de *ponerse a* + infinitivo.

▸ **Verbos irregulares.**
▸ **Perífrasis.**
▸ **Uso incorrecto de una palabra.**

EN. *Preposición.* **1.** Indica un lugar. **En la superficie.** [Hablando de unas llaves] *Ponlas en la mesa. En = sobre.* **En el interior.** [Con un compañero de piso] *He puesto las cervezas en el* congelador para que se enfríen antes. *En = dentro.* **Lugar cercano.** [Quedando con un amigo por teléfono] *Te espero en la puerta del cine.* **2.** Indica una localización con verbos que no son de movimiento (*vivir, trabajar, estudiar, comer,* etc.). [Hablando de un amigo] *Estudia en la Universidad de Málaga.* 👎 Es incorrecto el uso de la preposición *a* con este sentido. ☹ *Estudia a la Universidad de Málaga.* **3.** Señala el momento o período en el que se localiza el suceso o estado del que se habla. [En clase de arte] *Pablo Picasso pintó el* Guernica *en 1937.* Suele acompañar a expresiones de tiempo que hacen referencia a años, meses o épocas. [Hablando de planes] *Podemos ir a París en mayo o en Semana Santa.* **4.** Se refiere a un medio de transporte cuando va detrás de verbos de movimiento (*ir, salir, venir, viajar,* etc.). [Hablando de un viaje] *¿Vamos a ir en tren o en avión?* 👎 Con este sentido, es incorrecto el uso de la preposición *con.* ☹ *Vamos con tren.*

▸ **Preposiciones.**

ENAMORARSE. *Verbo.* 'Sentir amor por alguien'. [Hablando de un amigo] *Siempre que llega la primavera, se enamora.* **Enamorarse + de.** [Hablando de una amiga] *Silvia se ha enamorado de su mejor amigo.* 👎 Es incorrecto el uso de este verbo seguido de la preposición *con.*

▸ **Verbos con preposición.**

EN CAMBIO. *Locución adverbial.* 'Por el contrario'. Expresa un contraste entre dos informaciones. [Hablando de las hijas de un amigo] *Son mellizas. Una es muy rubia y, en cambio, la otra es morena.* 👎 No debe confundirse con *a cambio de* que significa 'en lugar de'.

▸ **Uso incorrecto de una palabra.**

ENCANTAR. *Verbo.* 'Gustar mucho'. Verbo de afección. 📖 Modelo: **gustar**. [En el desayuno] *Me encanta el pan con aceite.* ■ **Sustantivo.** Encantar + determinante + sustantivo. [Hablando de una amiga] *Le encantan los deportes de riesgo.* 👎 Debe evitarse su uso sin artículo. ☹ *Le encantan de-*

E

portes. ■ **Infinitivo.** Encantar + infinitivo. Los verbos hacen referencia a la misma persona. [Hablando de las vacaciones de verano] *Nos encanta veranear cerca de la playa.* ■ **Subjuntivo.** Encantar que + subjuntivo. Los verbos hacen referencia a personas distintas. [Hablando de su pareja] *Me encanta que Luis cocine para mí.* 👎 Es incorrecto el uso del adverbio *mucho* detrás del verbo *encantar.* 😣 *Le encanta mucho el chocolate.* 👍 Lo correcto es: 😊 *Le gusta mucho el chocolate.* 👎 Es incorrecto su uso en una pregunta. 😣 *¿Te encanta la playa?*
▶ **Verbos de afección.**
▶ **Indicativo / Subjuntivo. Verbos.**
▶ **Uso incorrecto de una palabra.**

EN CASO DE QUE. *Conjunción condicional.* 'Si sucede algo'. Indica una condición que el hablante considera difícil de realizar. ■ **Subjuntivo.** En caso de que + subjuntivo. [Con un amigo que se va de viaje] *Llámame en caso de que tengas algún problema.*
▶ **Indicativo / Subjuntivo. Conectores.**

EN CUANTO. *Conjunción temporal.* 'Tan pronto como'. Indica una acción que se realiza inmediatamente posterior a otra. ■ **Indicativo.** Sentido habitual. [Con una amiga, hablando de su hijo] *Es muy responsable. Se pone a estudiar en cuanto llega del colegio.* Acción pasada. [Hablando de un amigo] *Le llamaron en cuanto recibieron su currículum vítae.* ■ **Subjuntivo.** Sentido futuro. [Con una compañera de trabajo] *Te envío el documento en cuanto lo revise.* [Un profesor con un alumno] *Envíame el primer capítulo de la tesis en cuanto lo tengas listo.*
▶ **Indicativo / Subjuntivo. Conectores.**

ENSAYAR. *Verbo.* 'Preparar el montaje y ejecución de un espectáculo antes de ofrecerlo al público'. Usamos este verbo cuando se trata de un espectáculo como un concierto, una escena de teatro o de cine. [En el periódico] *Shakira ensaya con sus bailarinas antes del concierto que dará el próximo domingo en la capital de España.* 👎 Debe evitarse la confusión con el verbo *practicar* que significa

'entrenar para mejorar una técnica'.
▶ **Uso incorrecto de una palabra.**

ENSEÑAR. *Verbo.* 'Hacer que alguien aprenda algo'. [Hablando de la profesión de una amiga] *Es profesora. Enseña matemáticas en un instituto.* **Enseñar + a + infinitivo.** [Con un amigo, delante de un bar] *En ese bar enseñan a bailar salsa los martes y los jueves.*
▶ **Verbos con preposición.**

ENTENDER. *Verbo.* Cambio vocálico (e→ie) en algunos tiempos y personas. 📖 Consulta en *Verbos irregulares.* **1.** 'Tener una idea clara de las cosas'. ■ **Indicativo.** Entender que + indicativo. [Hablando de una amiga] *Cuando la oí hablar de él, entendí que estaba enamorada.* Entender lo que + indicativo. [Después de preguntar una información] *No he entendido lo que me ha dicho.* **2.** 'Encontrar justificados o razonables los actos o sentimientos de otro'. ■ **Subjuntivo.** Entender que + subjuntivo. [Con un amigo, hablando de tenis] *Entiendo que no quieras jugar conmigo, siempre pierdes.*
▶ **Verbos irregulares.**
▶ **Indicativo / Subjuntivo. Verbos.**

ENTONCES. *Conjunción consecutiva.* 'En tal caso, siendo así'. Añade una nueva información que es consecuencia de la anterior. ■ **Indicativo.** Entonces + indicativo. [Hablando con una amiga] *Si tú lo dices, entonces será verdad.*
▶ **Indicativo / Subjuntivo. Conectores.**

ENTRADA. *Sustantivo femenino.* 'Comprobante de pago que sirve para entrar en un museo, teatro, cine o sala de conciertos'. [Con un amigo, hablando de planes] *Ya tengo las entradas para el concierto de U2.* 👎 No debe confundirse con *billete* que se refiere a la tarjeta para viajar en un medio de transporte.
▶ **Uso incorrecto de una palabra.**

ENTUSIASMAR. *Verbo.* 'Gustar muchísimo algo'. Verbo de afección. 📖 Modelo: *gustar.* [Hablando de un amigo] *Le entusiasma el cine, igual que a*

E

mí. ■ **Infinitivo.** Entusiasmar + infinitivo. Los verbos hacen referencia a la misma persona. [Hablando de unas amigas] *Les entusiasma viajar a otros países.* ■ **Subjuntivo.** Entusiasmar que + subjuntivo. Los verbos hacen referencia a personas distintas. [Hablando de una amiga] *A Isabel le entusiasma que le hagas regalos.*
▸ Verbos de afección.
▸ Indicativo / Subjuntivo. Verbos.

ESCRIBIR. *Verbo.* 'Representar las palabras o las ideas con letras o signos convencionales'. Irregularidad en el participio: *escrito.* Necesita un pronombre en función de complemento indirecto cuando se refiere a un destinatario determinado. [Hablando de un amigo] *Le he escrito un mensaje para decirle que nos llame cuando pueda.*
▸ Verbos irregulares.
▸ Verbos que necesitan un pronombre de complemento indirecto.

ESE, -A. *Adjetivo y pronombre demostrativo.* **1.** Señala lo que está cerca de la persona con quien se habla. [En una librería] *¿De qué trata ese libro que tienes en la mano?* [En una librería] *¿Qué libro quieres? ¿Ese?* Puede referirse tanto a una cosa como a una persona. [En una fiesta] *¿Quién es ese chico tan atractivo?* [En una fiesta] *¿Quién es ese? Es muy guapo.* Cuando se refiere a persona, puede tener un valor despectivo. [Preguntando por alguien a quien no se aprecia] *¿Qué hace ese aquí?* **2.** Representa lo que se acaba de mencionar. [Con una amiga] *Pues esa chica de la que te acabo de hablar, también está en mi clase.* ☞ Es incorrecto el uso de *eso,* que nunca se refiere a persona ni funciona como adjetivo. ☹ *¿Quién es eso chico?*
▸ Uso incorrecto de una palabra.

ESO. *Pronombre demostrativo neutro.* **1.** Representa una cosa indeterminada que se encuentra cerca de la persona con quien se habla. [Pidiendo algo a un amigo] *Pásame eso que tienes ahí detrás.* **2.** Indica una cosa conocida o nombrada poco antes. [Discutiendo con

un amigo] *Eso que has dicho no tiene ningún sentido.* ☞ Es incorrecto el uso de *eso* para referirse a una persona. ☞ Es incorrecto el uso de *eso* como adjetivo demostrativo. ☹ *Eso libro.*
▸ Uso incorrecto de una palabra.

ESPERAR. *Verbo.* 'Desear que algo favorable ocurra'. [Con una amiga ante una situación muy difícil] *Ya solo espero un milagro.* ■ **Infinitivo.** Esperar + infinitivo. Los verbos tienen el mismo sujeto. [Despidiéndose de un amigo que vive en otra ciudad] *Espero volver el próximo verano.* ■ **Subjuntivo.** Esperar que + subjuntivo. Los verbos tienen distinto sujeto. [Hablando de un evento] *Espero que no llueva el día de la boda.*
▸ Indicativo / Subjuntivo. Verbos.

ES QUE. *Conjunción causal.* Expresa una excusa o justificación. ■ **Indicativo.** Es que + indicativo. [Con un amigo que te ha invitado a cenar] *No voy a poder ir. Es que no me encuentro muy bien.* ■ **Subjuntivo.** No + es que + subjuntivo. [Con una compañera de trabajo] *Al final no fui a la presentación del libro, pero no es que no pudiera, es que se me olvidó completamente.*
▸ Indicativo / Subjuntivo. Conectores.

ESTACIÓN. *Sustantivo femenino.* **1.** 'Lugar de donde salen los trenes o autobuses y, también, cada lugar en el que hacen las paradas'. [Con un amigo, hablando de planes] *Vale, quedamos a las 11:00 en la estación de autobuses.* **2.** 'Cada una de las cuatro partes en que se divide el año'. [Hablando de la estancia en otro país] *Me encantó la experiencia y pude apreciar perfectamente el paso de todas las estaciones.* ☞ Es incorrecto su uso para hablar del conjunto de capítulos de una serie de televisión. ☹ *Esta semana ponen la segunda estación de House.*
▸ Uso incorrecto de una palabra.

ESTAR. *Verbo.* Irregular en algunos tiempos y personas. 📖 Consulta en *Verbos irregulares.* **1.** 'Encontrarse en un lugar determinado'.

E

[Con un amigo, por teléfono] *Todavía estoy en mi casa, pero salgo en cinco minutos.* Suele ir seguido de preposiciones, locuciones preposicionales o adverbios que indican una localización (*en, sobre, encima de, debajo de, dentro de, cerca de, lejos de,* etc.). [Con un amigo extranjero] *Mi ciudad está cerca de Milán.* ☞ Es incorrecto este uso con el verbo *ser.* ☹ *Soy en mi casa.* ☹ *Mi ciudad es cerca de Milán.* **2.** ‘Hallarse en un determinado estado’. **Estado de ánimo.** [En un examen] *Estoy un poco nervioso porque este examen es muy importante para mí.* **Estado físico.** [Con un amigo, por teléfono] *Yo no voy a salir esta noche. Estoy muy cansado.* **Estado civil.** [Rellenando un formulario] *¿Está soltera o casada?* **Postura corporal.** [En el médico] *Me duele la espalda porque estoy de pie muchas horas seguidas.* **3. Estar + adverbio.** [Un profesor a un alumno] *Tu examen está muy bien. ¡Enhorabuena!* ☞ Es incorrecto el uso de *ser* con los adverbios *bien* y *mal.* ☹ *Es bien.* ☹ *Es mal.* **4. Estar + gerundio.** [Con un amigo, por teléfono] *Ahora estoy trabajando, pero te llamo en una hora.* 📖 Consulta en *Estar + [gerundio].*
▶ **Verbos irregulares.**
▶ **Ser / Estar.**
▶ **Uso incorrecto de una palabra.**

ESTAR + [gerundio]. *Perífrasis de gerundio.* Presenta una acción en el curso de su desarrollo. **1.** Puede referirse a un momento muy concreto en el progreso de la acción. Presente. [Con un amigo, por teléfono] *Ahora estoy trabajando, pero te llamo en una hora.* Imperfecto. [Dando explicaciones a un amigo] *Cuando me llamaste ayer estaba trabajando y no podía hablar.* **2.** Señala el desarrollo de una acción durante un período de tiempo que ha terminado: *tres días, toda la noche, hasta las 9:00, una hora,* etc. [En una entrevista de trabajo] *He estado trabajando dos años en Barcelona.*
▶ **Perífrasis.**

ESTAR + [participio]. *Verbo auxiliar que forma la voz pasiva.* Indica el resultado de una acción anterior. El participio concuerda en género y número con el sujeto. [Después de hacer las tareas del hogar] *La ropa ya está lavada.* ☞ Debe evitarse su confusión con la pasiva *ser* + participio que indica una acción. ☺ [En una guía turística de Barcelona] *Este edificio fue construido por el arquitecto Antoni Gaudí entre 1906 y 1912.*
▶ **Uso incorrecto de una palabra.**

ESTAR A PUNTO DE + [infinitivo]. *Perífrasis de infinitivo.* Expresa la realización inminente de una actividad. [En una fiesta sorpresa] *Alfonso está a punto de llegar, apagad las luces.*
▶ **Perífrasis.**

ESTE, -A. *Adjetivo y pronombre demostrativo.* **1.** Señala lo que está cerca de la persona con quien se habla. [Al hijo pequeño de una amiga] *¿Quién es este niño tan guapo?* Puede referirse tanto a una persona como a una cosa. [En un probador] *Esta falda me queda muy bien.* **2.** Representa lo que se acaba de mencionar. [Un profesor hablando de un alumno] *Este alumno del que te hablo, es muy conflictivo.* ☞ Es incorrecto el uso de *esto*, que nunca se refiere a persona ni funciona como adjetivo. ☹ *Esto chico.*
▶ **Uso incorrecto de una palabra.**

ESTO. *Pronombre demostrativo neutro.* **1.** Representa una cosa indeterminada que se encuentra cerca del hablante. [Delante de un paquete cerrado] *¿Qué es esto?* **2.** Indica una idea, frase o situación nombrada anteriormente. [Con un amigo] *No le digas a nadie esto que te acabo de contar. Es un secreto.* ☞ Es incorrecto el uso de *esto* para referirse a una persona. ☞ Es incorrecto el uso de *esto* como adjetivo demostrativo. ☹ *Esto libro.*
▶ **Uso incorrecto de una palabra.**

ESTUPENDO, -A. *Adjetivo.* ■ **Ser estupendo.** ‘Excelente’. Expresa una valoración. ■ **Infinitivo.** Ser (3.ª persona) estupendo + infinitivo. Valoración general. [Un reencuentro con un amigo] *Es estu-*

pendo volver a verte. ■ **Subjuntivo.** Ser (3.ª persona) estupendo que + subjuntivo. Valoración referida a un sujeto concreto. [Con un amigo, después de oír la noticia de su boda] *Es estupendo que te cases.*
▶ Ser / Estar.
▶ Indicativo / Subjuntivo. Expresiones impersonales.

EVIDENTE. *Adjetivo.* ■ **Ser evidente.** 'Obvio, cierto'. Expresa certeza absoluta. ■ **Indicativo.** Ser (3.ª persona) evidente que + indicativo. [Hablando de un amigo] *Es evidente que está enfadado contigo, por eso no te ha llamado.*
▶ Ser / Estar.
▶ Indicativo / Subjuntivo. Expresiones impersonales.

EXIGIR. *Verbo.* 'Demandar enérgicamente'. Cambio ortográfico (**g→j**) en algunos tiempos y personas. 📖 Consulta en *Verbos irregulares*. [En clase] *Exijo respeto cuando un compañero habla.* Suele llevar un pronombre en función de complemento indirecto cuando se refiere a un destinatario determinado. ■ **Subjuntivo.** Exigir que + subjuntivo. Los verbos tienen distintos sujetos. [Alguien enfadado en un restaurante] *Le exijo que me traiga el libro de reclamaciones.*
▶ Verbos irregulares.
▶ Verbos que necesitan un pronombre de complemento indirecto.
▶ Indicativo / Subjuntivo. Verbos.

EXPLICAR. *Verbo.* 'Decir algo de manera clara, comprensible y con detalles'. Cambio ortográfico (**c→qu**) en algunos tiempos y personas. 📖 Consulta en *Verbos irregulares*. Necesita un pronombre en función de complemento indirecto cuando se refiere a un destinatario determinado. ■ **Indicativo.** Explicar que + indicativo. [Con un amigo extranjero] *Me han explicado que este verbo no se usa mucho.* ■ **Subjuntivo.** Negación + explicar que + subjuntivo. [Sorprendido, con un compañero de clase] *Nadie me había explicado que el verbo* jugar *fuera irregular.*

▶ Verbos irregulares.
▶ Verbos que necesitan un pronombre de complemento indirecto.
▶ Indicativo / Subjuntivo. Verbos.

EXTRAÑAR. *Verbo.* 'Producir sorpresa o extrañeza una cosa'. Verbo de afección. 📖 Modelo: **gustar**. ■ **Subjuntivo.** Extrañar que + subjuntivo. Los verbos hacen referencia a personas distintas. [Esperando a unos amigos] *Me extraña que no hayan llamado para decir que venían más tarde.*
▶ Verbos de afección.
▶ Indicativo / Subjuntivo. Verbos.

EXTRAÑO, A. *Adjetivo.* ■ **Ser extraño.** 'Raro'. ■ **Infinitivo.** Ser (3.ª persona) extraño + infinitivo. Valoración general. [Paseando por la calle] *Es extraño ver a tantos turistas en esta época del año.* ■ **Subjuntivo.** Ser (3.ª persona) extraño que + subjuntivo. Valoración referida a un sujeto concreto. [En un bar, esperando a unos amigos] *Es extraño que no hayan llamado para decir si vienen o no.*
▶ Ser / Estar.
▶ Indicativo / Subjuntivo. Expresiones impersonales.

F

FALTAR. *Verbo.* **1.** 'No haber una cosa o no existir'. [Con una compañera de piso] *Faltan galletas para hacer la tarta.* **2.** 'Quedar tiempo para que algo ocurra o se realice'. [Con una compañera de clase] *Faltan cinco minutos para que empiece la clase.* **3.** 'No estar algo donde debería'. Verbo de afección. 📖 Modelo: **gustar**. [Vistiéndose] *Le falta un botón a la camisa.*
▶ Verbos de afección.

FASTIDIAR. *Verbo.* 'Molestar o disgustar'. Verbo de afección. 📖 Modelo: **gustar**. [En un parque infantil] *Me fastidian los niños que gritan tanto.* ■ **Infinitivo.** Fastidiar + infinitivo. Los verbos hacen referencia a la misma persona. [Estudiando para un

F

examen de septiembre] *Me fastidia tener que estudiar en verano.* ■ **Subjuntivo.** Fastidiar que + subjuntivo. Los verbos hacen referencia a personas distintas. [Hablando sobre la conexión a internet] *Le fastidia que cobren veinte megas y den diez.*
▶ **Verbos con uso pronominal y no pronominal.**
▶ **Verbos de afección.**
▶ **Indicativo / Subjuntivo. Verbos.**

FASTIDIARSE. *Verbo.* 'Aguantarse, sufrir con resignación'. Verbo con uso pronominal. [Discutiendo por la programación de la tele] *Siempre me fastidio yo y vemos lo que tú quieres.*
▶ **Verbos con uso pronominal y no pronominal.**

FELIZ. *Adjetivo.* 'Que disfruta de felicidad'.
■ **Ser feliz.** Se usa con el verbo *ser* cuando se refiere a un estado duradero. [Hablando de su matrimonio] *Desde que nos casamos, somos muy felices.* ■ **Estar feliz.** Se usa con el verbo *estar* cuando es un estado puntual. [Después de recibir las notas de un examen] *Estoy muy feliz. ¡He aprobado el examen!* Es más frecuente el uso del adjetivo *contento* para referirse a un estado temporal.
▶ **Ser / Estar.**

FINALMENTE. *Adverbio de modo.* **1.** 'Por último'. Señala el cierre o remate de algo. Se usa en el lenguaje escrito o en el lenguaje formal. [En un museo, un guía] *Finalmente os enseñaré una imagen en la que podéis apreciar todos los detalles.* Debe evitarse el uso de *al final* con el significado de 'por último'. **2.** Indica un cambio en las circunstancias o planes. [En una noticia] *Finalmente el equipo español de balonmano no se clasificó.*
▶ **Uso incorrecto de una palabra.**

FLOR. *Sustantivo femenino.* 'Parte de algunas plantas, formado por hojas de colores, del que se formará el fruto'. [Con una compañera de clase] *Le hemos comprado unas flores a la profesora.* Es incorrecto su uso con un artículo masculino. ☹ *El flor.*
▶ **Género masculino y femenino.**

FOTO. *Sustantivo femenino.* 'Imagen obtenida con una cámara fotográfica'. Es una abreviatura de *fotografía.* [En la calle, preguntando a un desconocido] *Perdone, ¿nos puede hacer una foto?* Es incorrecto su uso con un artículo masculino. ☹ *El foto.*
▶ **Género masculino y femenino.**

FRASE. *Sustantivo femenino.* 'Conjunto de palabras que tienen un sentido'. [En una clase de Español] *No entiendo esta frase.* Es incorrecto su uso con un artículo masculino. ☹ *El frase.*
▶ **Género masculino y femenino.**

FRÍO. **1.** *Sustantivo masculino.* 'Lo contrario de calor'. **Tener + frío.** [En casa, mirando el aparato de aire acondicionado] *Puedes apagar el aire, tengo un poco de frío.* **Hacer + frío.** [Mirando un termómetro] *Hoy hace frío.* Debe evitarse el uso con *ser.* ☹ *Hoy es frío.* **Mucho + frío.** Como *frío* es un sustantivo puede ir acompañado del adjetivo *mucho.* [Un día frío] *Hoy hace mucho frío.* **2.** **FRÍO, -A.** *Adjetivo.* ■ **Ser frío.** 'Que no muestra afecto o sensibilidad'. [Hablando de la familia de un amigo] *Me pareció que su familia era muy fría. No fueron cariñosos conmigo.* ■ **Estar frío.** 'Que no está caliente'. [En la playa, con una amiga] *El agua está fría. No sé si bañarme.* **Muy + frío.** Cuando *frío* es un adjetivo puede ir acompañado del adverbio *muy.* [En la playa, con una amiga] *El agua está muy fría.* Es incorrecto el uso con *ser* con este sentido. ☹ *El agua es muy fría.*
▶ **Ser / Estar.**

FUENTE. *Sustantivo femenino.* 'Construcción en los sitios públicos como plazas, parques, etc., con caños y surtidores de agua'. [Describiendo un lugar] *La plaza del pueblo es muy agradable: hay una fuente en medio y muchos árboles alrededor.* Es incorrecto su uso con un artículo masculino. ☹ *El fuente.*
▶ **Género masculino y femenino.**

G

GENTE. *Sustantivo femenino.* 'Conjunto de personas'. [Haciendo turismo] *La gente de aquí es muy abierta.* Este sustantivo suele usarse en singular y, por lo tanto, el verbo también va en singular. ✍ Es incorrecto el uso del verbo en plural. ☹ *La gente son muy simpáticas.*

▶ Uso incorrecto de una palabra.

GORRA. *Sustantivo femenino.* 'Prenda para cubrir la cabeza, con visera para proteger del sol'. [Hablando de un hijo] *Héctor lleva siempre la gorra de béisbol que le regaló su amigo de Estados Unidos.* ✍ Debe evitarse la confusión con *gorro*.

▶ Uso incorrecto de una palabra.

GORRO. *Sustantivo masculino.* 'Pieza redonda de tela o de lana para cubrir y abrigar la cabeza'. [Una madre a su hijo] *Ponte el gorro antes de salir, que hoy hace mucho frío.* ✍ Debe evitarse la confusión con *gorra*.

▶ Uso incorrecto de una palabra.

GRANDE. *Adjetivo.* **1.** 'Que supera en tamaño a lo normal'. Es lo contrario de pequeño. [En casa de una amiga] *¡Qué salón más grande!* **Gran + sustantivo** (masculino o femenino) singular. ✍ Es incorrecto el uso de *grande* delante de un sustantivo. **2.** 'Que supera en importancia e intensidad a lo normal'. [Recordando el día de su boda] *Fue un gran día para toda la familia.* **3.** 'Que tiene bondad'. [Hablando de un conocido] *Es una gran persona. Puedes contar con él para lo que necesites.* **4.** 'Adulto'. [Una madre a su hijo] *Ya eres grande. Deberías ser más responsable.*

▶ Uso incorrecto de una palabra.

GUAPO, -A. *Adjetivo.* ■ **Ser guapo.** 'Persona que tiene una belleza natural'. [En el cine] *Me encanta este actor, es muy guapo.* ■ **Estar guapo.** 'Persona que parece más atractiva de lo habitual'. [En una fiesta] *¡Qué guapa estás con ese vestido!*

▶ Ser / Estar.

GUÍA. 1. *Sustantivo femenino.* 'Persona que ayuda y dirige a los turistas'. [Hablando de un viaje] *El guía hablaba fatal inglés.* **2.** *Sustantivo masculino.* 'Libro que nos ayuda a orientarnos en una ciudad o en un país'. [Hablando de un viaje] *Oye, ¿nos compramos una guía de Grecia para el viaje?*

▶ Género masculino y femenino.

GUSTAR. *Verbo.* Verbo de afección. 📖 Modelo: *gustar.* **1.** 'Agradar'. ■ **Sustantivo.** Gustar + determinante + sustantivo. [Después del cine] *No me ha gustado la película.* ✍ Es incorrecto su uso sin artículo. ☹ *Me gusta chocolate.* ■ **Infinitivo.** Gustar + infinitivo. Los verbos hacen referencia a la misma persona. [Hablando de aficiones] *Me gusta dibujar.* ■ **Subjuntivo.** Gustar que + subjuntivo. Los verbos hacen referencia a personas distintas. [Hablando de un compañero] *Le gusta que la gente sea puntual.* ✍ Es incorrecta esta construcción: ☹ *Se gusta la playa.* 👍 Lo correcto es: ☺ *Le gusta la playa.* ✍ Es incorrecto el uso de los verbos *querer* y *amar* para expresar que algo nos agrada. ☹ *Quiero mucho esta playa.* ☹ *Amo esta playa.* **2. Me gustaría.** Cuando el verbo *gustar* va en condicional sirve para expresar deseos. [Con un amigo, hablando de planes] *Me gustaría visitar Australia este verano.* ✍ Es incorrecto su uso en presente o en pasado con el objetivo de expresar un deseo.

▶ Verbos de afección.

▶ Indicativo / Subjuntivo. Verbos.

▶ Uso incorrecto de una palabra.

H

HABER. *Verbo.* Irregular en algunos tiempos y personas. 📖 Consulta en *Verbos irregulares.* **1.** 'Hallarse, ubicarse'. [Con un compañero de clase] *No hay tiza.* ✍ Es incorrecto el uso de la negación detrás del verbo. ☹ *Hay no tiza.* **2.** 'Celebrarse'. [Con un amigo, hablando de planes] *Esta noche hay una fiesta. ¿Vamos?* **Haber + artículo indeterminado.** [Con un amigo extranjero] *En mi ciudad hay un museo del vino*

H

que es interesante. 🖐 Es incorrecto el uso del artículo determinado detrás del verbo *haber*. ☹ *En mi ciudad hay el museo...*

▸ **Verbos irregulares.**
▸ **Uso incorrecto de una palabra.**

HABER DE + [*infinitivo*]. *Perífrasis de infinitivo*. 'Tener que'. Expresa obligación o necesidad de realizar lo expresado por el infinitivo. [Dando la razón a un amigo] *He de reconocer que tienes razón*. A veces la obligación tiene un cierto tono de resignación. [Con unos amigos] *¡Uy, qué tarde es! He de irme, lo siento, estoy tan bien aquí.*

▸ **Perífrasis.**

HACE. *Verbo en forma impersonal*. **1. Hace** + tiempo atmosférico. Expresa la cualidad o el estado atmosférico. [En la parada del autobús] *¡Qué frío hace esta mañana! A ver si llega pronto el autobús.* 🖐 Es incorrecto decir: ☹ *Es frío.* ☹ *El tiempo hace frío.* **2. Hace** + tiempo concreto + **que** + presente. Indica un tiempo transcurrido desde un pasado hasta el momento presente. [Hablando de un amigo extranjero] *Hace dos años que estudia en la universidad.* = *Desde hace dos años estudia en la universidad.* **3. Hace** + período de tiempo + pasado. Señala un tiempo pasado. [Hablando de un amigo] *Hace dos años estuvo en Barcelona.* = *Dos años antes estuvo en Barcelona.* 🖐 Es incorrecto el uso de *desde* con un verbo en pretérito perfecto simple (indefinido). ☹ *Desde hace dos años estuvo en Barcelona.* 🖐 Es incorrecto decir: ☹ *Dos años pasados estuvo en Barcelona.*

▸ **Uso incorrecto de una palabra.**

HACER. *Verbo*. Irregular en algunos tiempos y personas. 📖 Consulta en *Verbos irregulares*. Irregularidad en el participio: *hecho*. **1.** 'Producir o causar'. [Hablando de unos vecinos] *Hacen mucho ruido por la noche. Estoy harto.* **2.** 'Disponer o llevar a cabo'. [Hablando de planes] *Haremos la fiesta antes de que termine el curso.* **3.** 'Fabricar, componer'. [Hablando de

cine] *Este director ha hecho muchas películas muy buenas.* **4.** 'Obligar a que se ejecute la acción o ser la causa'. Puede usarse con infinitivo o con subjuntivo y el significado no cambia. ■ **Infinitivo.** Hacer + infinitivo. Los verbos tienen distinto sujeto. [Con una compañera de clase] *Este profesor nos ha hecho estudiar más horas.* ■ **Subjuntivo.** Hacer que + subjuntivo. Los verbos tienen distinto sujeto. [Con una compañera de clase] *Este profesor nos ha hecho que estudiemos más horas.* 🖐 Es incorrecto el uso del verbo *hacer* seguido del sustantivo *errores*. ☹ *Siempre hago muchos errores.* 👍 En este caso usamos el verbo *cometer*. [En una clase] *Siempre cometo muchos errores cuando hablo español.*

▸ **Verbos irregulares.**
▸ **Verbos con uso pronominal y no pronominal.**
▸ **Indicativo / Subjuntivo. Verbos.**
▸ **Uso incorrecto de una palabra.**

HACER ILUSIÓN. *Locución verbal*. 'Sentir alegría o entusiasmo'. Verbo de afección. 📖 Modelo: *apetecer*. ■ **Infinitivo.** Hacer ilusión + infinitivo. Los verbos hacen referencia a la misma persona. [Hablando de un concierto] *Me hace ilusión ir. Es la primera vez que este grupo viene a la ciudad.* ■ **Subjuntivo.** Hacer ilusión que + subjuntivo. Los verbos hacen referencia a personas distintas. [Hablando de una chica que ha conocido por internet] *Me hace ilusión que venga a conocerme.*

▸ **Verbos de afección.**
▸ **Indicativo / Subjuntivo. Verbos.**

HACER LA COMPRA. *Locución verbal*. 'Ir a comprar comida al mercado o al supermercado'. [Con un compañero de piso] *Voy a hacer la compra. ¿Necesitas algo?* 🖐 No debe confundirse con *ir de compras* que significa 'ir a comprar ropa, regalos, libros, etc.'.

▸ **Uso incorrecto de una palabra.**

HACERSE. *Verbo*. Irregular en algunos tiempos y personas. 📖 Consulta en *Verbos irregulares*. Verbo con uso pronominal. *Verbo de cambio*. Expresa una transformación, en principio, definitiva relacionada con distintos aspectos. **Edad.** [Una madre hablando de su hijo] *Se ha hecho mayor en muy poco tiempo.* **Ideología.** [Hablando de un amigo] *Dice que desde que se ha hecho vegetariano se siente mucho mejor.* **Profesión.** [Hablando de un amigo] *Antes trabajaba para una empresa, pero ahora se ha hecho autónomo.* **Situación social.** [En el periódico] *Un chico de diecisiete años se ha hecho rico vendiendo una aplicación para móviles.* Este verbo suele ir acompañado de adjetivos relacionados con la ideología o la nacionalidad: *español, católico,* etc.; sustantivos: *una mujer, abogado,* etc. y con adjetivos que afectan al estatus social: *famoso, muy conocido,* etc. 📖 Consulta en *Verbos de cambio.* 👎 Es incorrecto su uso con adjetivos que normalmente se usan con el verbo *estar.*

▸ **Verbos irregulares.**

▸ **Verbos con uso pronominal y no pronominal.**

▸ **Verbos de cambio.**

HAMBRE. *Sustantivo femenino.* 'Sensación que indica la necesidad de alimentos'. En singular, exige el uso de un artículo masculino porque comienza por /ha/ tónica. [Hablando de una boda] *No puedes imaginar el hambre que pasamos en la boda, empezaron a servir la comida tardísimo.* Si lleva demostrativos, adjetivos, etc., estos son femeninos. [En un restaurante, antes de comer] *Tengo mucha hambre porque hoy he desayunado muy temprano.*

▸ **Género masculino y femenino.**

HASTA QUE. *Conjunción temporal.* Expresa el límite de la acción. ■ **Indicativo.** Sentido habitual. [Una madre a su hija] *No me quedo tranquila hasta que estás en casa.* Acción pasada. [Un padre a su hija] *Yo tuve muchas novias hasta que conocí a tu madre.* ■ **Subjuntivo.** Sentido futuro. [Hablando de una comida] *No os preocupéis, que no empezaremos a comer hasta que lleguéis.*

▸ **Indicativo / Subjuntivo. Conectores.**

HAY QUE + [*infinitivo*]. *Perífrasis de infinitivo.* Es impersonal y se usa siempre en tercera persona del singular. **1.** Expresa la obligación o la necesidad en la realización de una acción. A diferencia de *tener que,* esta perífrasis no especifica qué sujeto concreto tiene que realizar la actividad. [Con la familia, antes de la comida] *Hay que poner la mesa.* **2.** Puede expresar resignación. Futuro. [Con unos compañeros, después de una pausa larga] *Habrá que volver al trabajo.* **3.** Puede expresar reproche. Condicional. [En un restaurante que está completo] *Habría que haber reservado antes.* Imperfecto. [En un restaurante que está completo] *Había que haber reservado antes.*

▸ **Perífrasis.**

I

IDIOMA. *Sustantivo masculino.* 'Lengua de una comunidad de hablantes'. [Con un amigo que habla muy bien inglés] *Yo no tengo tanta facilidad para los idiomas como tú.* 👎 Es incorrecto su uso con un artículo femenino. 🙁 *La idioma.*

▸ **Género masculino y femenino.**

IGUAL. *Adverbio.* Indica posibilidad. Se usa en el lenguaje oral. ■ **Indicativo.** Igual + indicativo. [Hablando de un amigo que ha llegado a nuestra ciudad] *Esta tarde podemos llevarlo a dar una vuelta por el centro, o igual prefiere descansar un rato.*

▸ **Indicativo / Subjuntivo. Conectores.**

IMAGINAR o **IMAGINARSE.** *Verbo.* 'Creer, suponer'. ■ **Indicativo.** Imaginar(se) que + indicativo. [Con una amiga, hablando de planes] *Me imagino que nos iremos de viaje en verano.* = *Imagino que nos iremos de viaje en verano.* ■ **Subjuntivo.** Negación + imaginar(se) que + subjuntivo. [Sorprendido, hablando de un amigo] *Nunca me imaginé que fuera tan tímido.* = *Nunca imaginé que fuera tan tímido.*

▸ **Indicativo / Subjuntivo. Verbos.**

I

IMPORTANTE. *Adjetivo.* ■ **Ser importante.** 'Que es de importancia'. ■ **Infinitivo.** Ser (3.ª persona) importante + infinitivo. Valoración general. [Un profesor] *Es importante salir al extranjero para aprender bien inglés.* ■ **Subjuntivo.** Ser (3.ª persona) importante que + subjuntivo. Valoración referida a un sujeto concreto. [Un profesor antes de un examen] *Es importante que penséis bien las respuestas antes de responder.*
▶ Ser / Estar.
▶ Indicativo / Subjuntivo. Expresiones impersonales.

IMPORTAR. *Verbo.* **1.** 'Tener interés para alguien o suponerle preocupación'. Verbo de afección. 📖 Modelo: *gustar.* ■ **Sustantivo.** Importar + determinante + sustantivo. [Hablando de un conocido] *No me importan sus opiniones.* **2.** 'Molestar'. Verbo de afección. 📖 Modelo: *gustar.* [Con una compañera de piso] *¿Te importa que ponga música?* ■ **Infinitivo.** Importar + infinitivo. Los verbos hacen referencia a la misma persona. [Un chico que ha suspendido] *No me importa tener que estudiar en verano.* ■ **Subjuntivo.** Importar que + subjuntivo. Los verbos hacen referencia a personas distintas. [Con unos amigos] *No me importa que lleguéis un poco tarde un día, pero no siempre.*
▶ Verbos de afección.
▶ Indicativo / Subjuntivo. Verbos.

IMPRESIONAR. *Verbo.* 'Sorprender'. Verbo de afección. 📖 Modelo: *gustar.* [Hablando de un niño pequeño] *Me impresionó su forma de hablar.* ■ **Sustantivo.** Impresionar + determinante + sustantivo. [Después del cine] *Me impresionaron los paisajes tan bonitos que aparecen en la película.* ■ **Infinitivo.** Impresionar + infinitivo. Los verbos hacen referencia a la misma persona. [Con un amigo extranjero] *Me impresiona comprobar lo rápido que has aprendido a hablar español.* ■ **Subjuntivo.** Impresionar que + subjuntivo. Los verbos hacen referencia a personas distintas. [Hablando de un partido de tenis] *Me impresionó que Nadal pudiera remontar el partido.*
▶ Verbos de afección.
▶ Indicativo / Subjuntivo. Verbos.

INCREÍBLE. *Adjetivo.* ■ **Ser increíble.** 'Impresionante'. ■ **Subjuntivo.** Ser (3.ª persona) increíble que + subjuntivo. Valoración referida a un sujeto concreto. [Hablando de tenis] *Es increíble que haya ganado con las rodillas en tan mal estado.*
▶ Ser / Estar.
▶ Indicativo / Subjuntivo. Expresiones impersonales.

INDICAR. *Verbo.* Cambio ortográfico (c→qu) en algunos tiempos y personas. 📖 Consulta en *Verbos irregulares.* Necesita un pronombre en función de complemento indirecto cuando se refiere a un destinatario determinado. **1.** 'Comunicar o explicar algo con indicios y señales'. ■ **Indicativo.** Indicar que + indicativo. [Buscando una dirección] *No le he entendido bien, pero creo que nos ha indicado que es en esta dirección.* **2.** 'Prescribir u ordenar'. ■ **Subjuntivo.** Indicar que + subjuntivo. [Después de una consulta médica] *El médico me ha indicado que camine dos horas al día.*
▶ Verbos que necesitan un pronombre de complemento indirecto.
▶ Indicativo / Subjuntivo. Verbos.

INDUDABLE. *Adjetivo.* ■ **Ser indudable.** 'Evidente'. ■ **Indicativo.** Ser (3.ª persona) indudable que + indicativo. [Con una compañera de trabajo] *Es indudable que la situación de la empresa está mejorando.*
▶ Ser / Estar.
▶ Indicativo / Subjuntivo. Expresiones impersonales.

INFLUIR. *Verbo.* **Influir + en.** 'Producir un efecto sobre algo o alguien'. Cambio ortográfico (i→y) en algunos tiempos y personas. 📖 Consulta en *Verbos irregulares.* [Hablando de una amiga] *Su madre siempre influye en sus decisiones.*
▶ Verbos irregulares.
▶ Verbos con preposición.

INFORMAR. *Verbo.* **Informar + de.** 'Dar noticia de algo'. [Con una compañera de clase] *¿Te has*

informado de qué día es el examen? ■ **Indicati-vo.** Informar de que + indicativo. [En una empresa] *Nos informaron de que habíamos ganado el concurso de arquitectura.* ■ **Subjuntivo.** Nega-ción + informar de que + subjuntivo. [En la secreta-ría de la universidad] *¡No me informaron de que el plazo terminara tan pronto!*
▶ **Verbos con preposición.**
▶ **Indicativo / Subjuntivo. Verbos.**

INSISTIR. *Verbo.* **Insistir + en. 1.** 'Decir algo repetidamente'. [Con unos compañeros de clase, antes de un examen] *La profesora ha insistido en que nos estudiemos bien los verbos irregulares.* ■ **Indicativo.** Insistir en que + indicativo. [Hablando de una amiga] *Insiste en que va a venir aunque no se encuentre bien.* **2.** 'Solicitar o pedir algo repetidamente'. ■ **Subjuntivo.** Insistir en que + subjuntivo. [Hablando de un amigo] *Insistió en que nos quedáramos a comer en su casa.*
▶ **Verbos con preposición.**
▶ **Indicativo / Subjuntivo. Verbos.**

INTENTAR. *Verbo.* 'Tener el propósito de ha-cer algo'. [Un profesor] *Intenta hacerlo otra vez. Seguro que te sale mejor.* ☝ Es incorrecto el uso de *intentar* para expresar la idea de 'tomar una pequeña cantidad de comida o bebida'. ☹ *Intenta el vino, está muy bueno.* ✎ En este caso usamos el verbo *probar.* [En un restaurante] *Prueba el vino, está muy bueno.* ☝ Es incorrecto el uso de *intentar* seguido de la preposición *de.* ☹ *Intenta de abrir la puerta.*
▶ **Uso incorrecto de una palabra.**

INTERESAR. *Verbo.* 'Tener interés por algo o alguien'. Verbo de afección. 📖 Modelo: *gus-tar.* ■ **Sustantivo.** Interesar + determinante + sus-tantivo. [En clase] *A mí me interesa el tema de las variedades del español.* ■ **Infinitivo.** Inte-resar + infinitivo. Los verbos hacen referencia a la misma persona. [Con una amiga] *Me interesa es-tudiar inglés para poder viajar al extranjero.* ■ **Subjuntivo.** Interesar que + subjuntivo. Los ver-bos hacen referencia a personas distintas. [Hablando de la obra del metro] *Me interesaría que el metro*

llegara hasta mi trabajo.
▶ **Verbos de afección.**
▶ **Indicativo / Subjuntivo. Verbos.**

INTERNET. *Sustantivo femenino.* 'Red infor-mática de comunicación internacional que permite el intercambio de información'. [Con un amigo] *Nos acabamos de mudar y todavía no tenemos internet en casa.* Normalmente usamos este sustantivo sin artículo. [Hablando del alquiler de un piso] *Busca en internet, a ver si encuentras algo.*
▶ **Género masculino y femenino.**

INTRODUCIR. *Verbo.* 'Meter o hacer entrar una cosa en otra'. Irregularidad en algunos tiempos y personas. 📖 Consulta en *Verbos irre-gulares.* [En la pantalla de un cajero automático] *In-troduzca su tarjeta.* ☝ No debe confundirse con *presentar* que significa 'dar a conocer una persona a otra'.
▶ **Verbos irregulares.**
▶ **Uso incorrecto de una palabra.**

INVITAR. *Verbo.* **Invitar + a.** 'Pagar el gasto a otra persona'. [Con unas compañeras de trabajo] *Yo os invito al café.* Generalmente necesita un pro-nombre en función de complemento directo. [Reprochando algo] *¿Por qué siempre la invitas tú a ella?*
▶ **Verbos con preposición.**

IR. *Verbo.* Irregular en algunos tiempos y per-sonas. 📖 Consulta en *Verbos irregulares.* **1.** 'Mo-verse de un lugar a otro'. [Con una amiga, por teléfono] *Ahora vamos para tu casa.* ☝ Debe evitarse la confusión con el verbo *venir* que significa 'llegar a donde está quien habla'. La diferencia entre ambos verbos está en la po-sición del hablante. **2.** 'Dirigirse hacia'. [En una estación] *Este tren va a Córdoba.* **3.** 'Asis-tir'. [Un chico joven] *Mis padres no me dejan ir a la fiesta de Nochevieja.*
▶ **Verbos irregulares.**
▶ **Verbos con uso pronominal y no pronominal.**
▶ **Uso incorrecto de una palabra.**

J

IR + [gerundio]. *Perífrasis de gerundio.* **1.** Presenta la acción en su desarrollo. [En casa, preparando la comida] *Mientras el pollo se va cocinando, vamos a poner la mesa.* **2.** Indica el comienzo de la acción. Presente. [Con un amigo que tiene prisa] *Yo voy saliendo. Te espero en el coche.* Imperativo. [En un programa de cocina] *Ve añadiendo la leche poco a poco.*

▸ **Perífrasis.**

IR A + [infinitivo]. *Perífrasis de infinitivo.* **1.** 'Disponerse para la acción expresada en el infinitivo'. [Con un compañero de piso] *Voy a acostarme. Estoy muy cansado.* **2.** En presente. Expresa una actividad que va a suceder en un futuro cercano. [Con un compañero de piso, hablando de planes] *Mañana voy a comprar lo que nos falta para la fiesta.* Esta perífrasis se diferencia del futuro simple (*iré*) en añadir un matiz de seguridad en la realización de la acción. [Con un amigo, hablando de planes] *Mañana voy a ir al cine, ¿te apuntas?* = *En principio el plan de ir al cine es seguro.* Sin embargo, el futuro simple suele tener un marcado sentido de probabilidad. [Con un amigo, hablando de planes] *Llegaré a casa sobre las nueve.* = *La hora de llegada a casa no es segura.* **3.** En imperfecto. Indica una intención o propósito por parte del sujeto. [Disculpándose] *Iba a llamarte, de verdad, pero al final no pude.*

▸ **Perífrasis.**

IR DE COMPRAS. *Locución verbal.* 'Ir a comprar ropa, regalos, libros, etc.'. [Con una amiga, hablando por el móvil] *¿Vamos de compras al centro? Quiero comprarme unos zapatos.* ☞ No se debe confundir con *hacer la compra* que se refiere a comprar comida.

▸ **Uso incorrecto de una palabra.**

IRSE. *Verbo.* 'Marcharse'. Irregular en algunos tiempos y personas. 📖 Consulta en *Verbos irregulares*. Verbo con uso pronominal. [En casa de un amigo] *¡Qué tarde es! Me voy ya.*

▸ **Verbos irregulares.**
▸ **Verbos con uso pronominal y no pronominal.**

J

JUGAR. *Verbo.* 'Divertirse participando en juegos'. Cambio vocálico (**u→ue**) en algunos tiempos y personas. 📖 Consulta en *Verbos irregulares*. [Un padre a su hijo] *Llevas todo el día jugando con el ordenador.* Se usa este verbo para hacer referencia a distintos tipos de juegos. **Juegos de mesa**: cartas, parchís, dados, dominó, etc. [En una reunión familiar] *¿Jugamos a las cartas?* **Juegos deportivos**: tenis, fútbol, baloncesto, etc. [Hablando de planes] *Esta tarde vamos a jugar al golf.* ☞ Es incorrecto su uso cuando se refiere a instrumentos musicales. ☝ Lo correcto es usar el verbo *tocar*. [En una reunión de amigos] *¿Alguien sabe tocar la guitarra?* ☞ También es incorrecto su uso para referirse a la interpretación de un actor en una película. ☝ En este caso, lo correcto es usar el verbo *actuar*. ☺ [Hablando de cine] *Brad Pitt actúa en la película* Seven.

▸ **Verbos irregulares.**
▸ **Uso incorrecto de una palabra.**

L

LA. *Pronombre de tercera persona femenino singular.* Su plural es *las.* Sustituye a un complemento directo de cosa o de persona. [Hablando de una casa] *La compramos hace seis años.* [Hablando de una amiga] *A Carmen no la invité a mi cumpleaños.* **1.** El pronombre se usa cuando el complemento directo se ha mencionado anteriormente. [Hablando de una amiga] *Yo no invité a Carmen a mi cumpleaños. ¿Tú la has invitado?* **2.** Cuando en una oración se antepone el complemento directo, es necesario también el uso del pronombre correspondiente. [Hablando de una casa] *La casa la compramos hace seis años.* ☞ Es incorrecto no usar el pronombre en este caso: ☹ *La casa compramos hace seis años.*

Colocación. ▪ **Delante del verbo.** Con presente, pasado, futuro o condicional. [Hablando de una amiga] *La conozco desde que éramos pequeñas.* Imperativo negativo. [Hablando de una película] *No la*

L

veas que es malísima. ■ **Detrás del verbo.** Con imperativo afirmativo. [Hablando de una canción] *Escúchala que es muy bonita.* ■ **Delante o detrás del verbo.** Con infinitivo o gerundio. [Hablando de una amiga] *La voy a llamar antes de que sea más tarde.* = Voy a llamarla antes de que sea más tarde. Es importante escribir el pronombre *la* unido al verbo cuando va detrás. [Hablando de una amiga] *Hemos estado esperándola un rato.* 🖐 Debe evitarse la confusión con el pronombre *le.* ✋ Es necesario el uso del complemento directo con estos verbos: *escuchar, oír, ver, mirar, invitar, llamar, esperar, conocer,* etc. [Hablando de la novia de un amigo] *Todavía no la he visto, pero dicen que es muy guapa.* 🖐 Es incorrecto el uso de *le:* ☹ *Todavía no le he visto, pero dicen que es muy guapa.*
▸ **Uso incorrecto de una palabra.**

LAMENTAR. *Verbo.* 'Sentir pena por algo'. Se usa en el lenguaje formal. [Alguien llega tarde a una reunión] *Lamento el retraso.* ■ **Infinitivo.** Lamentar + infinitivo. Los verbos tienen el mismo sujeto. [Alguien llega tarde a una reunión] *Lamento haber llegado tarde. Ha habido un accidente en la autovía.* ■ **Subjuntivo.** Lamentar que + subjuntivo. Los verbos tienen distinto sujeto. [En la recepción de un hotel] *Lamento que la estancia no haya sido de su agrado.*
▸ **Indicativo / Subjuntivo. Verbos.**

LE. *Pronombre de tercera persona masculino y femenino singular.* Su plural es *les.* Sustituye a un complemento indirecto de cosa o de persona. [Hablando de una ensalada] *Le he puesto frutos secos y queso.* [Hablando de un amigo] *Le dije la verdad y se enfadó mucho.* **1.** El uso de este pronombre es necesario aunque la oración lleve un complemento indirecto. [En una fiesta de cumpleaños] *¿Qué le has regalado a Carmen?* A Carmen → complemento indirecto. [Probando un plato] *¿Le has puesto pimienta a la salsa?* A la salsa → complemento indirecto. 🖐 Es incorrecto su uso sin el pronombre. ☹ *¿Qué has regalado a Carmen? ¿Has puesto pimienta a la salsa?* **2.** Seguido de un pronombre

de complemento directo de tercera persona *(lo, la, los, las)* se transforma en *se.* [Hablando de un secreto] *Te prometo que yo no se lo conté a nadie.* Le lo → se lo.
Colocación. ■ **Delante del verbo.** Con presente, pasado, futuro o condicional. [Hablando de un amigo] *Le he mandado un SMS.* Con imperativo negativo. [Preparando una fiesta sorpresa] *No le digas nada, que es una sorpresa.* ■ **Detrás del verbo.** Con imperativo afirmativo. [En un bar] *Pídele otra botella de vino al camarero.* ■ **Delante o detrás del verbo.** Con infinitivo o gerundio. [Hablando de un cumpleaños] *Creo que le van a organizar una fiesta sorpresa.* = Creo que van a organizarle una fiesta sorpresa. 🖐 Es incorrecto el uso de *le* en los casos en que es necesario el uso de un pronombre femenino en función de complemento directo con los verbos: *escuchar, oír, ver, mirar, invitar, llamar, esperar, conocer,* etc. ☹ *Todavía no le he visto, pero dicen que es muy guapa.* 🙂 [Hablando de la novia de un amigo] *Todavía no la he visto, pero dicen que es muy guapa.*
▸ **Uso incorrecto de una palabra.**

LECHE. *Sustantivo femenino.* 'Alimento líquido blanco obtenido de las hembras de los mamíferos'. [Con un compañero de piso] *¿Dónde guardo la leche?* 🖐 Es incorrecto su uso con un artículo masculino. ☹ *El leche.*
▸ **Género masculino y femenino.**

LEER. *Verbo.* 'Pasar la vista por un texto e interpretarlo'. Cambio ortográfico (i→y) en algunos tiempos y personas. 📖 Consulta en *Verbos irregulares.* ■ **Indicativo.** Leer que + indicativo. [Comentando una noticia] *He leído esta mañana en el periódico que las elecciones se celebrarán antes de lo previsto.* ■ **Subjuntivo.** Negación + leer que + subjuntivo. [Delante del cartel de un restaurante] *No había leído antes que cerrara los lunes. ¿Vamos a otro sitio?*
▸ **Verbos irregulares.**
▸ **Indicativo / Subjuntivo. Verbos.**

LETRA. *Sustantivo femenino.* **1.** 'Cada uno de los signos gráficos que componen el alfabeto

L

de un idioma'. [Hablando del alfabeto] *La ñ es una letra del alfabeto español.* **2.** 'Modo particular de escribir una persona'. [Con un compañero de clase] *¿Puedes dejarme los apuntes de ayer? Tengo los de Juan, pero no entiendo su letra.* **3.** 'Texto escrito que junto con la música compone una canción'. [Hablando de una canción] *Me encanta la letra de esta canción.* ☞ Es incorrecto el uso de esta palabra para indicar un papel escrito que se mete en un sobre. 👍 Lo correcto es usar la palabra *carta.*

▶ **Uso incorrecto de una palabra.**

LEY. *Sustantivo femenino.* 'Conjunto de normas de obligado cumplimiento impuestas por una autoridad'. [En el periódico] *El Gobierno quiere reformar la ley electoral.* ☞ Es incorrecto su uso con un artículo masculino. ☹ *El ley.*

▶ **Género masculino y femenino.**

LIBRERÍA. *Sustantivo femenino.* **1.** 'Tienda donde se venden libros'. [Hablando de una nueva tienda] *Cerca de mi casa han abierto una librería de segunda mano que tiene unos libros estupendos.* **2.** 'Mueble donde colocamos los libros'. [En casa, con un amigo] *Ya no tengo espacio para los libros, necesito comprar una librería nueva.* ☞ Es incorrecto el uso de *librería* para referirse al lugar donde se consultan libros. 👍 Lo correcto es usar la palabra *biblioteca.*

▶ **Uso incorrecto de una palabra.**

LISTO, -A. *Adjetivo.* ■ **Ser listo.** 'Inteligente'. [Un padre hablando de su hijo] *Es muy listo, pero no estudia.* ■ **Estar listo.** 'Preparado'. Puede referirse a una persona, un objeto o una situación. [En un restaurante, esperando una mesa] *Pueden sentarse, su mesa ya está lista.*

▶ **Ser / Estar.**

LLEGAR A + [infinitivo]. *Perífrasis de infinitivo.* Cambio ortográfico (**g→gu**) en algunos tiempos y personas. 📖 Consulta en *Verbos irregulares.* **1.** 'Alcanzar o conseguir la acción expresada

por el infinitivo'. [Hablando de la afición de un familiar] *Mi abuelo llegó a tener una importante colección de arte.*

▶ **Verbos irregulares.**
▶ **Perífrasis.**

LLEGAR A SER. *Locución verbal. Verbo de cambio.* Logro u objetivo social o profesional alcanzado por una persona. Se trata de un proceso que generalmente requiere tiempo y esfuerzo. [Hablando de un amigo] *Llegó a ser jefe de la empresa con solo treinta y dos años.* Este verbo suele ir acompañado de sustantivos que hacen referencia a profesiones: *cantante, actor, profesor de universidad*, etc.; y también de sustantivos y adjetivos que se refieren, en muchas ocasiones, a una mejora social: *alguien importante, famoso, un genio, una buena persona*, etc. 📖 Consulta en *Verbos de cambio.*

▶ **Verbos de cambio.**

LLENO, -A. *Adjetivo.* ■ **Estar lleno.** **1.** Referido a un lugar: 'ocupado'. [Con un amigo, en el centro de la ciudad] *Los viernes por la noche este bar siempre está lleno.* Con este sentido es sinónimo de *completo.* **2.** Referido a una persona: 'saciado de comida'. [Durante una comida] *De verdad, no quiero más, estoy llena.* ☞ Es incorrecto el uso de la palabra *completo* con este segundo significado.

▶ **Ser / Estar.**
▶ **Uso incorrecto de una palabra.**

LLEVAR. *Verbo.* **1.** 'Transportar algo de un lugar a otro'. [Una madre con su hija] *Si vas a la playa llévate la crema, que el sol quema mucho.* ☞ Debe evitarse su confusión con el verbo *traer* que significa 'transportar algo al lugar en el que se encuentra el hablante o al que se refiere el discurso'. [Una cena en casa de unos amigos] *Nosotros hemos traído una botella de vino.* **2.** 'Vestir una prenda'. [Hablando de una boda] *La novia llevaba un vestido precioso.* **3.** 'Haber pasado un tiempo en una misma situación o lugar'. [En la parada de auto-

bús] *Llevo más de diez minutos aquí y no ha pasado ningún autobús.*
▶ Verbos con uso pronominal y no pronominal.
▶ Uso incorrecto de una palabra.

LLEVAR + [*gerundio*]. *Perífrasis de gerundio.* 'Estar [durante un período de tiempo] en una misma situación o en un mismo lugar'. [Con una compañera de trabajo] *Llevo trabajando en esta empresa dos años.* Es necesaria una expresión de tiempo, la cual puede situarse entre los dos verbos que forman la perífrasis. *Llevo dos años trabajando en esta empresa.* La forma negativa de esta perífrasis es *llevar sin + infinitivo.* [Con una amiga] *Llevo dos años sin trabajar.* ☞ Nunca se usa con pretérito perfecto simple (indefinido) o pretérito perfecto compuesto.
▶ Perífrasis.

LLEVAR + [*participio*]. *Perífrasis de participio.* 'Haber realizado o haber experimentado algo'. Presenta una acción concluida pero que podría prolongarse. Es necesario el uso de una expresión de cantidad. [Hablando de un examen] *Llevo estudiados dos temas y me quedan seis más.* = *Hasta ahora he estudiado dos temas.* Es importante recordar que el participio concuerda en género y número con el complemento directo. ☞ Debe evitarse su uso en tiempos compuestos y en pretérito perfecto simple (indefinido).
▶ Perífrasis.

LLEVARSE. *Verbo.* Verbo con uso pronominal. **1.** 'Adquirir, comprar'. [En una tienda, señalando unas camisas] *¿Cuál se lleva al final?* **2.** 'Quitar violentamente algo a alguien'. [Hablando de un robo] *Los ladrones entraron de noche y se llevaron todo el dinero de la caja fuerte.* **3.** 'Estar de moda'. [En una revista de moda] *Esta temporada se llevan los colores fluorescentes.* **4. Llevarse + bien / mal + con.** 'Mantener una (buena o mala) relación o trato con alguien'. [Hablando de un familiar] *No me llevo bien con mi primo.*
▶ Verbos con uso pronominal y no pronominal.

LLEVAR SIN + [*infinitivo*]. *Perífrasis de infinitivo.* 'Estar [durante un período de tiempo] sin realizar una determinada actividad'. [Hablando de una compañera de clase] *Lleva sin venir a clase tres días.* = *Hace tres días que no viene a clase.* Es necesaria una expresión de tiempo, la cual puede situarse entre los dos verbos que forman la perífrasis. *Lleva tres días sin venir a clase.*
▶ Perífrasis.

Lo. 1. *Pronombre de tercera persona masculino singular.* Su plural es *los.* Sustituye a un complemento directo de cosa o persona. **1.1.** El pronombre se usa cuando el complemento directo se ha mencionado anteriormente. [Hablando de un vestido] *Lo compré hace varios años, pero está nuevo.* **1.2.** Cuando en una oración se antepone el complemento directo, es necesario también el uso del pronombre correspondiente. [Hablando de un vestido] *El vestido lo compré hace varios años.* En español, se admite el uso de *le* en lugar de *lo* únicamente cuando se refiera a una persona de sexo masculino. [Hablando de un amigo] *Le vamos a esperar un rato.* Sin embargo, recomendamos el uso de *lo* para evitar posibles confusiones.
Colocación. ▪ **Delante del verbo.** Con presente, pasado, futuro o condicional. [Hablando de un coche] *Lo vendí hace un año.* Con imperativo negativo. [Hablando de un producto] *No lo compres, es malísimo.* ▪ **Detrás del verbo.** Con imperativo afirmativo. [Hablando de un coche] *Cógelo cuando lo necesites.* ▪ **Delante o detrás del verbo.** Con infinitivo o gerundio. [Hablando de un amigo] *Lo vamos a esperar un rato.* [Hablando de un amigo] *Vamos a esperarlo un rato.* **2.** *Pronombre de complemento directo neutro.* Se usa siempre el pronombre *lo* en singular. **2.1.** Se usa para referirse a una frase o situación. [Alguien pregunta] *–¿Qué ha pasado ahí?* [Otra persona responde] *–No lo sé.* **2.2.** Sustituye al complemento de los verbos *ser, estar y parecer.* [Hablando de alguien] *Es un chico muy inteligente, aunque no lo*

M

parece. Lo se refiere a → *un chico muy inteligente.* **3. Artículo neutro.** Se utiliza para sustantivar adjetivos u oraciones. [En un viaje organizado] *Nos han cancelado el vuelo. Lo bueno es que la agencia nos paga el hotel.* ☞ Es incorrecto el uso del artículo masculino. ☹ *El bueno es que…*

▸ Uso incorrecto de una palabra.

LÓGICO, A. *Adjetivo.* ■ **Ser lógico.** 'Normal o natural'. Expresa una valoración. ■ **Infinitivo.** Ser (3.ª persona) lógico + infinitivo. Valoración general. [Con un amigo, intentando hacer planes] *Con una agenda tan apretada como la tuya, es lógico no tener tiempo para nada.* ■ **Subjuntivo.** Ser (3.ª persona) lógico que + subjuntivo. Valoración referida a un sujeto concreto. [Un profesor, en una clase de Español] *Es lógico que tengáis dudas sobre el subjuntivo.*

▸ Ser / Estar.

▸ Indicativo / Subjuntivo. Expresiones impersonales.

LO MISMO. *Locución adverbial.* Indica posibilidad. Su uso es coloquial. ■ **Indicativo.** Lo mismo + indicativo. [Con una amiga, hablando de planes] *No me esperéis porque lo mismo no voy.*

▸ Indicativo / Subjuntivo. Conectores.

LO SIENTO. *Frase.* Es una expresión que se usa para pedir disculpas por algo. [Con una amiga que se pone triste] *Lo siento, no tenía que haberte dicho nada.* Se puede sustituir por *perdona* o *perdón.* [En la calle, después de chocar con alguien] *¡Ay, lo siento! = ¡Ay, perdona! = ¡Ay, perdón!* ☞ Es incorrecto su uso cuando se quiere llamar la atención para pedir algo. ☹ *Lo siento, ¿puedo coger la silla?* 👍 En este caso lo correcto es usar *perdona.* ☺ [En la terraza de una heladería] *Perdona, ¿puedo coger la silla?* ☞ Es incorrecto su uso seguido de una oración subordinada introducida por el pronombre relativo *que.* ☹ *Lo siento mucho que…* 👍 Lo correcto es: ☺ [Un profesor a su alumno] *Siento mucho que no hayas aprobado el examen.*

▸ Uso incorrecto de una palabra.

LUCHAR. *Verbo.* **1.** 'Pelear o combatir'. [Hablando de la familia] *Mis abuelos lucharon mucho para educar a todos sus hijos.* **Luchar + por.** Expresa el motivo o la causa de la lucha. [Con un amigo] *Estoy colaborando con una ONG que lucha por los derechos de los niños.* **2.** 'Atacar y tratar de erradicar algo'. **Luchar + contra.** [Hablando de las campañas publicitarias] *Ahora hay una campaña en televisión que lucha contra el maltrato.*

▸ Verbos con preposición.

LUJO. *Sustantivo masculino.* **De lujo.** 'Que supera lo normal'. Se usa mucho junto con sustantivos como: *hotel, coche, vida,* etc. [Hablando de las vacaciones] *Este verano hemos pasado una semana en un hotel de lujo.* ☞ Debe evitarse la confusión con la palabra *lujurioso.* ☹ *Hotel lujurioso.*

▸ Uso incorrecto de una palabra.

M

MACHISTA. *Adjetivo.* 'Actitud y comportamiento de quien discrimina o minusvalora a las mujeres por considerarlas inferiores respecto de los hombres'. [Hablando de un conocido] *No me gusta nada como trata a su novia. Es un machista.* ☞ Debe evitarse la confusión con la palabra *macho.* La palabra *macho* puede referirse a un 'animal del sexo masculino'. ☺ [Señalando a un perro] *¿Es macho o hembra?* También hace referencia a una persona 'que posee características muy masculinas'. ☺ [Hablando de un amigo] *Se cree muy macho por correr delante de un toro en los sanfermines.*

▸ Uso incorrecto de una palabra.

MAL. *Adverbio de modo.* ■ **Estar mal. 1.** 'Incorrecto'. [En clase] *Este ejercicio está mal.* **2.** 'Enfermo'. [Con un compañero de clase que tiene mala cara] *Oye, ¿estás mal?* **3.** 'Al contrario de lo que debe ser o de lo que sería deseable'. ■ **Infinitivo.** Estar (3.ª persona) mal + infinitivo. Valoración general. [Informando a un amigo extranjero] *En España está mal llamar a una casa a la hora de la siesta.* ■ **Subjuntivo.** Estar (3.ª persona) mal que + subjuntivo. Valoración referida a un sujeto concreto. [Hablando de un amigo] *Está mal que se case con ella solo por su dinero.* ☞ Es incorrecto su uso con el verbo *ser.* ☹ *Es mal.*

▶ Ser / Estar.

▶ Indicativo / Subjuntivo. Expresiones impersonales.

▶ Uso incorrecto de una palabra.

MALO, -A. *Adjetivo.* ■ **Ser malo. 1.** 'Que carece de bondad o de otras cualidades positivas'. [Hablando del personaje de una película] *Su marido era un hombre muy malo.* **Mal + sustantivo** masculino singular. [Hablando de un conocido] *Es un poco raro, pero no es un mal chico.* **2.** 'Travieso'. [Una madre a su hijo pequeño] *No seas malo en clase y hazle caso a tu profesora.* **3.** 'Perjudicial o insano'. [En una revista de salud] *El exceso de grasa es malo para el corazón.* ■ **Infinitivo.** Ser (3.ª persona) malo + infinitivo. Valoración general. [Con una amiga] *Es malo estudiar con poca luz.* ■ **Subjuntivo.** Ser (3.ª persona) malo que + subjuntivo. Valoración referida a un sujeto concreto. [Un padre a su hija] *Es malo que tomes tantos refrescos con gas.* ■ **Estar malo. 1.** 'Enfermo o indispuesto'. [Un alumno con su profesor] *¿Puedo salir de clase? No me siento bien, creo que estoy malo.* **2.** 'Deteriorado o en mal estado'. [Con un compañero de piso, delante de la nevera] *Este jamón está malo. Lleva muchos días en la nevera.*

▶ Ser / Estar.

▶ Indicativo / Subjuntivo. Expresiones impersonales.

MANIFESTACIÓN. *Sustantivo femenino.* 'Reunión pública de gente que desfila para dar su opinión o reivindicar algo'. [Con un amigo] *¿Vas a ir a la manifestación del próximo domingo?* ☞ Debe evitarse el uso de la palabra *demostración* que se refiere a una muestra de la verdad de algo. ☺ [En un libro] *Einstein presentó la demostración del teorema de Pitágoras con solo once años.*

▶ Uso incorrecto de una palabra.

MANO. *Sustantivo femenino.* 'Extremidad del cuerpo humano que va desde la muñeca hasta la punta de los dedos'. [Subiendo una montaña] *Dame la mano y te ayudo a subir.* ☞ Es incorrecto su uso con un artículo masculino. ☹ *El mano.*

▶ Género masculino y femenino.

MAPA. *Sustantivo masculino.* 'Representación de la Tierra o parte de ella en una superficie plana'. [En clase de Geografía] *En este mapa podemos ver las diferentes comunidades autónomas de España.* ☞ Es incorrecto su uso con un artículo femenino. ☹ *La mapa.*

▶ Género masculino y femenino.

MARCHAR. *Verbo.* **1.** 'Funcionar o progresar'. [Hablando de un negocio] *Esto no marcha. Vamos a tener que cerrar.* **2.** 'Andar en formación'. [Desde una ventana] *¿Has visto cómo marchan los soldados? ¡Qué bonito!*

▶ Verbos con uso pronominal y no pronominal.

MARCHARSE. *Verbo.* 'Irse o partir de un lugar'. Verbo con uso pronominal. [Con un amigo extranjero] *Vengo a despedirme porque mañana me marcho.*

▶ Verbos con uso pronominal y no pronominal.

MÁS. 1. *Adverbio comparativo de superioridad.* [En una zapatería] *Estos botines son más cómodos que los otros.* ☞ Debe evitarse su uso delante de adjetivos en grado superlativo o adjetivos comparativos: *mejor, peor, menor,* etc. ☹ *Más mejor.* **Más + de.** Seguido de una cantidad. [Hablando de una amiga] *Hace más de tres* años *que no la veo.* ☞ Es incorrecto el uso de *más + que.* ☹ *Hace más que tres años.* **2.** *Sustantivo masculino.* 'Signo matemático de la suma (+)'. [En una clase] *Dos más dos, cuatro.* ☞ Es incorrecto el uso de la palabra *plus* por influencia del inglés.

▶ Uso incorrecto de una palabra.

MAYOR. 1. *Adjetivo comparativo.* 'Que tiene más edad'. [Hablando de sus dos hijos] *Alberto es ma-*

M

yor que Carlos. *Alberto tiene dos años más.*
2. MAYORES. *Sustantivo masculino plural.* 'Abuelos, progenitores y personas de edad avanza-
da'. [Con un amigo, en la calle] *Aquí van a abrir
una residencia para mayores.* ✆ Debe evitarse
el uso de la palabra *viejo*.

▶ **Uso incorrecto de una palabra.**

MAYORÍA. *Sustantivo femenino.* 'La mayor parte de un conjunto de personas o cosas'. [Ha-
blando con un compañero del colegio] *En mi clase
la mayoría votó a favor del uso del uniforme.*
✆ Es incorrecto su uso con el verbo en plural.
☹ *La mayoría votaron.*

▶ **Uso incorrecto de una palabra.**

MEDIO, -A. *Adjetivo.* 'La mitad de algo'. [Con
un amigo, en una cafetería] *Yo solo quiero medio
bocadillo.* = *Yo solo quiero la mitad del bocadillo.*
Es sinónimo de *mitad*. Sin embargo, cuan-
do nos referimos a medidas como: kilo,
metro, litro, etc. solo es posible el uso de
medio. [Con una amiga, en una tienda de muebles]
Esta estantería mide medio metro de fondo.
✆ Es incorrecto su uso cuando se refiere a
un número. ☝ Lo correcto es usar *mitad*.
☺ [Una noticia sobre una encuesta] *La mitad de
los españoles cree que paga muchos impuestos.*

▶ **Uso incorrecto de una palabra.**

MEJOR. *Adjetivo comparativo.* Es el comparativo de *bueno*. ■ **Ser mejor.** 'Preferible o más
conveniente'. ■ **Infinitivo.** Ser (3.ª persona) mejor + infinitivo. Valoración general. [Informando a
un amigo extranjero] *Dicen que es mejor visitar
la Alhambra al atardecer.* ■ **Subjuntivo.** Ser (3.ª
persona) mejor que + subjuntivo. Valoración referida
a un sujeto concreto. [Haciendo una recomenda-
ción] *Es mejor que no pidas paella para cenar.*
■ **Estar mejor.** 'Menos enfermo'. [Con un amigo]
*Ya estoy mejor, pero he estado una semana con
fiebre.*

▶ **Ser / Estar.**

▶ **Indicativo / Subjuntivo. Expresiones
impersonales.**

MI. *Adjetivo posesivo.* Forma de la primera
persona del singular. Va siempre delante de
un sustantivo. [Hablando de planes] *Este domingo como con mi familia.*

▶ **Palabras con tilde y sin tilde.**

MÍ. *Pronombre personal.* Forma de la primera persona del singular. Va siempre detrás
de una preposición. [Dando una opinión] *Para
mí, el mejor café es el italiano.* **Conmigo.**
Con + yo → Conmigo. [Proponiendo un plan a un
amigo] *¿Te vienes conmigo al centro esta noche?* ✆ Es incorrecto decir: ☹ *con mí.* **A mí.**
Es importante usar correctamente *a mí* con
los verbos de afección: *gustar*, *encantar*,
etc. [Hablando de aficiones] *A mí también me
encanta bailar salsa.* ✆ Es incorrecto decir:
☹ *Yo también.*

▶ **Palabras con tilde y sin tilde.**

▶ **Uso incorrecto de una palabra.**

MIENTRAS (QUE). 1. *Conjunción temporal.* 'Durante el tiempo en que'. ■ **Indicativo.** Sentido
habitual. [Hablando de un amigo del pasado] *Le
gustaba estudiar mientras escuchaba música
relajante.* ■ **Subjuntivo.** Sentido futuro. Expresa cierta limitación en el cumplimiento de
la acción, es parecido al valor de *hasta que*.
[Con un compañero de trabajo] *Mientras (que)
tú no termines tu parte, yo no puedo empezar
la mía.* **2.** *Locución conjuntiva adversativa.* 'En
cambio'. ■ **Indicativo.** Mientras (que) + indicativo.
[Una madre hablando de sus hijos] *El mayor es
muy responsable, mientras que el pequeño no
quiere estudiar.*

▶ **Indicativo / Subjuntivo. Conectores.**

MÍO, -A. *Pronombre posesivo.* Forma de la primera persona del singular. [Con una compañera de clase] *Este bolígrafo es mío, pero cógelo
si quieres.* ✆ Es incorrecto decir: ☹ *Es mí.*
Cuando acompaña a un sustantivo, se usa detrás de este. [Discutiendo con alguien] *Ese es un
problema mío.* ✆ Es incorrecto decir: ☹ *Es un
amigo de mío.* ☝ Lo correcto es: ☺ *Es mío.* ✎

▶ **Uso incorrecto de una palabra.**

MISMO, -A. *Adjetivo.* **1.** 'Semejante o igual'. El/la + mismo, -a + sustantivo. [En un evento] *¡Jo! Esa chica lleva el mismo vestido que yo.* **Lo + mismo.** 'La misma cosa'. [En un bar, pidiéndole al camarero] *Yo quiero lo mismo.* ☞ Es incorrecto decir: ☹ *Yo quiero el mismo.* **Lo mismo + que.** Cuando forma parte de una estructura comparativa, el término de la comparación va introducido por *que.* [En casa, hablando de la cena] *Hemos cenado lo mismo que ayer.* ☞ Es incorrecto el uso de *como* en la comparación. ☹ *Hemos cenado lo mismo como ayer.* **2.** 'Idéntico, no otro diferente'. [Buscando un piso] *Este es el mismo piso que vi ayer en internet.*

▶ **Uso incorrecto de una palabra.**

MITAD. *Sustantivo femenino.* 'Cada una de las dos partes en que se divide algo'. [En casa, a la hora de comer] *No tengo mucha hambre. Solo quiero la mitad del filete.* = *Solo quiero medio filete.* Es sinónimo de *medio, -a.* Sin embargo, cuando nos referimos a una cantidad numérica solo es posible el uso de *mitad.* [Una noticia sobre una encuesta] *La mitad de los españoles cree que paga muchos impuestos.* ☞ Es incorrecto su uso para hablar de medidas. 👍 Lo correcto es usar la palabra *medio.* [Con una amiga, en una tienda de muebles] *Esta estantería mide medio metro de fondo.*

▶ **Uso incorrecto de una palabra.**

MOLESTAR. *Verbo.* 'Causar molestia o incomodidad'. Verbo de afección. 📖 Modelo: *gustar.* [Hablando de una compañera de piso] *Le molesta la tele cuando está estudiando.* ■ **Sustantivo.** Molestar + determinante + sustantivo. [En una boda] *Acabo de llegar y ya me molestan los zapatos.* ■ **Infinitivo.** Molestar + infinitivo. Los verbos hacen referencia a la misma persona. [Hablando del trabajo] *Me molesta tener que trabajar los fines de semana.* ■ **Subjuntivo.** Molestar que + subjuntivo. Los verbos hacen referencia a personas distintas. [Con un compañero de piso] *¿Te molesta que ponga la tele?*

▶ **Verbos con uso pronominal y no pronominal.**

▶ **Verbos de afección.**

▶ **Indicativo / Subjuntivo. Verbos.**

MOLESTARSE. *Verbo.* 'Enfadarse'. Verbo con uso pronominal. [Hablando de un amigo] *¿Tú crees que se ha molestado por lo que le he dicho? Está muy serio.*

▶ **Verbos con uso pronominal y no pronominal.**

MORENO, -A. *Adjetivo.* ■ **Ser moreno.** 'Oscuro, negro o castaño'. Se refiere al color natural del pelo o la piel de una persona. [Con una amiga describiendo a alguien] *Es moreno y tiene unos ojos verdes preciosos.* ■ **Estar moreno.** 'Bronceado'. Se refiere al color de la piel después de una exposición al sol. [Con una amiga, después de las vacaciones] *¡Qué morena estás!*

▶ **Ser / Estar.**

MORIR. *Verbo.* 'Dejar de vivir'. Irregularidad en algunos tiempos y personas. 📖 Consulta en *Verbos irregulares.* Irregularidad en el participio: *muerto.* [En el periódico] *Ha muerto uno de nuestros escritores más ilustres.*

▶ **Verbos irregulares.**

MOTO. *Sustantivo femenino.* 'Vehículo de dos ruedas provisto de motor de explosión'. Abreviatura de *motocicleta.* [Con una compañera de clase] *Esta mañana no he venido en la moto porque estaba lloviendo.* ☞ Es incorrecto el uso del artículo masculino. ☹ *El moto.*

▶ **Género masculino y femenino.**

MUERTO, -A. *Adjetivo.* ■ **Estar + muerto. 1.** 'Sin vida'. [En el jardín] *Estas flores están muertas.* ☞ Es incorrecto usar este adjetivo con el verbo *ser.* ☹ *Es muerto.* **2.** 'Sin gente'. Su uso es coloquial. [Con un amigo, en un bar] *Este bar está muerto. ¿Vamos a otro sitio?* **3.** 'Estar muy cansado'. Su uso es coloquial. [Con un familiar, en casa] *He ido a correr un poco y estoy muerto.* **4. Estar muerto de.** 'Tener una sensación [física o emocional] fuerte'. Su uso es coloquial. Suele ir con sustantivos como: *frío, calor, sueño, hambre, sed, miedo,* etc. [En

N

casa] *Estoy muerto de frío, ¿encendemos la calefacción?* = *Tengo mucho frío.*

▶ **Ser / Estar.**

MUNDO. *Sustantivo masculino.* **1.** 'El planeta Tierra'. [En un cumpleaños] *Le hemos comprado una bola del mundo.* **2.** 'Totalidad de los hombres, género humano'. [En un periódico] *El mundo entero rinde homenaje a Albert Einstein un siglo después de su teoría de la relatividad.* **3. Todo el mundo.** 'La generalidad de las personas'. [Con un extranjero] *Aquí, todo el mundo va a la playa en verano.* ☞ Es incorrecto su uso con el verbo en plural. ☹ *Todo el mundo van a la playa.*

▶ **Uso incorrecto de una palabra.**

N

NADA. **1.** *Pronombre indefinido.* 'Ninguna cosa'. [Con un compañero de piso] *No hay nada en la nevera para cenar.* **2.** *Pronombre indefinido.* 'Poco o muy poco'. [Hablando de una amiga] *No come nada, por eso está tan delgada.* **3.** *Adverbio de cantidad.* 'En absoluto, de ninguna manera'. [En una exposición de pintura] *No me gusta nada ese cuadro. Es horrible.*

Colocación. ▪ **Nada + verbo.** [Dos compañeros hablando de su empresa] *Nada ha cambiado desde el año pasado.* ▪ **Negación + verbo + nada.** [Con un compañero de piso] *Nunca hay nada para cenar.* ☞ Es incorrecto el uso de *nada* detrás del verbo sin otra negación. ☹ *Hay nada.*

▶ **Uso incorrecto de una palabra.**

NADA MÁS (QUE). *Conjunción temporal.* 'Inmediatamente después de'. ▪ **Infinitivo.** Nada más + infinitivo. Se puede usar infinitivo, en lugar de indicativo o subjuntivo, y el significado no cambia. [Hablando de un familiar] *Nada más verlo, me acordé de su padre.* ▪ **Indicativo.** Sentido habitual. [En época de exámenes] *Nada más llego a casa, me pongo a estudiar.* Acción pasada. [Hablando de un familiar] *Nada más lo vi, me acordé de su padre.* ▪ **Subjuntivo.** Sentido futuro. [Esperando una noticia]

Nada más sepa algo, te llamaré. [Una madre con su hijo] *Por favor, envíame un correo nada más lleguéis a Nueva York.*

▶ **Indicativo / Subjuntivo. Conectores.**

NADIE. *Pronombre indefinido.* 'Ninguna persona'. [En clase] *¿No hay nadie que haya hecho los ejercicios?*

Colocación. ▪ **Nadie + verbo.** [En clase] *¡Nadie ha hecho los ejercicios! ¡Qué desastre!* ▪ **Negación + verbo + nadie.** [En clase] *¿Tampoco hay nadie que hable francés?* ☞ Es incorrecto su uso sin la preposición *a* cuando funciona como complemento. ☹ *No he visto nadie.* ☞ No admite complementos partitivos. ☹ *Nadie de nosotros.* ☝ En este caso debe usarse el pronombre indefinido *ninguno.* [En clase] *Ninguno de nosotros habla bien alemán.*

▶ **Uso incorrecto de una palabra.**

NECESARIO, A. *Adjetivo.* ▪ **Ser necesario.** 'Conveniente o muy útil'. ▪ **Infinitivo.** Ser (3.ª persona) necesario + infinitivo. Valoración general. [Con una amiga] *Hoy en día es necesario saber algún idioma para trabajar en un hotel.* ▪ **Subjuntivo.** Ser (3.ª persona) necesario que + subjuntivo. Valoración referida a un sujeto concreto. [En una secretaría] *Es necesario que rellenéis la solicitud si queréis hacer el examen oficial.*

▶ **Ser / Estar.**

▶ **Indicativo / Subjuntivo. Expresiones impersonales.**

NECESITAR. *Verbo.* 'Tener la necesidad de algo o alguien'. [Un hijo con su padre] *Necesito dinero para el cine.* ▪ **Infinitivo.** Necesitar + infinitivo. Los verbos tienen el mismo sujeto. [Con un compañero de piso] *Me he pasado toda la noche estudiando, necesito dormir.* ▪ **Subjuntivo.** Necesitar que + subjuntivo. Los verbos tienen distinto sujeto. [Con una amiga que habla inglés] *Necesito que me ayudes con la traducción.*

▶ **Indicativo / Subjuntivo. Verbos.**

NEGOCIO. *Sustantivo masculino.* **1.** 'Empresa o local donde se negocia o comercia'. [Ha-

blando de un amigo] *Tiene un negocio de libros y le va muy bien*. **2.** 'Beneficio obtenido'. [Con un familiar] *Hemos hecho un buen negocio con la venta del piso.* 🖐 Es incorrecto decir: ☹ *Este no es tu negocio*. 👍 Lo correcto es: ☺ *Esto no es asunto tuyo.*
▶ **Uso incorrecto de una palabra.**

NEGRO, -A. *Adjetivo.* ■ **Ser negro.** 'De color totalmente oscuro'. Puede referirse al color de una persona u objeto. [Denunciando un robo] *La cartera era negra, pequeña y de piel.* ■ **Estar negro. 1.** 'Furioso'. Se usa solo para referirse al estado emocional de una persona. [Al llegar al trabajo] *Me acaban de poner una multa. ¡Estoy negra!* **2.** 'Muy moreno o bronceado'. [Con una amiga, después de las vacaciones] *¡Estás negra! ¿Has estado en la playa?*
▶ **Ser / Estar.**

NINGUNO, -A. *Adjetivo o pronombre indefinido.* 'Ni uno solo'. [Hablando de los hijos] *Ninguno de mis hijos ha estudiado francés.* **Ningún + sustantivo masculino.** [Con un amigo extranjero] *No hay ningún restaurante abierto a esta hora.*
Colocación. ■ **Ninguno (de…) + verbo.** [Hablando de los hijos] *Ninguno de mis hijos ha estudiado francés.* ■ **Negación + verbo + ningún + sustantivo masculino.** [En una inmobiliaria] *No tenemos ninguna habitación en alquiler.* ■ **Negación + verbo + ninguna + sustantivo femenino.** [En una tienda, con una amiga] *Aquí tampoco tienen ninguna falda que me guste.* 🖐 Es incorrecto el uso de *algún* o *alguno, -a* cuando hay una negación. ☹ *No hay algún libro*. 👍 Lo correcto es: ☺ *No hay ningún libro.* 🖐 Es incorrecto su uso en plural. ☹ *No hay ningunas manzanas.*
▶ **Uso incorrecto de una palabra.**

NI QUE. *Locución conjuntiva de comparación.* 'Como si'. Se usa normalmente en oraciones exclamativas para negar una suposición. Su uso es coloquial. ■ **Imperfecto de subjuntivo.** Se refiere al momento presente. [Una madre después de que su hijo le pida más dinero] *¡Ni que fuéramos millonarios!* ■ **Pluscuamperfecto de subjuntivo.** Se refiere al pasado. [Quejándose de un compañero de trabajo] *¡Ni que él hubiera levantado solo la empresa!*
▶ **Indicativo / Subjuntivo. Conectores.**

NORMAL. *Adjetivo.* ■ **Ser normal.** 'Que es general, mayoritario o que ocurre habitualmente, por lo que no produce extrañeza'. ■ **Infinitivo.** Ser (3.ª persona) normal + infinitivo. Valoración general. [Con un amigo extranjero] *¿En tu país es normal independizarse a los dieciocho años?* ■ **Subjuntivo.** Ser (3.ª persona) normal que + subjuntivo. Valoración referida a un sujeto concreto. [Hablando de un amigo] *No es normal que se haya ido sin despedirse.* 🖐 Debe evitarse la confusión con el adverbio *regular* que significa 'no demasiado bien'.
▶ **Ser / Estar.**
▶ **Indicativo / Subjuntivo. Expresiones impersonales.**
▶ **Uso incorrecto de una palabra.**

NOTAR. *Verbo.* 'Observar y darse cuenta de algo'. ■ **Indicativo.** Notar que + indicativo. [Hablando del tiempo] *Esta mañana he notado que la temperatura ha bajado.* ■ **Subjuntivo.** Negación + notar que + subjuntivo. [Rechazando una información sobre el tiempo] *Pues yo no he notado que la temperatura haya bajado.*
▶ **Indicativo / Subjuntivo. Verbos.**

NUNCA. *Adverbio de tiempo.* 'En ningún momento'. [Con un amigo] *Nunca he ido a Roma, pero tengo muchas ganas.*
Colocación. ■ **Nunca + verbo.** [Con un amigo extranjero] *Nunca he probado los boquerones en vinagre.* ■ **Negación + verbo + nunca.** [Haciendo turismo en la montaña] *No había visto nunca un paisaje con tanta vegetación.* 🖐 Es incorrecto su uso detrás del verbo sin otra negación.
▶ **Uso incorrecto de una palabra.**

O

OBLIGAR. *Verbo.* **Obligar + a.** 'Impulsar a hacer algo'. Irregular (**g→gu**) en algunos tiempos y personas. Consulta en *Verbos irregula-*

O

res. Generalmente necesita un pronombre en función de complemento directo. [Hablando de un amigo que iba en coche] *La policía lo ha obligado a dar la vuelta porque la calle estaba cortada.* Puede usarse con infinitivo o con subjuntivo y el significado no cambia. ▪ **Infinitivo.** Obligar a + infinitivo. Los verbos tienen el mismo sujeto. [Con un compañero de trabajo] *La jefa nos ha obligado a tomarnos las vacaciones en el mes de julio.* ▪ **Subjuntivo.** Obligar a que + subjuntivo. Los verbos tienen distinto sujeto. [Con un compañero de trabajo] *La jefa nos ha obligado a que nos tomemos las vacaciones en el mes de julio.*
▸ Verbos irregulares.
▸ Verbos con preposición.
▸ Indicativo / Subjuntivo. Verbos.

OBSERVAR. *Verbo.* 'Examinar atentamente o darse cuenta de algo'. ▪ **Indicativo.** Observar que + indicativo. [Hablando de un amigo] *Últimamente he observado que Andrés está más nervioso.* ▪ **Subjuntivo.** Negación + observar que + subjuntivo. [Rechazando una información sobre un amigo] *Yo no he observado que esté más nervioso.*
▸ Indicativo / Subjuntivo. Verbos.

OBVIO, -A. *Adjetivo.* ▪ **Ser obvio.** 'Evidente'. ▪ **Indicativo.** Ser (3.ª persona) obvio que + indicativo. [En una reunión de trabajo] *Es obvio que hay que tomar una decisión cuanto antes.*
▸ Ser / Estar.
▸ Indicativo / Subjuntivo. Expresiones impersonales.

OCURRIR. *Verbo.* 'Pasar o suceder algo'. [Mirando por la ventana] *¿Qué ha ocurrido? ¿Por qué hay tanta gente en la calle?* En algunos casos, es un verbo de afección. ▱ Modelo: *apetecer.* [Preguntando a una amiga] *¿Sabes lo que me ocurrió el viernes?*
▸ Verbos con uso pronominal y no pronominal.
▸ Verbos de afección.

OCURRIRSE. *Verbo.* 'Pensar o idear algo, por lo general de forma repentina'. Verbo de afección. ▱ Modelo: *apetecer.* Verbo con uso prónominal. [Haciendo planes] *Se me ha ocurrido que podríamos ir al restaurante libanés del centro.*
▸ Verbos con uso pronominal y no pronominal.
▸ Verbos de afección.

OÍR. *Verbo.* 'Percibir sonidos'. Irregular en algunos tiempos y personas. ▱ Consulta en *Verbos irregulares.* [En casa, con un compañero de piso] *¿Has oído ese ruido? Voy a ver qué ha sido.* ▪ **Indicativo.** Oír que + indicativo. [Con un compañero de trabajo] *He oído que van a contratar a más gente para el nuevo departamento.* ▪ **Subjuntivo.** Negación + oír que + subjuntivo. [Rechazando una información] *Yo no he oído que vayan a contratar a más gente.*
▸ Verbos irregulares.
▸ Indicativo / Subjuntivo. Verbos.

OJALÁ (QUE). *Interjección.* Expresa el deseo de que algo suceda. ▪ **Presente de subjuntivo.** Expresa un deseo que puede realizarse. [En una fiesta, hablando de una amiga] *Ojalá venga.* ▪ **Imperfecto de subjuntivo. 1.** Expresa un deseo que parece difícilmente realizable. [En una fiesta, hablando de un amigo] *Ojalá viniera, pero no creo que le dé tiempo a terminar todo el trabajo.* **2.** Expresa un deseo que es imposible. [Hablando de la edad] *Ojalá tuviera diez años menos.*
▸ Indicativo / Subjuntivo. Conectores.

OLVIDARSE. *Verbo.* Olvidarse + de. **1.** 'Dejar de tener en la memoria lo que se tenía o debía tener'. [Con un amigo, hablando de otra amiga] *Me he olvidado de llamar a María para felicitarla por su cumpleaños.* **2.** 'Dejar de tener afecto por alguien'. [Dando un consejo] *Yo creo que lo mejor es que te olvides de él.*
▸ Verbos con preposición.

OPINAR. *Verbo.* 'Tener una idea, juicio o concepto sobre alguien o algo'. ▪ **Indicativo.** Opinar que + indicativo. [En casa de una amiga] *Opino que deberíamos irnos ya, es muy tarde.* ▪ **Subjuntivo.** Negación + opinar que + subjuntivo. [Contradiciendo una opinión sobre una ciudad] *Yo no opino que sea tan maravillosa como tú dices.*

▶ **Indicativo / Subjuntivo. Verbos.**

ORGULLOSO, -**A.** *Adjetivo.* ▪ **Ser orgulloso.** 'Arrogante, que tiene exceso de cariño propio'. [Con un amigo, hablando de un conocido] *Todo el mundo dice que Alfredo es muy orgulloso, pero a mí me parece simpático.* ▪ **Estar orgulloso.** 'Contento o satisfecho'. [Con un compañero de clase] *¡Qué bien me ha salido el examen! ¡Qué orgulloso estoy!* Suele ir seguido de la preposición *de.* [Hablando de la familia] *Nuestros hijos son muy trabajadores y responsables. Mi mujer y yo estamos muy orgullosos de ellos.*

▶ **Ser / Estar.**

OTRO, -**A.** *Adjetivo.* **1.** 'Algo o alguien distinto'. [En un probador, con una amiga] *Me gusta más como te queda el otro vestido.* **2.** 'Uno más'. [En la oficina, con una compañera] *¿Quieres otro café?* ☞ Es incorrecto su uso con el artículo indefinido: *un, una,* etc. ☹ *Un otro café.*

▶ **Uso incorrecto de una palabra.**

P

PARA. *Preposición.* **1.** Indica el objetivo o la finalidad de una acción que todavía no se ha realizado. **Para + infinitivo.** [En clase de gimnasia] *Ahora vamos a hacer unos ejercicios para relajarnos un poco.* ☞ Debe evitarse la confusión con *por + infinitivo,* que normalmente expresa una acción que ya ha ocurrido. ☺ [Hablando de un amigo que ha hecho un examen de conducir] *Le han suspendido por saltarse un stop.* **2.** Detrás de verbos de movimiento (*ir, salir, venir, viajar,* etc.) indica una dirección. [Con una amiga, por teléfono] *Voy para tu casa.* = *Voy en dirección a tu casa.* **3.** Determina el uso que puede darse a algo. [En la farmacia] *Esta crema es muy buena para la piel seca.* [De visita en casa de un amigo] *He traído dulces para merendar.* **4.** Indica la persona que expresa una opinión. [Con un amigo, dando su opinión] *Para mí, septiembre es el mejor mes para co-*

gerse vacaciones. **5.** Señala al destinatario de algo. [Un compañero de trabajo] *Ha llegado un paquete para ti. Pásate por recepción a buscarlo.* **6.** Marca un límite temporal. [Un profesor en clase] *Estos deberes son para mañana.* **7.** Marca la duración. [Dos niños hablando] *Vamos a ser amigos para siempre.* **8.** Forma parte de algunas frases con sentido comparativo que expresan desproporción entre dos cosas o acciones. [Haciendo una comparación] *El campo está muy seco para todo lo que ha llovido este año.*

▶ **Preposiciones.**

PARADO, -**A.** *Adjetivo.* ▪ **Estar parado. 1.** 'Quieto, inmóvil'. [Llegando a la parada del autobús] *El autobús está parado. Creo que todavía podemos cogerlo.* **2.** 'Sin trabajo'. [Hablando de una amiga] *Su marido está parado desde hace ya seis meses.* ▪ **Ser parado.** 'Tímido o poco atrevido'. [Un profesor hablando con unos padres] *Su hijo es un poco parado y le cuesta relacionarse.*

▶ **Ser / Estar.**

PARA (QUE). *Conjunción final.* Indica un objetivo o finalidad. ▪ **Infinitivo.** Para + infinitivo. Los verbos tienen el mismo sujeto. [Hablando de una amiga] *Está aprendiendo español para viajar a Hispanoamérica.* ▪ **Presente de subjuntivo.** Los verbos tienen distintos sujetos. **1.** Presente + para que + presente (subjuntivo). [Dando un consejo a un amigo] *Te lo digo para que tengas cuidado.* **2.** Futuro + para que + presente (subjuntivo). [Una chica que va a llegar más tarde a casa] *Llamaré a mi madre para que no se preocupe.* [En una sala de espera] *Siéntese para que no tenga que esperar de pie.* ▪ **Imperfecto de subjuntivo.** [Comentando el consejo de un amigo] *Me lo dijo para que tuviera cuidado.*

▶ **Indicativo / Subjuntivo. Conectores.**

PARECER. *Verbo.* Irregularidad (c→zc) en algunos tiempos y personas. ▯ Consulta en *Verbos irregulares.* **1.** 'Tener cierto aspecto'. [Hablando de un amigo] *Rodrigo es tan rubio que pare-*

P

ce alemán. **2.** 'Opinar o creer'. 📖 Modelo: Se conjuga como *apetecer*. ■ **Indicativo.** Parecer que + indicativo. [Informando a un compañero de clase] *Me parece que mañana no hay clases.* **3.** Indica una valoración y se construye con un adjetivo, un adverbio o un sustantivo (*bien, mal, estupendo, importante,* etc.). Verbo de afección. 📖 Modelo: *apetecer*. ■ **Subjuntivo.** [Hablando de un compañero de clase] *Le parece estupendo que mañana no haya clases.*

▶ Verbos irregulares.
▶ Verbos con uso pronominal y no pronominal.
▶ Verbos de afección.
▶ Indicativo / Subjuntivo. Verbos.

PARECERSE. *Verbo.* 'Tener semejanza, asemejarse'. Irregularidad (c→zc) en algunos tiempos y personas. 📖 Consulta en *Verbos irregulares.* Verbo con uso pronominal. [Hablando de unas hermanas] *Se parecen un montón.* **Parecerse + a.** Cuando le sigue un complemento, es necesario el uso de la preposición *a.* [Con una amiga, hablando de su bebé] *Se parece mucho a ti.* 🖐 Es incorrecto el uso del adjetivo *similar* para hablar de personas. ☹ [Hablando de dos hermanos] *Son similares.*

▶ Verbos irregulares.
▶ Verbos con uso pronominal y no pronominal.
▶ Verbos con preposición.
▶ Uso incorrecto de una palabra.

PARED. *Sustantivo femenino.* 'Cada uno de los lados de una habitación o casa'. [Con un compañero de piso] *Las paredes de este piso son demasiado finas, se oye todo.* 🖐 Es incorrecto su uso con un artículo masculino. ☹ *El pared.*

▶ Género masculino y femenino.

PARTE. *Sustantivo femenino.* 'Porción de algo'. [Hablando de un examen] *Creo que hice bien la primera parte.* 🖐 Es incorrecto su uso con un artículo masculino. ☹ *El parte.*

▶ Género masculino y femenino.

PASADO, -A. *Adjetivo.* 'Ocurrido en un tiempo anterior al presente'. **El año / mes / vera-**

no... + pasado. [Hablando de las vacaciones] *El año pasado estuve con mi novia en Lanzarote.* **La semana / noche / primavera... + pasada.** [Hablando de viajes] *La primavera pasada estuvimos en Salamanca.* 🖐 Es incorrecto su uso con una cantidad de tiempo exacta. ☹ *Dos años pasados.* 🖐 Lo correcto es decir: ☺ *Hace dos años.*

▶ Uso incorrecto de una palabra.

PASAR. *Verbo.* Verbo de afección. 📖 Modelo: *gustar.* 'Suceder u ocurrir'. [Preguntando por una compañera que no ha ido a clase] *¿Sabes lo que le ha pasado a Carolina?*

▶ Verbos de afección.

PEDIR. *Verbo.* 'Demandar a alguien que haga o dé algo'. Cambio vocálico (e→i) en algunos tiempos y personas. 📖 Consulta en *Verbos irregulares.* Necesita un pronombre en función de complemento indirecto cuando se refiere a un destinatario determinado. [En un bar] *¿Le has pedido la cuenta al camarero?* Puede usarse con infinitivo o con subjuntivo y el significado no cambia. ■ **Infinitivo.** Pedir + infinitivo. Los verbos tienen distinto sujeto. [Hablando de un ex] *Me ha llamado Mario y me ha pedido volver con él.* ■ **Subjuntivo.** Pedir que + subjuntivo. Los verbos tienen distinto sujeto. [Hablando de un ex] *Me ha llamado Mario y me ha pedido que vuelva con él.* 🖐 Es incorrecto el uso de *preguntar* con este sentido. ☹ *Pregunta por la cuenta.*

▶ Verbos irregulares.
▶ Verbos que necesitan un pronombre de complemento indirecto.
▶ Indicativo / Subjuntivo. Verbos.
▶ Uso incorrecto de una palabra.

PENSAR. *Verbo.* Cambio vocálico (e→ie) en algunos tiempos y personas. 📖 Consulta en *Verbos irregulares.* **1.** 'Opinar o creer algo'. ■ **Indicativo.** Pensar que + indicativo. [Unos padres hablando de su hijo] *Yo también pienso que Matías no estudia lo suficiente.* ■ **Subjuntivo.** Negación + pensar que + subjuntivo. [En una fies-

tal *¡No pensaba que Pedro fuera tu hermano!*
2. Pensar + infinitivo. 'Tener la intención de hacer algo'. [Hablando de un viaje] *No pienso volver. No me ha gustado nada la ciudad.* **3.** 'Sacar una conclusión o tomar una decisión tras una reflexión'. [Hablando de un piso] *He pensado que no voy a alquilar mi piso durante mi estancia en el extranjero.* **4. Pensar + en.** 'Evocar o recordar'. [Con una amiga extranjera] *Cuando estoy fuera de casa, pienso en mi familia a menudo.*
▶ **Verbos irregulares.**
▶ **Verbos con preposición.**
▶ **Indicativo / Subjuntivo. Verbos.**

PEOR. *Adjetivo comparativo.* Es el comparativo de *malo.* ■ **Ser peor.** 'Más malo o menos conveniente'. ■ **Infinitivo.** Ser (3.ª persona) peor que + infinitivo. Valoración general. [Hablando de su colaboración en una ONG] *Aunque mi ayuda es poca, es peor no hacer nada.* ■ **Subjuntivo.** Ser (3.ª persona) peor que + subjuntivo. Valoración referida a un sujeto concreto. [Hablando de un examen] *Yo creo que es peor que dejes alguna pregunta en blanco.* ■ **Estar peor.** 'Más enfermo'. [Con una compañera que no se encuentra bien] *No he ido a clase porque estaba peor esta mañana.*
▶ **Ser / Estar.**
▶ **Indicativo / Subjuntivo. Expresiones impersonales.**

PERMITIR. *Verbo.* 'Consentir que otros hagan o dejen de hacer una cosa'. Normalmente necesita un pronombre en función de complemento indirecto cuando se refiere a un destinatario determinado. Puede usarse con infinitivo o con subjuntivo y el significado no cambia. ■ **Infinitivo.** Permitir + infinitivo. Los verbos tienen el mismo sujeto. [Un padre a su hijo] *No te permito hablarme así.* ■ **Subjuntivo.** Permitir que + subjuntivo. Los verbos tienen distinto sujeto. [Un padre a su hijo] *No te permito que me hables así.* También puede usarse sin pronombre cuando no hay un destinatario determinado. [En un hotel] *Voy a*

preguntar en recepción si permiten fumar en algún sitio.
▶ **Verbos que necesitan un pronombre de complemento indirecto.**
▶ **Indicativo / Subjuntivo. Verbos.**

PERO. *Conjunción adversativa.* **1.** Une dos oraciones cuyos significados se contraponen. [Hablando de un compañero de clase] *Es muy guapo, pero muy antipático.* Debe diferenciarse de *sino* que se usa para contraponer a un concepto negativo otro afirmativo. [Hablando de una comida] *No la hizo Paula, sino Manolo.* **2.** Sirve para ampliar la información que se ha dado anteriormente. [Explicando una discusión] *Le hablé muy mal, pero es que él antes me había gritado.*
▶ **Uso incorrecto de una palabra.**

PIMIENTA. *Sustantivo femenino.* 'Condimento de gusto picante'. [En un restaurante] *Camarero, ¿puede traerme un poco de sal y de pimienta?* ⚘ Debe evitarse la confusión con *pimiento.*
▶ **Uso incorrecto de una palabra.**

PIMIENTO. *Sustantivo masculino.* 'Verdura que puede ser de color verde, rojo o amarillo'. [En un restaurante] *¿Pedimos unos pimientos fritos?* ⚘ Debe evitarse la confusión con *pimienta.*
▶ **Uso incorrecto de una palabra.**

PODER + [infinitivo]. *Perífrasis de infinitivo.* Irregular en algunos tiempos y personas. 📖 Consulta en *Verbos irregulares.* **1.** Expresa la capacidad en la realización de una actividad. [Tratando de arreglar algo] *Yo solo no puedo hacerlo.* **2.** Indica la posibilidad de realizar una acción. [Hablando de planes] *Yo no puedo ir mañana. Ya he quedado.* **3.** En forma interrogativa se usa para pedir algo a alguien. **Permiso.** [Señalando una silla en una terraza] *¿Puedo cogerla? ¿Está libre?* **Ayuda.** [Después de comprar en el supermercado] *¿Puedes llevar esta bolsa?* **Información.** [En una tienda] *¿Puede decirme* el precio de esta cafetera? **4.** Expresa prohibición. [En un museo] *Aquí no se pueden hacer fotos.* **5.** Se usa para dar permiso. [En una consulta médica] *Puede pasar.* 🖘 Es incorrecto su uso para expresar una habilidad. 🙁 *Puedo tocar la guitarra.* 🖘 Lo correcto es usar *saber + infinitivo.* 🙂 *Sé tocar la guitarra.*

▶ **Verbos irregulares.**

▶ **Perífrasis.**

POLICÍA. 1. *Sustantivo masculino.* 'Agente que vela por la seguridad de los ciudadanos'. [En un coche, con un amigo] *Un policía me ha dicho que aquí no podemos parar.* **2.** *Sustantivo femenino.* 'Conjunto de personas que velan por la seguridad de los ciudadanos'. Debe escribirse con mayúscula. [En un periódico] *La Policía cierra una discoteca por no tener licencia.*

▶ **Género masculino y femenino.**

PONER. *Verbo.* Irregular en algunos tiempos y personas. 📖 Consulta en *Verbos irregulares.* Irregularidad en el participio: *puesto.* **1.** 'Colocar algo en un lugar'. [En casa de un amigo] *¿Dónde pongo el abrigo?* **2.** 'Disponer algo para un fin'. [A la hora de comer] *Vamos a poner la mesa que la comida ya está lista.* **3.** 'Escribir en un papel'. [En clase] *Antes de entregar el examen, poned vuestro nombre.* **4.** 'Encender'. [En casa] *Pon la tele, a ver si están las noticias.* **5.** 'Añadir, echar'. [Durante la comida] *Ponle un poco más de sal si está soso.*

▶ **Verbos irregulares.**

▶ **Verbos con uso pronominal y no pronominal.**

PONER NERVIOSO, -A. *Locución verbal.* 'Tener un estado de excitación nerviosa'. Verbo de afección. 📖 Modelo: *apetecer.* [En una cafetería] *Voy a tomar un zumo. El café me pone nervioso.* ■ **Infinitivo.** Poner nervioso + infinitivo. Los verbos hacen referencia a la misma persona. [Hablando de una compañera de clase] *Le pone nerviosa hablar en público.* ■ **Subjuntivo.** Poner nervioso que + subjuntivo. Los verbos hacen referencia a personas distintas. [Con un compañero de clase] *Me pone nervioso que me miren todos*

cuando hablo en clase.

▶ **Verbos de afección.**

▶ **Indicativo / Subjuntivo. Verbos.**

PONERSE. *Verbo.* Irregular en algunos tiempos y personas. 📖 Consulta en *Verbos irregulares.* Verbo con uso pronominal. **1.** 'Situarse una persona en un lugar determinado'. [Alguien haciendo una foto] *¿Puedes ponerte más a la derecha?* **2.** 'Vestirse'. [Dos amigas] *Ponte el vestido azul, te queda mejor.* **3.** 'Atender una llamada telefónica'. [En casa, después de sonar el teléfono fijo] *Mamá, ponte, es para ti.* **4.** *Verbo de cambio.* Expresa un cambio de estado relacionado con distintos aspectos. **Aspecto físico.** [Hablando de un amigo] *Siempre que toma el sol se pone rojo.* **Estado anímico.** [Con un compañero de clase] *Cuando tenemos examen, me pongo muy nervioso.* **Salud.** [Hablando de un familiar] *Después de comer se ha puesto malo.* **Posición.** [Hablando de un boda] *Cuando entraron los novios, todo el mundo se puso de pie.* Este verbo suele ir acompañado de adjetivos: *triste, contento, nervioso, guapo,* etc.; adjetivos de color: *morado, moreno, pálido,* etc.; adverbios: *bien, mal,* etc. o expresiones: *como un tomate, de mal humor,* etc. 📖 Consulta en *Verbos de cambio.*

▶ **Verbos irregulares.**

▶ **Verbos con uso pronominal y no pronominal.**

▶ **Verbos de cambio.**

PONERSE A + [infinitivo]. *Perífrasis de infinitivo.* 'Comenzar una acción'. [Hablando de un bebé] *Se ha puesto a llorar de repente. No sé qué le pasa.* = *Ha empezado a llorar de repente.* 🖘 Debe evitarse su uso cuando se refiere a una actividad que va a ser habitual. 🖘 En este caso solo es posible el uso de la perífrasis *empezar a + infinitivo.* 🙂 [Hablando de un amigo] *Ha empezado a trabajar en una tienda de ropa.*

▶ **Perífrasis.**

▶ **Uso incorrecto de una palabra.**

POR. *Preposición.* **1.** Señala una causa. Normalmente la causa se refiere a algo que ya ha

P

sucedido. **Por + infinitivo.** [Hablando de un amigo que ha hecho un examen de conducir] *Le han suspendido por saltarse un stop.* 🖐 Debe evitarse la confusión con *para + infinitivo* que indica una acción que todavía no ha sucedido. ☺ [Un profesor a un alumno] *Quédate en casa esta tarde para estudiar.* **Por + sustantivo.** [Hablando de las ventajas de una ciudad] *Me gusta Málaga por el clima.* 🖐 Es incorrecto el uso de la conjunción *porque* seguida de un sustantivo. ☹ *Me gusta Málaga porque el clima.* **2.** Indica un lugar aproximado. [Buscando las gafas] *Creo que las dejé por el sofá.* [En un taxi] *Por favor, déjenos por el centro.* **3.** Tiempo aproximado. [Hablando de una ciudad] *Las obras estarán terminadas por Navidad.* **3.1. Por la mañana / tarde / noche.** [En un viaje, hablando de planes] *Por la mañana podemos ir a la playa y por la tarde visitar la ciudad.* **4.** Delante de nombres de lugar, denota tránsito. [De viaje, explicado el lugar en el que se encuentran] *Vamos por Granada.* **5.** Señala una ausencia de impedimento o indiferencia. [Confirmando una cita] *Vale, por mí no hay problema.* [Hablando de planes] *Por mí, haced lo que queráis.* **6.** 'A través de'. [Hablando de un gato] *Se escapa por la puerta, cada vez que la abro.* **7.** Indica el agente en las oraciones pasivas. [Titular en un periódico] *El político denunciado por su exmujer ha dimitido.* **8.** Indica un medio. **Medio de comunicación.** [Hablando de un familiar que vive en el extranjero] *Hemos estado hablando por Skype.* **Medio de transporte.** [Hablando de una amiga que vive en otra ciudad] *Le voy a mandar un regalo por correo certificado.* **9.** Indica un precio o dinero. [Con una amiga] *Me he comprado un sofá nuevo en una página de segunda mano por muy poco.* **10.** 'En lugar de'. [Con una compañera de trabajo] *Hoy no podré ir a la reunión, así que irá mi secretaria por mí.* **11.** 'A favor o en defensa de algo o alguien'. [Hablando de un político] *Siempre ha luchado por la libertad y la justicia.* **12.** Denota multiplicación de números. [En clase de Matemáticas] *Siete por cuatro, veintiocho.* **13.** Indica proporción o distribución. [Hablando de un regalo para un amigo] *Hay que poner 10 € por persona.*

▶ **Preposiciones.**

▶ **Uso incorrecto de una palabra.**

POR ESO. *Conjunción consecutiva.* 'A consecuencia de ese motivo'. ■ **Indicativo.** Por eso + indicativo. [Con una amiga, en un bar] *He empezado a hacer régimen, por eso tomo cerveza sin alcohol.*

▶ **Indicativo / Subjuntivo. Conectores.**

POR FIN. *Locución adverbial.* Señala con cierto énfasis el término de una situación de espera. [Con un compañero de clase] *¡Por fin es viernes! Mañana no tenemos que madrugar. Por fin = al fin.* 🖐 Debe evitarse la confusión con *al final* que hace referencia a un cambio en las circunstancias o planes.

▶ **Uso incorrecto de una palabra.**

POR (LO) TANTO. *Conjunción consecutiva.* 'Por el motivo o las razones anteriores'. ■ **Indicativo.** Por (lo) tanto + indicativo. [En el periódico] *Los acuerdos se han incumplido, por lo tanto no puede haber negociación.*

▶ **Indicativo / Subjuntivo. Conectores.**

POR MÁS QUE. *Conjunción concesiva.* 'Aunque'. Puede llevar indicativo o subjuntivo. ■ **Indicativo.** Por más que + indicativo. [Quejándose del trabajo]. *Por más que trabajo, no consigo llegar a final de mes con lo que gano.* ■ **Subjuntivo.** Por más que + subjuntivo. [Hablando del futuro] *Por más que trabaje ahora, no conseguiré tener una buena jubilación.* 📖 Consulta *aunque* si quieres más información sobre el uso de indicativo y subjuntivo.

▶ **Indicativo / Subjuntivo. Conectores.**

POR MUCHO, -A… QUE. *Conjunción concesiva.* 'Aunque'. Siempre va con subjuntivo. ■ **Subjuntivo.** Por mucho + sustantivo + que + subjuntivo. [Hablando de un futbolista] *Ha declarado que por mucho dinero que le ofrezca el otro club, nunca dejará a su equipo.*

▶ **Indicativo / Subjuntivo. Conectores.**

P

POR MUCHO QUE. *Conjunción concesiva.* 'Aunque'. Puede llevar indicativo o subjuntivo, aunque es más frecuente con subjuntivo. ▪ **Indicativo.** Por mucho que + indicativo. [Hablando con un informático]. *Por mucho que escribo mi contraseña bien, pone "contraseña incorrecta".* ▪ **Subjuntivo.** Por más que + subjuntivo. [Hablando de un examen] *Por mucho que me lo prepare, no conseguiré aprobar.* 📖 Consulta *aunque* si quieres más información sobre el uso de indicativo y subjuntivo.
▸ Indicativo / Subjuntivo. Conectores.

POR MUY… QUE. *Conjunción concesiva.* 'Aunque'. Normalmente va con subjuntivo. ▪ **Subjuntivo. 1.** Por muy + adjetivo + que + subjuntivo. [Hablando de un profesor] *Por muy simpático que sea, luego es muy duro poniendo notas.* **2.** Por muy + adverbio + que + subjuntivo. [Hablando de planes] *Por muy lejos que esté tu casa, voy a tardar menos si voy andando.*
▸ Indicativo / Subjuntivo. Conectores.

POR POCO QUE. *Conjunción concesiva.* 'Aunque'. Puede llevar indicativo o subjuntivo, aunque es más frecuente con subjuntivo. ▪ **Indicativo.** Por poco que + indicativo. [Hablando de las dietas] *Por poco que como, engordo igual.* ▪ **Subjuntivo.** Por poco que + subjuntivo. [Hablando de las dietas] *Por poco que coma, seguiré estando gordito.* 📖 Consulta *aunque* si quieres más información sobre el uso de indicativo y subjuntivo.
▸ Indicativo / Subjuntivo. Conectores.

PORQUE. 1. *Conjunción causal.* 'Por causa de que'. ▪ **Indicativo.** Porque + indicativo. [Con un amigo] *Julia no ha venido porque tenía trabajo.* Suele ir en medio de la oración, aunque puede ir al inicio cuando respondemos a una pregunta. [Respondiendo a una pregunta] *Porque quería darte una sorpresa.* 👎 Es incorrecto su uso cuando la causa se expresa mediante un sustantivo o un infinitivo. 👎 Debe evitarse su uso al principio de una oración, si no es una respuesta. ✋ Lo correcto es: 😊 *Como está enfermo, no ha venido a clase.* **2. No + porque.** ▪ **Subjuntivo.** [Hablando de un examen] *Suspendí el examen no porque no estudiara, sino porque era muy difícil.*
▸ Palabras con tilde y sin tilde.
▸ Indicativo / Subjuntivo. Conectores.

PORQUÉ. *Sustantivo masculino.* 'Causa o motivo'. [Hablando de una relación sentimental] *Alejandro dice que está enfadado conmigo, pero no entiendo el porqué.*
▸ Palabras con tilde y sin tilde.

POR QUÉ. *Locución adverbial.* 'Por qué razón, causa o motivo'. [Con un profesor] *¿Por qué no ha venido Martin a clase?* También se usa en oraciones interrogativas indirectas introducidas por verbos como: *saber*, *entender*, *preguntar*, etc. [Hablando de unas amigas] *No sé por qué no vienen. No me lo han dicho.*
▸ Palabras con tilde y sin tilde.

POSIBLE. *Adjetivo.* ▪ **Ser posible.** 'Que puede suceder o se puede realizar'. Indica posibilidad. ▪ **Infinitivo.** Ser (3.ª persona) posible + infinitivo. Valoración general. [En un cartel de una farmacia] *Es posible perder peso fácilmente.* ▪ **Subjuntivo.** Ser (3.ª persona) posible que + subjuntivo. Valoración referida a un sujeto concreto. [Hablando de planes] *Es posible que mañana vayamos al zoo, depende del tiempo.*
▸ Ser / Estar.
▸ Indicativo / Subjuntivo. Expresiones impersonales.

POSIBLEMENTE. *Adverbio.* Indica posibilidad. Puede llevar verbos en indicativo o subjuntivo y el significado no cambia. ▪ **Subjuntivo.** [Una madre con su hijo] *Posiblemente tengas un poco de fiebre, por eso no te encuentras bien.* ▪ **Indicativo.** *Posiblemente tienes un poco de fiebre, por eso no te encuentras bien.*
▸ Indicativo / Subjuntivo. Conectores.

P

PREFERIR. *Verbo*. 'Anteponer una persona o cosa a otra'. Cambio vocálico (e→ie) en algunos tiempos y personas. 📖 Consulta en *Verbos irregulares*. [Hablando de aficiones] *Prefiero la música pop a la clásica.* ■ **Infinitivo.** Preferir + infinitivo. Los verbos tienen el mismo sujeto. [Hablando de planes] *Podemos hacer lo que queráis, aunque yo prefiero ir a la playa.* ■ **Subjuntivo.** Preferir que + subjuntivo. Los verbos tienen distinto sujeto. [Con un buen amigo] *Prefiero que me digas la verdad, aunque no me guste.*
▸ Verbos irregulares.
▸ Indicativo / Subjuntivo. Verbos.

PREGUNTAR. *Verbo*. 'Demandar e interrogar por cierta información'. Necesita un pronombre en función de complemento indirecto cuando se refiere a un destinatario determinado. [En clase, hablando de una duda] *Voy a preguntarle al profesor.* ✋ Es incorrecto su uso cuando se refiere a la idea de solicitar algo. ☹ *Pregunta por un café.*
▸ Verbos que necesitan un pronombre de complemento indirecto.
▸ Uso incorrecto de una palabra.

PRESENTAR. *Verbo*. 'Dar a conocer una persona a otra'. [En clase] *Os voy a presentar a un nuevo estudiante que ha llegado esta mañana.* ✋ Es incorrecto el uso del verbo *introducir* con este significado.
▸ Uso incorrecto de una palabra.

PRESTAR. *Verbo*. 'Dar algo a alguien para que lo utilice temporalmente'. Necesita un pronombre en función de complemento indirecto cuando se refiere a un destinatario determinado. [Con un amigo haciendo planes] *Podemos ir a Tarifa el domingo. Mi madre me ha prestado su coche. Prestar = dejar.* ✋ Debe evitarse su confusión con *pedir prestado*, que significa 'decirle a alguien que te deje algo'.
▸ Verbos que necesitan un pronombre de complemento indirecto.
▸ Uso incorrecto de una palabra.

PRIMERO, A. 1. *Adjetivo*. 'Que ocupa el lugar número uno en una serie ordenada de elementos'. [Hablando de tenis] *Manolo Santana fue el primero en ganar Wimbledon.* **Primer + sustantivo** masculino singular. *Manolo Santana fue el primer tenista español en ganar Wimbledon.* ✋ Es incorrecto el uso de *primero* delante de un sustantivo. ☹ *El primero piso.* 👎 Lo correcto es: ☺ *El primer piso.* **2. PRIMERO.** *Adverbio*. 'En primer lugar'. [Hablando de planes] *Primero vamos a dar un paseo y luego vamos a cenar.*
▸ Uso incorrecto de una palabra.

PROBABLE. *Adjetivo*. ■ **Ser probable.** 'Que es bastante posible que suceda'. ■ **Subjuntivo.** Ser (3.ª persona) probable que + subjuntivo. [Hablando de unos amigos] *Es probable que nos devuelvan el dinero en junio. Nos dijeron que cobraban este mes.*
▸ Ser / Estar.
▸ Indicativo / Subjuntivo. Conectores.

PROBABLEMENTE. *Adverbio de modo*. Indica posibilidad. Puede llevar verbos en indicativo o subjuntivo y el significado no cambia. ■ **Indicativo.** [Hablando de un hotel] *Probablemente tiene el mejor servicio de toda la zona porque es el hotel que más estrellas tiene.* ■ **Subjuntivo.** [Hablando de un hotel] *Probablemente tenga el mejor servicio de toda la zona, pero no lo sé, hay otros hoteles cerca que son muy buenos también.*
▸ Indicativo / Subjuntivo. Conectores.

PROBAR. *Verbo*. Cambio vocálico (o→ue) en algunos tiempos y personas. 📖 Consulta en *Verbos irregulares*. **1.** 'Tomar una pequeña cantidad de comida o bebida'. [En casa] *Prueba la sopa, a lo mejor le falta sal.* **2.** 'Comer o beber algo por primera vez'. [Con un amigo extranjero] *¿Has probado el gazpacho alguna vez?* ✋ Es incorrecto el uso del verbo *intentar* cuando se habla de comida o bebida.
▸ Verbos irregulares.
▸ Verbos con uso pronominal y no pronominal.
▸ Uso incorrecto de una palabra.

PROBARSE. *Verbo.* 'Ponerse alguna prenda de vestir o complemento para ver cómo queda'. Cambio vocálico (o→ue) en algunos tiempos y personas. 📖 Consulta en *Verbos irregulares.* Verbo con uso pronominal. [En una óptica] *¿Puedo probarme estas gafas?*
▶ Verbos irregulares.
▶ Verbos con uso pronominal y no pronominal.

PROBLEMA. *Sustantivo masculino.* 'Situación de solución complicada'. [Hablando de un amigo] *No encuentra trabajo y el problema es que no habla bien inglés.* 👎 Es incorrecto su uso con un artículo femenino. ☹ *La problema.*
▶ Género masculino y femenino.

PROGRAMA. *Sustantivo masculino.* 'Cada uno de los bloques temáticos en que se divide una emisión de radio o de televisión'. [Con un compañero de piso, viendo la tele] *Me encantan los programas de cocina.* 👎 Es incorrecto su uso con un artículo femenino. ☹ *La programa.*
▶ Género masculino y femenino.

PROHIBIDO, -A. *Adjetivo.* ■ Estar prohibido. 'No permitido'. ■ Infinitivo. Estar (3.ª persona) prohibido + infinitivo. [Con un amigo, en un museo] *Está prohibido hacer fotos.* 👎 Es incorrecto su uso con el verbo *ser.* ☹ *Es prohibido.* 👎 Es incorrecto su uso seguido de la preposición *de.* ☹ *Está prohibido de hacer fotos.*
▶ Ser / Estar.
▶ Uso incorrecto de una palabra.

PROHIBIR. *Verbo.* 'Impedir el uso o ejecución de una cosa'. [En el cine] *Se prohíbe el uso de teléfonos móviles durante la proyección de la película.* Normalmente necesita un pronombre en función de complemento indirecto cuando se refiere a un destinatario determinado. Puede usarse con infinitivo o con subjuntivo y el significado no cambia. ■ Infinitivo. Prohibir + infinitivo. Los dos verbos tienen distinto sujeto. [En una discusión] *Te prohíbo hablarme así.* ■ Subjuntivo. Prohibir que + subjuntivo. Los dos verbos tienen distinto sujeto. [En una discusión] *Te prohíbo que me hables así.*
▶ Verbos que necesitan un pronombre de complemento indirecto.
▶ Indicativo / Subjuntivo. Verbos.

PROVOCAR. *Verbo.* 'Producir, causar'. Cambio ortográfico (c→qu) en algunos tiempos y personas. 📖 Consulta en *Verbos irregulares.* [Hablando de un accidente] *Un animal ha provocado un accidente en la carretera.* ■ Subjuntivo. Provocar que + subjuntivo. [Noticia] *El terremoto ha provocado que muchas personas se queden sin hogar.*
▶ Verbos irregulares.
▶ Indicativo / Subjuntivo. Verbos.

PRÓXIMO, -A. *Adjetivo.* 'Cercano en el espacio o en el tiempo'. [Con un amigo, en un autobús] *Tienes que bajarte en la próxima parada.* El/la próximo, -a día, semana, mes… Se usa cuando hablamos del futuro. [Hablando de planes] *Hoy no podemos, pero el próximo sábado vamos a veros.* 👎 Es incorrecto usar este adjetivo cuando hablamos del pasado. 👍 Lo correcto es usar el adjetivo **siguiente**. [Hablando del pasado] *Aquel sábado no pudimos ir a verla, pero fuimos el siguiente fin de semana.*
▶ Uso incorrecto de una palabra.

PUEDE (SER) QUE. *Locución adverbial.* Indica posibilidad. ■ Subjuntivo. Puede que + subjuntivo. [Hablando de planes] *Si todo va bien, puede que me quede un mes más en España.*
▶ Indicativo / Subjuntivo. Conectores.

PUENTE. *Sustantivo masculino.* 'Construcción sobre un río o cualquier depresión del terreno que permite pasar de una orilla a otra de los mismos'. [Explicando una dirección] *Si cruzas el puente, verás el centro comercial.* 👎 Es incorrecto su uso con un artículo femenino. ☹ *La puente.*
▶ Género masculino y femenino.

PUESTO QUE. *Conjunción causal.* 'Ya que'. Introduce una explicación. Siempre se separa de la oración principal mediante comas. ■ **Indicativo.** Puesto que + indicativo. [Después de una entrevista de trabajo] *Puesto que tienes mucha experiencia en el área de ventas, vamos a darte una oportunidad en nuestra empresa.*

▶ **Indicativo / Subjuntivo. Conectores.**

Q

QUE. 1. *Pronombre relativo.* Sustituye a un nombre o un pronombre que es su antecedente dentro de la oración principal. Puede referirse a cosas, personas o lugares. **1.1. Cosa.** [Con una amiga, en una tienda] *Estos son los pantalones que quiero comprarme.* Antecedente → pantalones. **1.2. Persona.** [Hablando de una chica] *La chica que vino con nosotros es la hermana de Gonzalo.* Antecedente → chica. ☞ En este caso es incorrecto el uso de *quien.* ☹ *La chica quien vino...* **1.3. Lugar.** [Señalando una casa] *Esta es la casa en la que nació mi padre.* Antecedente → casa. ■ Precedido de un artículo: **El que = quien.** [Presentando a un amigo] *Este es el amigo del que tantas veces me has oído hablar. Del que = de quien.* ■ Precedido de la preposición *de* y un artículo: **En el que = donde.** [Señalando un edificio] *Este es el colegio en el que yo estudié. En el que = donde.* ■ **Indicativo.** La persona, cosa o lugar a la que se refiere es conocida o está identificada. [En un programa] *Hemos elegido a la persona que mejor ha cantado y ha bailado.* [Buscando una nueva casa] *He visto una casa que tiene un jardín enorme.* ■ **Subjuntivo.** La persona, cosa o lugar a la que se refiere es desconocida o no está identificada. [En un programa] *La persona que mejor cante y baile, será elegida para el musical.* [Buscando una nueva casa] *Busco una casa que tenga un jardín grande.* **2.** *Conjunción subordinante.* **1. Con valor comparativo.** [Hablando de gustos] *Me gusta más la carne que el pescado.* **2. Con valor causal.** Suele usarse en lugar de *porque* cuando le sigue un imperativo. ■ **Indicativo.** Que + indicativo. [Con un amigo, por teléfono] *Miguel, no hables*

tan rápido, que no te entiendo. **3. Con valor consecutivo.** ■ **Indicativo.** Que + indicativo. [Hablando del tiempo] *Ha llovido tanto que se han inundado algunas calles.* **4. Introduce oraciones sustantivas.** ■ **Subjuntivo.** Que + subjuntivo. [Hablando de un amigo] *Me da pena que no pueda venir al viaje.* **5. Introduce oraciones independientes.** ■ **Subjuntivo.** Que + subjuntivo. Expresa deseo. [Al despedirnos de un amigo que va de viaje] *Que te lo pases bien.* **6. Con valor final.** Se usa en lugar de *para que* cuando va seguido de un imperativo. ■ **Subjuntivo.** Que + subjuntivo. [En una tienda] *Sal del probador que te vea mejor.*

▶ **Palabras con tilde y sin tilde.**

▶ **Indicativo / Subjuntivo. Conectores.**

▶ **Uso incorrecto de una palabra.**

QUÉ. 1. *Pronombre interrogativo.* [Preguntando por los planes] *¿Qué quieres hacer esta tarde?* Qué + *ser.* Sirve para preguntar por una definición o explicación. [En un restaurante, con un amigo extranjero] *¿Qué son las migas?* Qué + **sustantivo.** [En un restaurante, después de comer] *¿Qué plato te ha gustado más?* ☞ Debe evitarse la confusión con *cuál + ser* que sirve para preguntar por una información. [Con un compañero de clase] *¿Cuál es tu correo?* **1.1.** También lleva tilde cuando son interrogativas indirectas introducidas por verbos como: *saber, entender, preguntar,* etc. [Con una amiga] *Todavía no he pensado qué voy a comprarle a mi padre para Reyes.* **2.** *Pronombre exclamativo.* [Negando algo] *¡Qué va! Yo no he dicho eso.* **3.** *Adverbio exclamativo.* [En una tienda] *¡Qué bonitos son estos zapatos!*

▶ **Palabras con tilde y sin tilde.**

▶ **Uso incorrecto de una palabra.**

QUEDAR. *Verbo.* **1.** 'Concertar una cita'. [Hablando de planes] *¿Quedamos a las diez?* **2.** 'Faltar para llegar a una situación o a un lugar'. [Viajando en coche] *¿Cuánto queda para llegar?* **3.** 'Permanecer o restar parte de algo'. [Con un amigo, delante de un cajero] *Tengo que sacar dinero. Solo me quedan 10 €.*

Q

4. Quedar + en. 'Ponerse de acuerdo o tomar una decisión'. [Con un compañero de trabajo] *Entonces, quedamos en presentar el proyecto el lunes.* **5. Quedar + bien / mal.** 'Favorecer o no algo a alguien'. Verbo de afección. 📖 Modelo: **gustar.** [En una peluquería] *Este corte de pelo suele quedar muy bien.*
▸ **Verbos con uso pronominal y no pronominal.**
▸ **Verbos con preposición.**
▸ **Verbos de afección.**

QUEDAR + [*participio*]. *Perífrasis de participio.* 'Pasar de un estado a otro más o menos estable'. Equivale a la voz pasiva con *ser* + *participio* y añade un sentido de finalidad o permanencia. [Comentando un incidente] *Finalmente todo quedó aclarado con una llamada.* = *Fue aclarado.* Es importante recordar que el participio concuerda en género y número con el sujeto.
▸ **Perífrasis.**

QUEDARSE. *Verbo.* Verbo con uso pronominal. **1.** 'Permanecer en un lugar'. [Con un amigo, en una fiesta] *¿Te vas o te quedas un rato más?* **2.** *Verbo de cambio.* Expresa el resultado de un cambio en el estado de una persona, lugar o cosa. **Persona.** [Hablando de una amiga] *María estuvo haciendo régimen todo el verano y se quedó muy delgada.* **Lugar.** [Con un amigo extranjero, hablando de una ciudad] *En agosto, Madrid se queda vacía.* **Cosa.** [En casa] *Esta Coca-Cola no estaba bien cerrada y se ha quedado sin gas.* Este verbo suele ir acompañado de adjetivos: *tranquilo, quieto,* etc.; de complementos preposicionales: *sin amigos, sin dinero, con hambre,* etc. 📖 Consulta en *Verbos de cambio.* **3. Quedarse + con.** 'Pasar a tener la posesión de algo'. [Comprando en una papelería] *Al final me quedo con estos dos bolígrafos.*
▸ **Verbos con uso pronominal y no pronominal.**
▸ **Verbos de cambio.**
▸ **Verbos con preposición.**

QUEDARSE + [*gerundio*]. *Perífrasis de gerundio.* 'Permanecer realizando una actividad durante un tiempo'. [Con un compañero de clase] *Me he quedado estudiando toda la noche.*
▸ **Perífrasis.**

QUEDARSE + [*participio*]. *Perífrasis de participio.* 'Pasar a estar alguien o algo de una determinada manera o estado [físico o emocional]'. [Con un compañero de piso] *La puerta se quedó abierta y el gato del vecino se metió dentro de casa.* = *La puerta estaba abierta.* **Estado físico.** [Con una amiga] *Anoche me quedé dormida viendo la tele.* **Estado emocional.** Con esta perífrasis es frecuente el uso de participios que expresan sorpresa como: *sorprendido, impresionado, admirado, extrañado, maravillado,* etc. [Hablando de amigos comunes] *Se quedaron muy sorprendidos cuando les dijimos que nos íbamos a casar.* Es importante recordar que el participio concuerda en género y número con el sujeto.
▸ **Perífrasis.**

QUERER. *Verbo.* Irregular en algunos tiempos y personas. 📖 Consulta en *Verbos irregulares.* **1.** 'Desear o pretender algo'. [En una cafetería] *Yo quiero un café solo.* ▪ **Infinitivo.** Querer + infinitivo. Los verbos tienen el mismo sujeto. [En el gimnasio] *Yo también quiero aprender a bailar salsa.* ▪ **Subjuntivo.** Querer que + subjuntivo. Los verbos tienen distinto sujeto. [Hablando de planes] *¿Quieres que te recoja en el coche?* **2.** 'Sentir afecto o amor por alguien'. [En el extranjero] *Cuando estoy fuera, me doy cuenta de que quiero mucho a mi familia.* ✍ Es incorrecto decir: ☹ *Quiero el mar.* 👎 Lo correcto es: ☺ [En un crucero] *Me gusta mucho el mar.*
▸ **Verbos irregulares.**
▸ **Indicativo / Subjuntivo. Verbos.**
▸ **Uso incorrecto de una palabra.**

QUIEN. *Pronombre relativo.* Equivale a un determinante + *que.* Siempre se refiere a personas. [Enseñando una foto del móvil] *Esta es la chica con quien salí anoche.* Puede usarse con antecedente o sin él. [Organizando planes] *Quien venga que lo diga.* ✍ Cuando el relativo tiene un antecedente, es incorrecto su uso si no hay preposición. ☹ *La chica quien vino…* 👎 Lo correcto es: ☺ *La chica que vino…* ■ **Indicativo.** La persona a la que se refiere es conocida o está identificada. [Con una amiga, en un bar] *Este es el chico de quien te hablé.* Cuando tiene un valor habitual, puede usarse el indicativo aunque no se refiera a una persona identificada. [Refrán] *A quien madruga, Dios le ayuda.* ■ **Subjuntivo.** La persona a la que se refiere es desconocida o no está identificada. [Con unos amigos, en una cena] *Quien quiera un poco más que repita.*

▸ **Palabras con tilde y sin tilde.**
▸ **Indicativo / Subjuntivo. Conectores.**
▸ **Uso incorrecto de una palabra.**

Quién. 1. *Pronombre interrogativo.* ■ **Indicativo.** [Con una amiga, en un bar] *¿Quién es ese chico que va con vosotros?* También se usa en oraciones interrogativas indirectas. [Con un compañero de piso] *No sé quién ha llamado a la puerta.* **2.** *Pronombre exclamativo.* Suele usarse para expresar deseos sobre el propio hablante. ■ **Imperfecto de subjuntivo.** Se refiere al momento presente. [Expresando un deseo] *¡Quién pudiera tomarse unas vacaciones ahora!*

▸ **Palabras con tilde y sin tilde.**
▸ **Indicativo / Subjuntivo. Conectores.**

Quizá(s). *Adverbio.* Indica posibilidad o duda. **1.** Puede llevar verbos en indicativo o subjuntivo y el significado no cambia. ■ **Indicativo.** [Con un compañero de trabajo] *Quizá no ha terminado de revisar el documento y por eso no lo ha mandado todavía.* ■ **Subjuntivo.** [Con un compañero de trabajo] *Quizá no haya terminado de revisar el documento y por eso no lo ha mandado todavía.* **2.** Normalmente se usa subjuntivo cuando expresa una idea de futuro. ■ **Subjuntivo.** [Con un compañero de trabajo] *Quizá no tengamos suficiente tiempo para terminar el proyecto.*

▸ **Indicativo / Subjuntivo. Conectores.**

R

Rato. *Sustantivo masculino.* 'Porción indeterminada de tiempo, generalmente breve'. [Con un compañero de piso] *Voy a salir un rato. ¿Te traigo algo de la calle?* 👎 Es incorrecto su uso cuando se refiere a un período de tiempo muy largo. ☹ *Un rato de vacaciones.* 👎 En este caso puede usarse la palabra *tiempo.* ☺ [Con un compañero de trabajo] *He estado un tiempo de vacaciones.*

▸ **Uso incorrecto de una palabra.**

Realizar. *Verbo.* Cambio ortográfico en algunos tiempos y personas. 📖 Consulta en *Verbos irregulares.* **1.** 'Efectuar o hacer algo'. [Un profesor en clase] *Debéis realizar esta tarea en grupos de cuatro.* **2.** 'Dirigir la ejecución de una película o de un programa televisivo'. [En una revista] *Isabel Coixet comenzó su carrera realizando anuncios para televisión.* 👎 Es incorrecto el uso de este verbo para expresar la idea de 'notar o advertir algo', ya que en este caso usamos el verbo *darse cuenta de.* ☺ *Me acabo de dar cuenta de que María lleva dos días sin venir a clase.*

▸ **Verbos irregulares.**
▸ **Uso incorrecto de una palabra.**

Recomendar. *Verbo.* 'Aconsejar'. Cambio vocálico (e→ie) en algunos tiempos y personas. 📖 Consulta en *Verbos irregulares.* Necesita un pronombre en función de complemento indirecto cuando se refiere a un destinatario determinado. [En un restaurante] *Les recomiendo el pato.* Puede usarse con infinitivo o con subjuntivo y el significado no cambia. ■ **Infinitivo.** Recomendar + infinitivo. Los verbos tienen distinto sujeto. [En un restaurante] *Te recomiendo pedir el arroz con bogavante, es la especialidad de la casa.* ■ **Subjuntivo.** Recomendar que + subjuntivo. Los verbos tienen distinto sujeto. [En un restaurante] *Te recomiendo que pidas el arroz con bogavante, es la especialidad de la casa.*

▸ **Verbos irregulares.**
▸ **Verbos que necesitan un pronombre de complemento indirecto.**
▸ **Indicativo / Subjuntivo. Verbos.**

R

RECORDAR. *Verbo.* Cambio vocálico (o→ue) en algunos tiempos y personas. 📖 Consulta en *Verbos irregulares.* **1.** 'Traer algo a la memoria'. [Con un amigo] *¿Recuerdas el nombre del bar en el que estuvimos la otra noche?* = *¿Te acuerdas del...?* Es importante usar correctamente el verbo *recordar*, que no es pronominal y no lleva la preposición *de.* **2.** 'Encontrar parecido entre dos o más personas o cosas'. Necesita un pronombre en función de complemento indirecto cuando se refiere a un destinatario determinado. [Un padre a su hija] *Cada día me recuerdas más a tu madre.*

▶ **Verbos irregulares.**
▶ **Verbos que necesitan un pronombre de complemento indirecto.**
▶ **Uso incorrecto de una palabra.**

REDACCIÓN. *Sustantivo femenino.* 'Composición escrita sobre un tema'. [Hablando de planes] *No voy a salir porque tengo que escribir una redacción para mi clase de mañana.* 👆 Es incorrecto usar las palabras *papel* o *ensayo.*

▶ **Uso incorrecto de una palabra.**

REGULAR. 1. *Adjetivo.* 'Que se forma siguiendo las reglas'. [En clase de gramática] *El verbo* ser *es regular en el futuro simple.* **2.** *Adverbio.* 'No demasiado bien'. [Después del cine] *La película ha estado regular.* = *La película no ha estado bien.* 👆 En muchos casos es incorrecto suponer que la palabra *regular* significa 'normal'. ☺ *Estoy regular.* = *No estoy bien.*

▶ **Uso incorrecto de una palabra.**

REÍRSE. *Verbo.* 'Manifestar alegría con ciertos movimientos del rostro y sonidos característicos'. Cambio vocálico (e→i) en algunos tiempos y personas. 📖 Consulta en *Verbos irregulares.* [Con un amigo] *No te rías, que no tiene gracia.*

▶ **Verbos irregulares.**

RESERVA. *Sustantivo femenino.* 'Plaza o localidad para un hotel, restaurante, transporte público, espectáculo, etc.'. 👆 Debe evitarse el uso de la palabra *reservación* por influencia del inglés. ☺ [Organizando un viaje] *Tenemos que hacer la reserva del vuelo y del hotel antes de julio.*

▶ **Uso incorrecto de una palabra.**

RESPETO. *Sustantivo masculino.* 'Consideración o atención hacia alguien o hacia algo'. [Un profesor en clase] *Dejar el asiento a los mayores en el autobús, es una muestra de respeto.* 👆 Debe evitarse su confusión con la locución *respecto a.* ☺ [En el periódico] *Desciende el pesimismo de los españoles respecto a la economía.*

▶ **Uso incorrecto de una palabra.**

RESPONDER. *Verbo.* 'Contestar a lo que se pregunta'. [En clase] *No has respondido a mi pregunta.* Necesita un pronombre en función de complemento indirecto cuando se refiere a un destinatario determinado. ■ **Indicativo.** Responder que + indicativo. [Comentando una conversación] *Ella me respondió que todos estaban invitados.*

▶ **Verbos que necesitan un pronombre de complemento indirecto.**
▶ **Indicativo / Subjuntivo. Verbos.**

RETRASO. *Sustantivo masculino.* 'Más tiempo del previsto'. [Con un amigo, en el aeropuerto] *Nuestro vuelo sale con dos horas de retraso.* 👆 No debe confundirse con *atraso* que normalmente se refiere a la falta de desarrollo.

▶ **Uso incorrecto de una palabra.**

RICO, -A. *Adjetivo.* ■ **Ser rico.** 'Que tiene mucho dinero'. [Comentando una noticia] *El dueño de Zara es muy rico: uno de los hombres más ricos del mundo.* ■ **Estar rico.** 'De sabor muy agradable'. [Durante la comida] *El pollo en salsa está muy rico.*

▶ **Ser / Estar.**

ROGAR. *Verbo.* Cambio vocálico (o→ue) en algunos tiempos y personas. 📖 Consulta en *Verbos irregulares.* Necesita un pronombre en función de complemento indirecto cuando se refiere a un destinatario determinado. **1.** 'Pedir algo formalmente'. ▪ **Subjuntivo.** Rogar que + subjuntivo. [En una reunión de trabajo] *Les ruego que pasen a la sala de juntas.* **2.** 'Pedir algo con mucha insistencia'. ▪ **Subjuntivo.** Rogar que + subjuntivo. [Una madre a su hija] *Concha, te ruego que no uses el móvil cuando estamos comiendo.*

▸ **Verbos irregulares.**

▸ **Verbos que necesitan un pronombre de complemento indirecto.**

▸ **Indicativo / Subjuntivo. Verbos.**

ROMPER. *Verbo.* Irregularidad en el participio: *roto.* **1.** 'Estropear'. Es muy frecuente su uso con *se* para indicar que no ha habido intervención de una persona. [Con un compañero de piso] *Creo que la lavadora se ha roto. Voy a llamar al técnico.* **2.** 'Hacer pedazos una cosa'. [Con un compañero de trabajo] *Esos papeles los puedes romper, no son importantes.* Es muy frecuente su uso con *se* para indicar que no ha habido intervención de una persona. [Con un compañero de clase] *Se ha roto la silla.* **3.** 'Interrumpir la continuidad de algo no material'. [Hablando de una relación] *Hemos roto porque últimamente discutíamos por todo.*

▸ **Verbos irregulares.**

ROPA. *Sustantivo femenino.* 'Cualquier prenda de tela que sirve para vestir'. [Antes de una fiesta] *No sé qué ropa ponerme para la fiesta.* El sustantivo *ropa* se usa en singular aunque se refiera a un conjunto de prendas. [En una tienda] *Me encanta la ropa de esta tienda.* ☝ Es incorrecto su uso en plural. ☹ *Las ropas.*

▸ **Uso incorrecto de una palabra.**

S

SABER. *Verbo.* Irregular en algunos tiempos y personas. 📖 Consulta en *Verbos irregulares.* **1.** 'Conocer o tener noticias de algo'. ▪ **Indicativo.** Saber que + indicativo. [Con un compañero de trabajo] *El jefe sabía que yo iba a llegar tarde hoy.* ▪ **Subjuntivo.** Negación + saber que + subjuntivo. [Con un compañero de trabajo] *El jefe no sabía que fueras a llegar tarde hoy.* ☝ Es incorrecto su uso cuando hablamos de ciudades y personas. ☹ ¿Sabes Granada? ☝ Lo correcto es: ☺ [Preguntando por una ciudad] *¿Conoces Granada?* **2.** Indica la habilidad para realizar una actividad. [Con una amiga] *¿Sabes bailar merengue? A mí me encantaría aprender.* ☝ Es incorrecto el uso de la perífrasis de posibilidad *poder* + *infinitivo* para expresar una habilidad. ☹ *Puedo tocar la guitarra.*

▸ **Verbos irregulares.**

▸ **Indicativo / Subjuntivo. Verbos.**

▸ **Uso incorrecto de una palabra.**

SALIR. *Verbo.* Irregularidad en algunos tiempos y personas. 📖 Consulta en *Verbos irregulares.* **1.** 'Pasar de dentro a fuera'. Es lo contrario de *entrar.* [Llamando a un amigo desde una terraza] *Sal, que hace muy buen día.* **2.** 'Partir de un lugar a otro'. Es lo contrario de *llegar.* [Hablando de un viaje] *Saldremos sobre las 7:00 de la mañana.*

▸ **Verbos irregulares.**

SARTÉN. *Sustantivo femenino.* 'Recipiente que sirve para freír'. [Con un compañero de piso] *¿Dónde has puesto la sartén pequeña? La necesito para hacer una tortilla.* ☝ Es incorrecto su uso con un artículo masculino. ☹ *El sartén.*

▸ **Género masculino y femenino.**

SE. 1. *Pronombre reflexivo.* Indica que la acción del verbo recae en la misma persona que desarrolla la acción (en el sujeto). [Hablando de un niño pequeño] *Ya se ha lavado las manos.* ☝ Debe evitarse: ☹ *Ya se ha lavado sus manos.* Se usa únicamente con el objetivo de enfatizar. **2.** *Pronombre recíproco.* Indica que dos o más sujetos intercambian una acción. [Hablando de unas amigas] *Nuria y Carmen no se han hablado durante meses.* Únicamente se usa en plural (*nos, os* y *se*). **3.** Es la variante de *le* o *les* (complemento indirecto) cuando precede a alguno de los pronombres

S

de complemento directo de tercera persona (*lo, los, la, las*). [Hablando del regalo que le ha comprado a una amiga] *Ya se lo he comprado.* **4.** Se usa en oraciones impersonales donde no se especifica el sujeto. [Hablando de España] *En España se cocina con aceite de oliva.* **5.** Marca la carencia de agente en las oraciones pasivas reflejas. [En un cartel de una tienda] *No se admiten devoluciones.* **6.** Expresa un valor enfático, afectivo o ponderativo. [Hablando de una hija] *Ayer se bebió dos cafés por la tarde y luego no podía dormirse.* [Hablando de un amigo] *Se ha comprado un coche increíble.* **7.** Puede expresar que algo ocurre sin la intervención de una persona. [Hablando de una fiesta al aire libre] *Hacía tanto viento que las velas se apagaron.* **8.** Seguido de un pronombre de complemento indirecto indica involuntariedad (la acción en la que una persona participa ha ocurrido sin intención de que ocurra). En este tipo de oraciones el sujeto gramatical no es la persona sino el objeto. Se + pronombre de complemento indirecto + verbo + sujeto. [En una óptica] *Se me han roto las gafas y no sé si tienen arreglo.* ✆ Es incorrecto su uso con los verbos de afección. ☹ *Se gusta la playa.*

▶ **Palabras con tilde y sin tilde.**
▶ **Uso incorrecto de una palabra.**

Sé. *Verbo.* **1. Del verbo** *saber.* Primera persona del singular del presente de indicativo. [Hablando de una amiga] *Yo no sé nada de ella desde hace meses.* **2. Del verbo** *ser.* Segunda persona del singular del imperativo. [Una madre con su hijo] *¡Sé bueno y hazle caso a tu profesora!*

▶ **Palabras con tilde y sin tilde.**

Seguir. *Verbo.* Cambio vocálico (**e→i**) en algunos tiempos y personas. Cambio ortográfico (**gu→g**) en algunos tiempos y personas. 📖 Consulta en *Verbos irregulares.* **1.** 'Ir después o detrás de alguien'. [Antes de empezar un viaje en coche] *Como no conozco bien la carretera, yo os sigo.* **2.** 'Ir por un determinado camino o dirección'. [Indicando una dirección] *Debes*

seguir *por esta calle hasta que te encuentres un cruce.*

▶ **Verbos irregulares.**

Seguir + [*gerundio*]. *Perífrasis de gerundio.* 'Continuar haciendo algo'. Expresa una acción que había empezado en algún momento previo y que sigue y se prolonga. [Un profesor hablando de un alumno] *Jorge sigue llegando tarde a clase.* Esta perífrasis puede negarse de dos maneras con distinto significado. **1.** No + seguir + gerundio. [Hablando de una amiga] *Ana no sigue estudiando la carrera.* = *Ana ha dejado la carrera. Antes estudiaba, ahora no estudia.* **2.** Seguir + sin + infinitivo. [Un profesor hablando de un alumno] *Samuel sigue sin estudiar.* = *Antes no estudiaba, ahora tampoco.*

▶ **Perífrasis.**

Seguir + [*participio*]. *Perífrasis de participio.* Expresa la continuidad en una situación o en un estado concreto. [Preguntando a un vecino] *¿Sigue roto el ascensor?* = *¿Todavía está roto el ascensor?* Es importante recordar que el participio concuerda en género y número con el sujeto.

▶ **Perífrasis.**

Seguir sin + [*infinitivo*]. *Perífrasis de infinitivo.* Indica que una acción sigue sin realizarse. [Dos profesores hablando de un alumno] *Sigue sin venir a clase.* Es la forma negativa de la perífrasis *seguir + gerundio.*

▶ **Perífrasis.**

Según. **1.** *Preposición.* 'Conforme a' o 'conforme a lo que opinan o dicen las personas'. [Hablando de un contrato de trabajo] *Según la ley, tienes derecho a más días de vacaciones.* A diferencia de otras preposiciones, detrás de esta preposición se usan los pronombres personales (*yo, tú, él*, etc.). [Hablando de política] *Entonces según tú, este gobierno lo está haciendo mejor, ¿no?* **2.** *Adverbio.* 'Depende de'. [Con un amigo, hablando de planes] *No sé si ir al cine… Según la película.* ■ **Subjuntivo.** [Con un amigo] *Todavía no estoy bien del*

todo. Voy a clase según me encuentre. Según = *Depende de cómo*. **3.** *Conjunción modal.* 'Del mismo modo que'. ■ **Indicativo.** Indica que se conoce la manera en que se hace algo. [Después de escuchar el consejo de un amigo] *Lo haré según me dices.* ■ **Subjuntivo.** Indica que se desconoce la manera en que se hace algo. [Con un compañero de trabajo] *Lo haré según me diga el jefe.*
▸ **Preposiciones.**
▸ **Indicativo / Subjuntivo. Conectores.**

SEGURAMENTE. *Adverbio de modo.* 'Quizás'. Expresa probabilidad. Puede llevar verbos en indicativo o en subjuntivo y el significado no cambia. ■ **Indicativo.** [Con un amigo, hablando de planes] *Seguramente iré a la fiesta.* ■ **Subjuntivo.** [Con un amigo, hablando de planes] *Seguramente vaya a la fiesta.* ☝ Es incorrecto su uso cuando se quiere expresar seguridad. ☝ Para expresar seguridad usamos la expresión *ser seguro.*
▸ **Indicativo / Subjuntivo. Conectores.**
▸ **Uso incorrecto de una palabra.**

SEGURO, -A. *Adjetivo.* ■ **Ser seguro.** **1.** 'Libre de todo peligro, daño o riesgo'. [En una tienda de coches] *Este monovolumen es muy seguro y consume poca gasolina.* **2.** 'Ser cierto, indudable'. ■ **Indicativo.** Ser (3.ª persona) seguro que + indicativo. [Hablando de unos amigos] *Es seguro que van a venir. Han confirmado esta mañana.* ■ **Subjuntivo.** Negación + ser (3.ª persona) seguro que + subjuntivo. [Hablando de unos amigos] *No es seguro que vengan todos.* ■ **Estar seguro.** 'Tener la certeza de algo'. [En una fiesta, hablando con alguien] *Yo te conozco de algo. Estoy segura.* Los verbos *ser* y *estar* pueden estar omitidos. [Con un amigo, hablando de planes] *¿Seguro que vienes? ¿Verdad?*
▸ **Ser / estar.**
▸ **Indicativo / Subjuntivo. Expresiones impersonales.**

SENTAR. *Verbo.* Cambio vocálico (e→ie) en algunos tiempos y personas. ▢ Consulta en *Verbos irregulares.* 'Poner o colocar a alguien en una silla u otro asiento'. [En el coche] *No puedes sentar al niño en el asiento delantero, es demasiado pequeño.*
▸ **Verbos irregulares.**
▸ **Verbos con uso pronominal y no pronominal.**

SENTAR BIEN / MAL. *Locución verbal.* 'Producir un buen o mal efecto sobre alguien'. Verbo de afección. ▢ Modelo: **gustar.** [En un restaurante] *No como pimientos porque me sientan mal.* Se usa para hablar de comida, de ropa o accesorios. [Hablando de la nueva imagen de un amigo] *¡Qué guapo está Mario! Esas gafas le sientan muy bien.* ■ **Infinitivo.** Sentar bien / mal que + infinitivo. Los verbos hacen referencia a la misma persona. [Hablando del trabajo] *Me sienta mal tener que trabajar los sábados por la tarde.* ■ **Subjuntivo.** Sentar bien / mal que + subjuntivo. Los verbos hacen referencia a personas distintas. [Hablando de una amiga] *Le sentó mal que dijeras eso de su mejor amigo.*
▸ **Verbos de afección.**
▸ **Indicativo / Subjuntivo. Verbos.**

SENTARSE. *Verbo.* 'Ponerse en una silla u otro asiento'. Cambio vocálico (e→ie) en algunos tiempos y personas. ▢ Consulta en *Verbos irregulares.* Verbo con uso pronominal. [Con un amigo, en un avión] *Prefiero sentarme junto a la ventanilla, ¿te importa?* ☝ No debe confundirse con el verbo *sentirse* con el que coincide en algunas formas del presente.
▸ **Verbos irregulares.**
▸ **Verbos con uso pronominal y no pronominal.**
▸ **Uso incorrecto de una palabra.**

SENTIR. *Verbo.* Cambio vocálico (e→ie) en algunos tiempos y personas. ▢ Consulta en *Verbos irregulares.* **1.** 'Experimentar una sensación física'. [Un día de mucho frío] *Tengo tanto frío que no siento las manos.* ■ **Indicativo.** Sentir que + indicativo. [En una novela] *Sentí que alguien me acariciaba la cara.* **2.** 'Lamentar'. ■ **Subjuntivo.** Sentir que + subjuntivo. [En clase, con una compañera] *Siento mucho que hayas*

S

suspendido el examen. ⚐ Es incorrecto el uso de *lo siento* seguido de una oración. ☹ *Lo siento que...*
▸ **Verbos irregulares.**
▸ **Verbos con uso pronominal y no pronominal.**
▸ **Indicativo / Subjuntivo. Verbos.**
▸ **Uso incorrecto de una palabra.**

SENTIRSE. *Verbo.* 'Encontrarse en un determinado estado físico y/o emocional'. Cambio vocálico (e→ie) en algunos tiempos y personas. 📖 Consulta en *Verbos irregulares*. Verbo con uso pronominal. [Con un amigo, hablando del estado físico] *Hoy me siento muy bien.* Puede hacer referencia a los distintos tipos de sentimientos que puede tener una persona. [Un padre con su hija] *Me siento muy orgulloso de que hayas conseguido la beca.*
▸ **Verbos irregulares.**
▸ **Verbos con uso pronominal y no pronominal.**

SER. *Verbo.* Irregular en algunos tiempos y personas. 📖 Consulta en *Verbos irregulares*. **1.** 'Tener alguien o algo una determinada cualidad'. Se usa para hacer descripciones de personas o cosas. [Describiendo a una persona] *Alberto es alto y guapo, aunque es un poco serio.* **2.** 'Tener alguien una determinada profesión'. [Presentando a un amigo] *David es ingeniero industrial y estudió la carrera conmigo.* **3.** 'Tener alguien o algo un determinado origen o nacionalidad'. [Con un amigo extranjero] *La paella es un plato español, concretamente valenciano.* **4.** 'Tener alguien una determinada ideología'. [Hablando de un amigo] *Ernesto es evangelista y va a la parroquia todos los domingos.* **5.** 'Tener lugar un evento'. [Hablando de un evento] *La cena será en el restaurante Sabores.* **6. Ser + de**. 'Estar compuesto o formado por cierta materia o ingrediente'. [En una tienda] *Esta chaqueta me gusta más porque es de piel.* **7.** 'Valer o costar'. [En una librería] *Me llevo estos tres libros. ¿Cuánto es todo?* ⚐ Es incorrecto el uso de *ser + en* para indicar una localización. ☹ *Soy en mi casa.* ⚐ Es incorrecto el uso de *ser* para

referirse a la edad. ☹ *Soy treinta años.*
▸ **Verbos irregulares.**
▸ **Ser / Estar.**
▸ **Uso incorrecto de una palabra.**

SER + [participio]. *Verbo auxiliar que forma la voz pasiva.* Se usa cuando estamos más interesados en la acción que en el agente o cuando desconocemos al agente. El participio concuerda en género y número con el sujeto. Esta construcción se usa generalmente en la lengua escrita. [En una guía turística de Barcelona] *Este edificio fue construido por el arquitecto Antoni Gaudí entre 1906 y 1912.* ⚐ Debe evitarse su confusión con la pasiva *estar + participio* que indica un resultado. ☺ [Después de hacer las tareas del hogar] *La ropa ya está lavada.*
▸ **Uso incorrecto de una palabra.**

SERVIR. *Verbo.* Cambio vocálico (e→i) en algunos tiempos y personas. 📖 Consulta en *Verbos irregulares*. **1.** 'Ser alguien o algo útil para un determinado fin'. Va siempre seguido de la preposición *para*. [En una tienda de objetos de cocina] *Perdone, ¿para qué sirve esto?* **2.** 'Atender al público en un restaurante o comercio'. [Con una amiga, en una boda] *Mira, en aquella mesa ya están sirviendo el postre.*
▸ **Verbos irregulares.**

SI. 1. *Conjunción condicional.* Indica una condición. [Hablando de planes] *Si tenemos vacaciones en agosto, nos iremos de viaje.* **Si (...) no.** Se puede usar en forma negativa. [Con unos amigos, hablando de una excursión] *Si vosotros no vais, la cancelaremos.* ⚐ Debe evitarse la confusión con la conjunción adversativa *sino.* **2.** Se usa cuando introduce una oración interrogativa indirecta. [Con un amigo] *Me preguntó si pensabas ir a la fiesta.* **Uso de las condicionales. ▪ Indicativo. 1.** Posible. Si + presente (indicativo) + presente (indicativo). [En una tienda, hablando de un vestido] *Si me queda bien, me lo compro.*

S

2. Posible. Si + presente (indicativo) + futuro. [Hablando de planes] *Si tenemos vacaciones en agosto, nos iremos de viaje.* **3.** Posible. Si + presente (indicativo) + imperativo. [Con un amigo que tiene un problema] *Si me necesitas, cuenta conmigo.* ■ **Imperfecto de subjuntivo. 1.** Poco posible. Si + imperfecto (subjuntivo) + condicional. [Después de hacer un examen que no le ha salido bien] *Si aprobara el examen, no tendría que estudiar en verano.* **2.** Imposible referido al presente o al futuro. Si + imperfecto (subjuntivo) + condicional. [Hablando de planes] *Si fuera más joven, iría con vosotros a esquiar.* ■ **Pluscuamperfecto de subjuntivo. 1.** Imposible referido al pasado. **1.1.** Si + pluscuamperfecto (subjuntivo) + pluscuamperfecto (subjuntivo) [Hablando de una reunión de amigos] *Si me hubiera avisado antes, hubiese ido.* **1.2.** Si + pluscuamperfecto (subjuntivo) + condicional compuesto. [Hablando de una reunión de amigos] *Si me hubiera avisado antes, habría ido.* **2.** Imposible referido al pasado con efecto en el presente. Si + pluscuamperfecto (subjuntivo) + condicional simple. [Hablando de trabajo] *Si hubiera estudiado inglés, ahora no tendría problemas para encontrar trabajo.*

▶ **Palabras con tilde y sin tilde.**
▶ **Indicativo / Subjuntivo. Conectores.**
▶ **Uso incorrecto de una palabra.**

Sí. 1. *Adverbio de afirmación.* [Respondiendo a un camarero] *Sí, con leche, por favor.* **2.** *Pronombre reflexivo de tercera persona singular y plural.* Se usa cuando va precedido de una preposición. [Hablando de un niño] *Se ha hecho daño a sí mismo.* **3.** *Sustantivo masculino.* 'Consentimiento, permiso'. [Después de pedirle la moto al padre] *Ya tengo el sí de mi padre.* **4.** Se usa como intensificador. [Hablando del favor que le ha hecho un amigo] *David sí que es un buen amigo.*

▶ **Palabras con tilde y sin tilde.**

Siempre que. *Conjunción temporal.* ■ **Indicativo.** Sentido habitual en presente. [Con un amigo, hablando de hábitos] *Siempre que llego a casa,* *me pongo las zapatillas.* Sentido habitual en pasado. [Con un amigo, hablando de hábitos pasados] *Antes de la dieta, siempre que me apetecía, me comía un helado.* ■ **Subjuntivo.** Futuro. [Un profesor a una alumna] *Te resolveré las dudas siempre que me preguntes.* [Con un amigo que tiene problemas] *Cuenta conmigo siempre que me necesites.*

▶ **Indicativo / Subjuntivo. Conectores.**

Siguiente. *Adjetivo.* 'Que va después o detrás'. [En un autobús] *La siguiente parada es la que está más cerca del centro. La siguiente parada = La próxima parada.* ✊ Es incorrecto el uso del adjetivo *próximo, -a* cuando se refiere al pasado. En este caso solo es posible el uso de *siguiente.* ☺ [Hablando de un viaje que hicieron hace una semana] *Llegamos a Málaga el sábado y al día siguiente fuimos a Granada.*

▶ **Uso incorrecto de una palabra.**

Sin embargo. *Conjunción adversativa.* 'No obstante, pero'. Introduce un argumento opuesto a todo lo anterior. [Hablando de una amiga] *Dice que no tiene dinero, sin embargo, se ha comprado una casa.* Suele escribirse entre comas o después de un punto. [Hablando de un conocido] *Perdió todo lo que tenía: mujer, dinero, hijos. Sin embargo, nunca ha estado solo.* ✊ Debe evitarse el uso de *pero* detrás de un punto.

▶ **Uso incorrecto de una palabra.**

Sino. *Conjunción adversativa.* Contrapone a un concepto negativo otro afirmativo. [Con un amigo extranjero] *Yo no soy católica, sino protestante.* ✊ Debe evitarse la confusión con *pero*, que une dos ideas opuestas. ✊ Tampoco debe confundirse con la conjunción condicional *si* seguida de la negación *no*.

▶ **Uso incorrecto de una palabra.**

Sistema. *Sustantivo masculino.* 'Conjunto estructurado de reglas sobre una materia'. [Hablando de política] *El actual sistema electoral debería cambiar porque no es justo.* ✊ Es in-

S

correcto su uso con un artículo femenino. ☹
La sistema.

▶ **Género masculino y femenino.**

SOFÁ. *Sustantivo masculino.* 'Asiento cómodo para dos o más personas, que tiene respaldo y brazos'. [Con un compañero de piso] *He comprado unos cojines para el sofá. ¿Te gustan?* ✋ Es incorrecto su uso con el artículo femenino. ☹ *La sofá.*

▶ **Género masculino y femenino.**

SOLER + [*infinitivo*]. *Perífrasis de infinitivo.* Cambio vocálico (**o→ue**) en algunos tiempos y personas. 📖 Consulta en *Verbos irregulares.* **1.** Expresa la tendencia a que cierto comportamiento se manifieste regularmente. [Con un amigo extranjero] *Los españoles solemos acostarnos tarde.* = *Normalmente los españoles nos acostamos tarde.* **2.** Expresa la tendencia a que un hecho tenga lugar bajo determinadas circunstancias. [En una clase de Ciencias] *Cuando llueve y hace sol suele verse el arcoíris.* Es un verbo defectivo porque solo se puede conjugar en presente y en imperfecto.

▶ **Verbos irregulares.**
▶ **Perífrasis.**

SOLO. *Adverbio de modo.* **1.** 'Únicamente, solamente'. Antes esta palabra se escribía con tilde pero en la actualidad la Academia Española recomienda el uso sin tilde. [Hablando del trabajo de una amiga] *¡Qué suerte! Solo trabaja tres días a la semana.* **2. SOLO**, **-A**. *Adjetivo.* 'Sin compañía'. [Con un amigo extranjero] *Si no quieres vivir solo, nosotros tenemos una habitación disponible.* **3. SOLO**, **-A**. *Adjetivo.* 'Sin otra cosa'. [Hablando de hábitos] *Yo siempre desayuno café solo.* ✋ Es incorrecto el uso de *solo* en lugar de *único* que quiere decir que 'hay uno'. ☹ *Es el solo que ha hecho los deberes.* ✍ Lo correcto es: ☺ *Es el único que ha hecho los deberes*

▶ **Palabras con tilde y sin tilde.**
▶ **Uso incorrecto de una palabra.**

SONAR. *Verbo.* Cambio vocálico (**o→ue**) en algunos tiempos y personas. 📖 Consulta en *Verbos irregulares.* **1.** 'Emitir sonidos o ruidos'. [Con un compañero de piso] *Está sonando tu móvil.* **2.** 'Recordar algo o a alguien vagamente'. Verbo de afección. 📖 Modelo: **gustar.** [Con el amigo de un amigo] *Me suena mucho tu cara, pero no sé de qué.*

▶ **Verbos irregulares.**
▶ **Verbos de afección.**

SOÑAR. *Verbo.* Cambio vocálico (**o→ue**) en algunos tiempos y personas. 📖 Consulta en *Verbos irregulares.* **Soñar + con. 1.** 'Representarse una fantasía mientras se duerme'. [Después de levantarse] *Esta noche he soñado con la película de ayer.* ■ **Indicativo.** Soñar que + indicativo. [Recordando un sueño] *He soñado que estaba en París de vacaciones.* **2.** 'Desear insistentemente algo'. ■ **Subjuntivo.** Soñar con que + subjuntivo. [Una abuela a su nieto] *Sueño con que te cases algún día.*

▶ **Verbos irregulares.**
▶ **Verbos con preposición.**
▶ **Indicativo / Subjuntivo. Verbos.**

SOPORTAR. *Verbo.* **1.** 'Llevar una carga (física o emocional)'. [Con un compañero de trabajo] *Desde que le han nombrado director general, soporta mucha presión.* **2. No + soportar.** 'Detestar'. [Con un compañero de piso] *No soporto el ruido de la calle por las noches.* ■ **Subjuntivo.** No soportar que + subjuntivo. [Hablando con un amigo] *No soporto que me llamen cuando estoy comiendo.* ✋ Debe evitarse su confusión con el verbo *apoyar.* ☺ [Hablando de una elecciones] *Hay muchas personas que te apoyan, así que puedes presentarte.*

▶ **Indicativo / Subjuntivo. Verbos.**
▶ **Uso incorrecto de una palabra.**

SORPRENDER. *Verbo.* 'Causar sorpresa'. Verbo de afección. 📖 Modelo: **apetecer.** [Hablando de música] *Me ha sorprendido agradablemente el nuevo disco de Miguel Bosé.* ■ **Infinitivo.** Sorprender + infinitivo. Los verbos hacen referencia a la misma persona. [Hablando de una amiga] *Le sorprendió ver a Valeria en la fiesta.* ■ **Subjuntivo.** Sorprender que + subjuntivo. Los verbos hacen referencia a personas distintas. [En un hotel] *Me ha sorprendido que no haya ascensor en este hotel.*

▶ Verbos con uso pronominal y no pronominal.

▶ Verbos de afección.

▶ Indicativo / Subjuntivo. Verbos.

SORPRENDERSE. *Verbo.* 'Sentir sorpresa'. Verbo con uso pronominal. [Hablando de un encuentro] *Se sorprendió mucho cuando te vio. No esperaba verte en ese momento.*

▶ Verbos con uso pronominal y no pronominal.

SOSPECHAR. *Verbo.* 'Creer, suponer o imaginar una cosa'. ■ **Indicativo.** Sospechar que + indicativo. [Esperando a un amigo] *Sospecho que va a llegar tarde. Siempre hace lo mismo.* ■ **Subjuntivo.** Negación + sospechar que + subjuntivo. [Sorprendido, hablando de un amigo] *Nunca sospeché que estuviera saliendo con Natalia.*

▶ Indicativo / Subjuntivo. Verbos.

SUBURBIO. *Sustantivo masculino.* 'Barrio o núcleo de población pobre en la periferia de una ciudad'. [Hablando de la ciudad en la que estoy viviendo] *Ahora este es un buen barrio, pero hace años solo era un suburbio.* ☞ Es incorrecto usarlo con el significado de 'barrio residencial'.

▶ Uso incorrecto de una palabra.

SUFICIENTE. *Adjetivo.* 'Bastante, adecuado para cubrir lo necesario'. [Con un compañero de piso] *¿Tienes suficientes tomates para hacer la salsa? Suficientes = bastantes.* ☞ Es incorrecto su uso para expresar la idea de 'mucho'. ☝ En este caso, lo correcto es usar: *bastante.* ☺ [Hablando del tiempo] *Hace bastante frío.*

▶ Uso incorrecto de una palabra.

SUGERIR. *Verbo.* 'Proponer o aconsejar algo'. Cambio vocálico (**e→ie**) en algunos tiempos y personas. ▭ Consulta en *Verbos irregulares.* Necesita un pronombre en función de comple-

mento indirecto cuando se refiere a un destinatario determinado. Puede usarse con infinitivo o con subjuntivo y el significado no cambia. ■ **Infinitivo.** Sugerir + infinitivo. Los verbos tienen distinto sujeto. [En un gimnasio] *Para el dolor que tienes, te sugiero hacer más ejercicios de estiramiento.* ■ **Subjuntivo.** Sugerir que + subjuntivo. Los verbos tienen distinto sujeto. [En un gimnasio] *Para el dolor que tienes, te sugiero que hagas más ejercicios de estiramiento.*

▶ Verbos irregulares.

▶ Verbos que necesitan un pronombre de complemento indirecto.

▶ Indicativo / Subjuntivo. Verbos.

SUPLICAR. *Verbo.* 'Rogar'. Cambio ortográfico (**c→qu**) en algunos tiempos y personas. ▭ Consulta en *Verbos irregulares.* Necesita un pronombre en función de complemento indirecto cuando se refiere a un destinatario determinado. ■ **Subjuntivo.** Suplicar que + subjuntivo. Los verbos tienen distinto sujeto. [Después de una fuerte discusión] *Te suplico que me perdones.*

▶ Verbos irregulares.

▶ Verbos que necesitan un pronombre de complemento indirecto.

▶ Indicativo / Subjuntivo. Verbos.

SUPONER. *Verbo.* 'Considerar, pensar'. Irregular en algunos tiempos y personas. ▭ Consulta en *Verbos irregulares.* ■ **Indicativo.** Suponer que + indicativo. [Hablando de una amiga] *Supongo que nos llamará si decide no venir.* ■ **Subjuntivo.** Negación + suponer que + subjuntivo. [Hablando de un examen] *No suponía que fuera tan difícil.*

▶ Verbos irregulares.

▶ Indicativo / Subjuntivo. Verbos.

T

TAL VEZ. *Locución adverbial.* Indica posibilidad. Puede llevar verbos en indicativo o subjuntivo y el significado no cambia. ■ **Indicativo.** Tal vez + indicativo. [En una fiesta, hablando de

T

un amigo] *Tal vez viene más tarde.* ■ **Subjunti-vo.** Tal vez + subjuntivo. [En una fiesta, hablando de un amigo] *Tal vez venga más tarde.*
▶ **Indicativo / Subjuntivo. Conectores.**

TAMPOCO. *Adverbio de negación.* Se usa para negar algo después de haber negado otra cosa. [Hablando de comida] *¿A ti no te gusta el queso? A mí tampoco.* ■ **Tampoco + verbo.** [Hablando de gustos] *¿A ti no te gusta la leche? A mí tampoco me gusta.* ☞ Es incorrecto el uso de otra negación cuando *tampoco* va delante del verbo. ☹ *A mí tampoco no me gusta.* ■ **No + verbo + tampoco.** [Hablando de gustos] *¿A ti no te gusta la leche? A mí no me gusta tampoco.*
▶ **Uso incorrecto de una palabra.**

TAN. 1. *Adverbio de cantidad.* Establece la igualdad de la comparación. **Tan + adjetivo + como.** [Comparando dos habitaciones] *Mi habita-ción es tan grande como la tuya.* **Tan + adver-bio + como.** [Comparando distancias] *Mi coche está tan lejos de aquí como el tuyo.* **2. Con-junción consecutiva.** Indica una consecuencia. ■ **Indicativo. Tan + adjetivo + que.** [Buscan-do aparcamiento] *Mi coche es tan grande que nunca encuentro aparcamiento.* **Tan + adver-bio + que.** [Hablando de su escuela] *Mi escuela está tan cerca que voy andando.* **3. Adverbio.** 'Muy'. Se usa como intensificador delante de adjetivos, participios y adverbios. [Hablando de un chico] *Es tan guapo y tan cariñoso…* ☞ Es incorrecto su uso delante de *mucho*: ☹ *Hace tan mucho frío.* ✋ Lo correcto es: ☺ *Hace mucho frío.*
▶ **Indicativo / Subjuntivo. Conectores.**
▶ **Uso incorrecto de una palabra.**

TAN PRONTO (COMO). *Conjunción temporal.* 'En cuanto'. ■ **Indicativo.** Sentido habitual. [Hablando de hábitos] *Me pongo el pijama tan pronto como llego a casa.* Acción pasada. [Con un amigo] *Te llamé para decírtelo tan pronto como me enteré, pero no estabas en casa.* ■ **Sub-juntivo.** Sentido futuro. [Después de una entre-

vista] *Le daremos una respuesta tan pronto como sea posible.* [Por teléfono, hablando de la organización de una fiesta] *Vuelve a casa tan pronto como puedas y así me ayudas.*
▶ **Indicativo / Subjuntivo. Conectores.**

TANTO, -A. 1. *Adjetivo comparativo.* Esta-blece la igualdad de la comparación. **Tanto, -a, -os, -as + sustantivo + como.** [Comparando ciudades] *Granada no tiene tantos habitantes como Sevilla.* **2. TANTO.** *Adverbio comparati-vo.* Establece la igualdad de la comparación. **Verbo + tanto como.** [Comparando a dos perso-nas] *Come tanto como tú.* **3. TANTO.** *Conjun-ción consecutiva.* Indica una consecuencia. ■ **Indicativo. Tanto + sustantivo + que.** [Ha-blando de planes] *Hace tanto frío que no voy a salir de casa.* **Verbo + tanto + que.** [A la hora de la cena] *Come tanto que después no puede dormir.*
▶ **Indicativo / Subjuntivo. Conectores.**

TARDAR. *Verbo.* **1.** 'Emplear un tiempo deter-minado en hacer algo'. [En una parada de auto-bús] *¿Cuánto suele tardar el autobús?* **Tardar + en.** [Con un amigo, por teléfono] *¿Cuánto tardas en llegar?* ☞ Es incorrecto su uso para hablar de la duración de un vuelo. ✋ En este caso se usa el verbo *durar.* ☺ *El vuelo dura tres horas.* **2.** 'Emplear demasiado tiempo en hacer algo'. [En una parada de autobús] *El autobús está tar-dando, voy a llegar tarde a clase.*
▶ **Verbos con preposición.**
▶ **Uso incorrecto de una palabra.**

TE. *Pronombre.* **1.** Pronombre de segunda per-sona del singular en función de complemen-to directo. [Con un amigo] *Te llamo más tarde, ¿vale?* **2.** Pronombre de segunda persona del singular en función de complemento indirec-to. [En una cafetería] *¿Qué te apetece tomar?* **3.** Pronombre reflexivo de segunda persona de singular. [Con un amigo, hablando de la noche an-terior] *¿A qué hora te acostaste al final?*
▶ **Palabras con tilde y sin tilde.**

T

TÉ. *Sustantivo masculino*. 'Infusión'. [En una cafetería] *Yo quiero un té con un poquito de leche, por favor.*

▸ **Palabras con tilde y sin tilde.**

TEMA. *Sustantivo masculino*. 'Asunto principal de un libro, una película, un trabajo, etc.'. [Con un compañero de clase] *¿Cuál es el tema de tu presentación?* 🖑 Es incorrecto su uso con un artículo femenino. ☹ *La tema.* 🖑 Es incorrecto el uso de la palabra *tópico* en lugar de *tema*. ☹ *El tópico de mi presentación es…*

▸ **Género masculino y femenino.**
▸ **Uso incorrecto de una palabra.**

TEMER. *Verbo*. 'Tener miedo o sospechar algo negativo'. ▪ **Infinitivo**. Temer + infinitivo. Los verbos tienen el mismo sujeto. [Con un amigo, hablando de una relación] *Temo volver a equivocarme.* ▪ **Subjuntivo**. Temer que + subjuntivo. Los verbos tienen distinto sujeto. [Esperando a unos amigos] *Temo que hayan olvidado la cita porque suelen ser muy puntuales.*

▸ **Indicativo / Subjuntivo. Verbos.**

TENER. *Verbo*. Irregular en algunos tiempos y personas. 📖 Consulta en *Verbos irregulares*. **1**. 'Poseer una cosa'. [En una inmobiliaria] *También tengo un apartamento en alquiler en la Costa del Sol*. **2**. 'Indica duración o edad'. [En una prueba de velocidad] *Tienes dos minutos para hacer el recorrido completo.* 🖑 Es incorrecto el uso del verbo *ser* para indicar la edad. ☹ *Soy veinte años.* ☺ *Tengo veinte años.*

▸ **Verbos irregulares.**
▸ **Uso incorrecto de una palabra.**

TENER MIEDO. *Locución verbal*. 'Sentir preocupación de que suceda lo contrario a lo que se espera o desea'. ▪ **Infinitivo**. Tener miedo de + infinitivo. Los verbos tienen el mismo sujeto. [Hablando de una obra de teatro] *Tengo miedo de ponerme nerviosa cuando representemos la obra*. ▪ **Subjuntivo**. Tener miedo de que + subjuntivo. Los verbos tienen distinto sujeto. [En un hospital, hablando de un enfermo] *Tengo miedo de que empeore.*

▸ **Indicativo / Subjuntivo. Verbos.**

TENER QUE + [*infinitivo*]. *Perífrasis de infinitivo*. Se usa en cualquier tiempo verbal, excepto en imperativo. **1**. Expresa la obligación en la realización de una acción. [Un profesor con un alumno] *Tienes que estudiar más si quieres aprobar.* 🖑 Es incorrecto el uso de *deber* + *que*. ☹ *Debo que estudiar.* 🖐 Lo correcto es: ☺ *Tengo que estudiar.* **2**. Expresa la necesidad en la realización de una acción. [Con un compañero de piso] *Tengo que hacer una copia de la llave, no sé dónde está la mía*. **3**. Indica probabilidad. [Hablando de unos amigos] *Ya tienen que estar en casa. ¿Los llamamos? = Ya deben de estar en casa.*

▸ **Perífrasis.**
▸ **Uso incorrecto de una palabra.**

TERCERO, -A. *Adjetivo*. 'Que ocupa el lugar número tres en una serie ordenada de elementos'. [Un equipo de balonmano] *Hemos quedado en el puesto tercero de la competición*. Tercer + sustantivo masculino singular. [En una carrera de coches] *Ha llegado en tercer lugar.* 🖑 Es incorrecto el uso de *tercero* delante de un sustantivo.

▸ **Uso incorrecto de una palabra.**

TERMINAR DE + [*infinitivo*]. *Perífrasis de infinitivo*. 'Acabar'. Expresa la finalización de una acción o de un proceso. [Con una compañera de piso] *Ya he terminado de estudiar. ¿Salimos?* 🖑 No debe confundirse con *dejar de* + *infinitivo* que expresa la finalización, en principio, definitiva de una actividad. [Hablando de planes] *He dejado de estudiar y voy a ponerme a trabajar.*

▸ **Perífrasis.**
▸ **Uso incorrecto de una palabra.**

TIEMPO. *Sustantivo masculino*. **1**. 'Estado atmosférico'. [Con un amigo extranjero] *Muchos europeos se van a vivir al sur de España por-*

T

que hace buen tiempo. **2.** 'Duración de las cosas'. [Con un compañero de clase] *¿Cuánto tiempo tardas en llegar desde tu casa a la universidad?* **3.** 'Época durante la cual vive alguna persona o sucede algo'. [En clase de Historia] *En el tiempo de los Reyes Católicos se descubrió América.* ☝ Es incorrecto el uso de *tiempo* en lugar de *vez.* ☹ *El primer tiempo.* ☺ [Con un amigo] *La primera vez que viajé en avión tenía tres años.* ☝ Tampoco debe confundirse con *rato* que se refiere a un espacio de tiempo más corto. ☺ [Con un compañero de trabajo] *He estado un tiempo de vacaciones.*

▶ **Género masculino y femenino.**
▶ **Uso incorrecto de una palabra.**

TIQUE. *Sustantivo masculino.* 'Papel que acredita el pago de un servicio o una compra'. [Con un amigo extranjero] *En algunas tiendas no te devuelven el dinero aunque presentes el tique de compra.* [En un *parking* público] *No sé dónde he puesto el tique del* parking. ☝ Debe evitarse su confusión con las palabras *entrada* y *billete.*

▶ **Uso incorrecto de una palabra.**

TOCAR. *Verbo.* Cambio ortográfico (c→qu) en algunos tiempos y personas. 📖 Consulta en *Verbos irregulares.* **1.** 'Hacer sonar un instrumento musical'. [Hablando de planes] *En la fiesta de Laura podemos tocar la guitarra.* **2.** 'Interpretar una pieza musical'. [Hablando de música] *¿Sabes tocar* Entre dos aguas *de Paco de Lucía?* ☝ Es incorrecto el uso del verbo *jugar* para referirse a un instrumento musical. **3.** 'Entrar en contacto las manos u otra parte del cuerpo con un objeto o una superficie'. [Con un familiar] *No me toques con las manos tan frías.* **4.** 'Ser la obligación de uno'. Verbo de afección. 📖 Modelo: **gustar.** [Con un compañero de piso] *¿A quién le toca hoy lavar los platos?* **5.** 'Ser el turno de uno'. Verbo de afección. 📖 Modelo: **gustar.** [En una clase] *Ahora le toca al otro grupo hacer su presentación.* **6.** 'Caer en suerte una cosa'. Verbo de afección. 📖 Modelo: **gustar.** [Con un compañero de trabajo] *Si me toca la lotería, no vuelvo a trabajar.*

▶ **Verbos irregulares.**
▶ **Verbos de afección.**
▶ **Uso incorrecto de una palabra.**

TODAVÍA. *Adverbio de tiempo.* **1.** Expresa la continuación de algo que comenzó en un tiempo anterior. [Con un compañero de trabajo] *¿Todavía estás en la oficina? = Llegaste a la oficina hace un tiempo y sigues allí.* ☝ Debe evitarse su confusión con *ya* que expresa que algo se ha realizado. **2. Todavía + no.** Se usa para expresar que algo no se ha realizado hasta el momento presente. [En un restaurante] *No, todavía no hemos pedido.* **3.** 'Ahora o en un futuro inmediato' [A la hora de comer] *No empecéis todavía, que falta vuestro padre.*

▶ **Uso incorrecto de una palabra.**

TORRE. *Sustantivo femenino.* 'Edificio fuerte, más alto que ancho'. [Con amigo extranjero] *Este fin de semana fuimos a Lisboa y visitamos la Torre de Belén.* ☝ Es incorrecto su uso con un artículo masculino. ☹ *El torre.*

▶ **Género masculino y femenino.**

TRADUCIR. *Verbo.* 'Pasar algo de una lengua a otra. Irregularidad en algunos tiempos y personas. 📖 Consulta en *Verbos irregulares.* [Hablando de un amigo extranjero] *Tradujo todo lo que dije para que su madre me entendiera.*

▶ **Verbos irregulares.**

TRAER. *Verbo.* 'Trasladar algo al lugar donde está el que habla'. Irregular en algunos tiempos y personas. 📖 Consulta en *Verbos irregulares.* [Con un compañero de piso] *Si vas a salir, trae hielo.* ☝ Debe evitarse su confusión con el verbo *llevar* que significa 'transportar algo de un lugar a otro'. La posición del hablante marca la diferencia entre los dos verbos.

▶ **Verbos irregulares.**
▶ **Uso incorrecto de una palabra.**

TRATAR. *Verbo.* **1.** 'Portarse con alguien de una determinada manera'. [Hablando del jefe] *Es una persona muy amable. Siempre trata* muy bien a todo el mundo. **2. Tratar + de / sobre**. 'Indicar el tema de una película o un libro'. [Hablando de cine] *La película que vi ayer trata de la vida del Che*. **3. Tratar de + infinitivo**. 'Procurar el logro de algún fin'. [Con un amigo] *Siempre trato de hablar francés cuando viajo a Francia*.

▸ **Verbos con uso pronominal y no pronominal.**
▸ **Verbos con preposición.**

TRATARSE. *Verbo*. **Tratarse + de**. 'Hacer referencia o afectar a una persona o a algo'. Verbo con uso pronominal. Siempre se usa en tercera persona. [Con un compañero de trabajo] *No quería decírtelo, pero se trata de Guillermo. Lo han despedido del trabajo*. Es incorrecto su uso cuando se refiere al argumento de una película o un libro.

▸ **Verbos con uso pronominal y no pronominal.**
▸ **Verbos con preposición.**
▸ **Uso incorrecto de una palabra.**

TU. *Adjetivo posesivo*. Es la forma de la segunda persona del singular. Su plural es *tus*. Siempre va con un sustantivo con el que concuerda en número. [Con un amigo] *¿Te gusta tu profesor? ¿Y tus compañeros, cómo son?*

▸ **Palabras con tilde y sin tilde.**

TÚ. *Pronombre personal*. Es la segunda persona del singular. Funciona como sujeto y nunca va con sustantivos. [Con un amigo, hablando de planes] *A mí me gustaría que vinieras, pero ¿tú quieres venir?*

▸ **Palabras con tilde y sin tilde.**

U

UN. *Artículo indeterminado*. Forma de singular en masculino. Acompaña a un sustantivo masculino singular. [Después de tener un problema con el coche] *Necesito un coche nuevo*. Su forma en femenino es *una*. **1**. Hace referencia a algo o a alguien no identificado o que mencionamos por primera vez. [Hablando de una fiesta] *Creo que van a venir unos amigos de Silvia*. **2**. Indica que puede haber más de uno (objeto o persona) del mismo tipo. [En clase] *Préstame un bolígrafo*. [Delante de un edificio] *Aquí vive un hermano de Leopoldo*. **3**. Es necesario su uso después del verbo *haber* para referirnos a algo concreto. [Hablando de una ciudad] *En el centro hay una oficina de turismo*. Es incorrecto: *Hay la oficina*. Es incorrecto su uso delante del adjetivo *otro*. *Póngame un otro café*. Lo correcto es: [En un bar] *Póngame otro café*. También es incorrecto su uso para decir cuál es la profesión de alguien: *Soy un informático*. Lo correcto es: [Presentándose a un nuevo compañero de clase] *Soy informático*.

▸ **Uso incorrecto de una palabra.**

UNA VEZ QUE. *Conjunción temporal*. 'Después de que'. ■ **Indicativo**. Sentido habitual. [Con un amigo, hablando de hábitos] *Una vez que me relajo, ya no puedo levantarme del sofá*. ■ **Subjuntivo**. Sentido futuro. [Hablando con un familiar que vive lejos] *Iremos a verte una vez que hayamos terminado de pintar la casa*. [Una madre con su hijo] *Una vez que hables con el médico, llámame para contarme lo que te ha dicho*.

▸ **Indicativo / Subjuntivo. Conectores.**

ÚNICO, -A. *Adjetivo*. **1**. 'Que solo hay uno'. [En un colegio] *Juan es el único que ha hecho los deberes*. No debe confundirse con *solo* que significa 'sin otra cosa o sin compañía'. **2**. 'Extraordinario, fuera de lo normal'. [Hablando de planes] *¿Y si vamos a ver El Circo del Sol? Me han dicho que es un espectáculo único*.

▸ **Uso incorrecto de una palabra.**

V

VACACIONES. *Sustantivo femenino*. 'Tiempo de descanso en los estudios o en el trabajo'. Se usa siempre en plural. [Con un compañero de trabajo] *No tengo más vacaciones hasta diciembre*. Es incorrecto el uso de esta palabra en singular: *Vacación*.

▸ **Uso incorrecto de una palabra.**

VALER. *Verbo.* Irregularidad en algunos tiempos y personas. 📖 Consulta en *Verbos irregulares.* **1.** 'Tener un determinado precio'. [Hablando de un piso en venta] *Valdrá carísimo porque es espectacular.* **2.** 'Tener cierto valor o cualidades'. [Una madre hablando de su hija] *No es porque sea mi hija, pero Marisa vale mucho.*
▸ Verbos irregulares.

VENIR. *Verbo.* 'Trasladarse o llegar a donde está quien habla'. Irregular en algunos tiempos y personas. 📖 Consulta en *Verbos irregulares.* [Una madre hablando con su hijo] *Ven aquí, que quiero contarte algo.* ✍ Debe evitarse la confusión con el verbo *ir* que significa 'moverse a otro lado distinto del lugar donde está quien habla'. La posición del hablante marca la diferencia entre estos verbos.
▸ Verbos irregulares.
▸ Uso incorrecto de una palabra.

VER. *Verbo.* 'Experimentar y percibir algo'. Irregular en algunos tiempos y personas. 📖 Consulta en *Verbos irregulares.* Irregularidad en el participio: *visto.* ■ **Indicativo.** Ver que + indicativo. [Con un compañero de trabajo] *Cuando he leído el correo, he visto que era confidencial.* ■ **Subjuntivo.** Negación + ver que + subjuntivo. [Rechazando una información sobre el tiempo] *No he visto que esté lloviendo tanto como tú decías.*
▸ Verbos irregulares.
▸ Indicativo / Subjuntivo. Verbos.

VERDAD. *Adjetivo.* ■ **Ser verdad.** 'Cierto, evidente'. ■ **Indicativo.** Ser (3.ª persona) verdad que + indicativo. [Hablando de un compañero] *Es verdad que no nos llevamos muy bien, pero nos respetamos.* ■ **Subjuntivo.** Negación + ser (3.ª persona) verdad que + subjuntivo. [Expresando una opinión contraria] *No es verdad que todos los jóvenes seamos rebeldes.*
▸ Ser / Estar.
▸ Indicativo / Subjuntivo. Expresiones impersonales.

VERDE. *Adjetivo.* ■ **Ser verde.** 'De color semejante al de la hierba fresca o a la esmeralda'. [Hablando de una fiesta] *El vestido que voy a llevar es verde.* ■ **Estar verde. 1.** 'Estado en el que se encuentra una fruta que no ha madurado'. [En un mercado] *Estos plátanos están un poco verdes.* **2.** 'Persona poco preparada o inexperta'. [Con un amigo que acaba de sacarse el carné de conducir] *No sé si voy a poder aparcar aquí. Todavía estoy un poco verde.*
▸ Ser / Estar.

VEZ. *Sustantivo femenino.* **1.** 'Cada realización de una acción en un momento y circunstancias distintos'. [Con un amigo] *La primera vez que fui a Portugal, no entendía el portugués.* Cuando el sustantivo *vez* va precedido de un adjetivo indicador de orden (*primera, última, anterior, próxima,* etc.) es necesario el uso del artículo. [Con unos amigos] *La próxima vez que vayáis a llegar tarde, avisadme.* ✍ Es incorrecto el uso del artículo cuando lleva la preposición *por.* ☹ *Por la primera vez.* ☺ [Con un amigo extranjero] *Hoy he probado el rabo de toro por primera vez.* ✍ Es incorrecto usar la palabra *tiempo.* **2.** 'Momento determinado en el tiempo'. [Hablando de dietas] *Una vez estuve diez días sin comer nada de azúcar.* ✍ Es incorrecto su uso con un artículo masculino. ☹ *Un vez.*
▸ Género masculino y femenino.
▸ Uso incorrecto de una palabra.

VIEJO, A. *Adjetivo.* ■ **Ser viejo.** 'Que tiene muchos años'. [En un jardín] *Este árbol es el más viejo que tenemos.* ■ **Estar viejo. 1.** 'De aspecto poco joven'. [Hablando de un actor] *Está muy viejo, pero sigue siendo muy atractivo.* **2.** 'Estropeado por el uso'. [Hablando de unos pantalones] *Están muy viejos porque me los pongo mucho.* ✍ Cuando se usa como sustantivo, debe evitarse su uso para referirse a una persona. 👍 Es preferible el uso de *mayor.* ☺ [Hablando de donde vivo] *Cerca de mi casa hay una residencia para mayores.* ✍ No debe confundirse con *antiguo* que se usa cuando nos referimos a algo de un tiempo pasado. ☺ [En un museo] *Estos cuadros son muy antiguos. Son del siglo* XVII.

▶ Ser / Estar.
▶ Uso incorrecto de una palabra.

VISITAR. *Verbo.* **1.** 'Ir a ver a alguien a su casa o al lugar donde se encuentre'. [Hablando de planes] *Esta tarde voy a visitar a mis tíos.* **2.** 'Ir a ver un museo, una ciudad o cualquier lugar con el fin de conocerlo'. [Con un amigo extranjero] *Si vas a Granada, debes visitar la Alhambra.* ☜ Es incorrecto su uso cuando hace referencia a un concierto de música, a un partido de fútbol o a cualquier otro evento deportivo. ☝ En esos casos podemos usar el verbo *asistir*.

▶ Uso incorrecto de una palabra.

VOLVER. *Verbo.* 'Regresar al punto de partida o a un lugar'. Cambio vocálico (o→ue) en algunos tiempos y personas. ▭ Consulta en *Verbos irregulares*. Irregularidad en el participio: *vuelto*. [Con un compañero de piso] *Tengo que salir un rato. Vuelvo en una hora.* ☜ No debe confundirse con *devolver* que significa 'restituir algo a quien lo tenía antes'. ☺ [Con una amiga] *Préstame tu guía de Berlín. Te la devuelvo a la vuelta del viaje.*

▶ Verbos irregulares.
▶ Verbos con uso pronominal y no pronominal.
▶ Uso incorrecto de una palabra.

VOLVER A + [infinitivo]. *Perífrasis de infinitivo.* 'Hacer de nuevo o repetirse lo que ya se había hecho'. [Hablando de libros] *He vuelto a leerme El Quijote. Lo leí por primera vez hace veinte años.*

▶ Perífrasis.

VOLVERSE. *Verbo.* Cambio vocálico (o→ue) en algunos tiempos y personas. ▭ Consulta en *Verbos irregulares*. Verbo con uso pronominal. **1.** *Verbo de cambio.* Expresa un cambio, en principio, definitivo. La transformación, que normalmente se refiere a una persona, puede ser positiva o negativa. [Con un amigo extranjero] *Desde que vives en España te has vuelto más cariñoso.* [Con un amigo] *¿Tampoco quieres salir esta noche? Te has vuelto un aburrido.* Suele ir acompañado de un adjetivo: *loco, raro, egoísta*; o de (más) + adjetivo (características positivas): *más amable, más sociable*, etc. ▭ Consulta en *Verbos de cambio*. **2.** 'Girar la cabeza o el cuerpo'. [En una tienda] *Vuélvete, que no veo bien cómo te queda el traje.*

▶ Verbos irregulares.
▶ Verbos con uso pronominal y no pronominal.
▶ Verbos de cambio.

Y

YA. *Adverbio de tiempo.* **1.** Señala una acción que se ha realizado anteriormente. [Planificando un viaje] *Yo ya he estado en Roma. ¿Por qué no vamos a otro sitio?* ☜ Debe evitarse la confusión con *todavía*. **2.** 'Ahora mismo'. [En un viaje] *Ya he llegado a Madrid. Acabo de bajarme del avión.* **3.** 'Luego, inmediatamente'. [Quedando con un amigo] *Ya salgo. Espérame en tu casa.* **4.** 'En un tiempo u ocasión futura'. [Despidiéndose de un amigo] *Ya nos vemos otro día.*

▶ Uso incorrecto de una palabra.

YA QUE. *Conjunción causal.* **1.** 'Porque'. Siempre se separa de la oración principal mediante comas. ▪ Indicativo. [Hablando de un viaje] *Tuvimos que alquilar varios coches, ya que éramos muchas personas.* **2.** 'Aprovechando que'. ▪ Indicativo. [Hablando de un examen] *Ya que has aprobado, deberíamos celebrarlo, ¿no?*

▶ Indicativo / Subjuntivo. Conectores.

Y ESO QUE. *Conjunción concesiva.* 'Aunque'. Se usa en el lenguaje oral. ▪ Indicativo. [Hablando de un amigo] *Habla muy bien italiano, y eso que nunca ha estado en Italia.*

▶ Indicativo / Subjuntivo. Conectores.

II Gramática

1 Género masculino y femenino

Los sustantivos que terminan en **-o** suelen ser masculinos y los sustantivos que terminan en **-a**, femeninos. Sin embargo, hay sustantivos que terminan en -a que son masculinos: *problema, sofá*, etc.; y sustantivos que terminan en -o que son femeninos: *mano, foto*, etc. Los sustantivos que terminan en **-e** pueden ser masculinos: *coche, puente*, etc.; y femeninos: *carne, frase*, etc.

Debe evitarse el uso incorrecto de los siguientes sustantivos de uso frecuente.

MASCULINOS		FEMENINOS	
El Un	coche idioma mapa problema programa puente sistema sofá tema	La Una	capital carne ciudad clase costumbre flor foto frase fuente internet[1] leche ley mano moto pared parte sartén torre vez

Los sustantivos femeninos que empiezan por /a/ o /ha/ tónica exigen el uso del artículo en masculino cuando van en singular. Sin embargo, los demostrativos, adjetivos, etc. que acompañan a estos sustantivos deben ir en femenino.

El agua está muy fría.
Esta agua está muy fría.
El aula es muy amplia.
Las aulas son muy amplias.
Tengo mucha hambre.

---

1 La palabra *internet* se usa generalmente sin artículo.

Algunos sustantivos suelen causar confusión porque pueden ser masculinos o femeninos dependiendo del significado que tengan.

El guía → Hombre   **El** policía → Hombre
La guía → Mujer   **La** policía → Mujer
La guía → Libro   **La** Policía → Grupo de personas

2 Ser / Estar

2.1 Usos básicos de *ser* y *estar*

En la mayoría de las lenguas se usa un único verbo para indicar lo que en español se expresa con dos verbos distintos: *ser* y *estar*.
El verbo *ser* se usa para señalar una cualidad o característica propia de alguien o algo, y el verbo *estar* para expresar un determinado estado (físico, de ánimo, posición…) o para situar a la persona u objeto en el espacio.

SER	EJEMPLOS
Tener una **cualidad** o **característica**.	*Alberto es alto y guapo, aunque es un poco serio.*
Tener una **profesión**.	*David es ingeniero industrial y estudió la carrera conmigo.*
Tener una **nacionalidad** u **origen**.	*La paella es un plato español, concretamente valenciano.*
Tener una determinada **ideología**.	*Ernesto es evangelista y va a la parroquia todos los domingos.*
Tener lugar un **evento**.	*La cena será en el restaurante Sabores.*
Estar compuesto de una **materia** o **ingrediente**.	*Esta chaqueta me gusta más porque es de piel.*
Valer o **costar**.	*Me llevo estos tres libros. ¿Cuánto es todo?*

ESTAR	EJEMPLOS
Encontrarse en un **lugar** determinado.	*Todavía estoy en mi casa, pero salgo en cinco minutos.*
Hallarse en un determinado **estado**.	*Yo no voy a salir esta noche. Estoy muy cansado.*
Estar + **adverbio**	*Tu examen está muy bien. ¡Enhorabuena!*
Estar + **gerundio**	*Ahora estoy trabajando, pero te llamo en una hora.*

Con los verbos *ser* y *estar* usamos adjetivos para describir las características y el estado de las personas o cosas. Algunos adjetivos solo permiten el uso exclusivo con uno de estos verbos. En cambio, otros adjetivos permiten el uso de ambos verbos con distinto significado.

2.2 Adjetivos que se usan con *ser* y *estar* con distinto significado

Algunos adjetivos pueden usarse indistintamente con el verbo *ser* y con el verbo *estar* para expresar significados distintos.

ADJETIVO	SIGNIFICADO CON *SER*	SIGNIFICADO CON *ESTAR*
Abierto	• Simpático y sociable. • Comprensivo y tolerante.	No cerrado.
Alegre	• Con buen humor. • Colorido.	• De buen humor en un momento concreto. • Excitado por la bebida.
Atento	Preocupado por los detalles y cuidadoso en el trato.	Que fija la atención.
Bueno	• Bondadoso. • Con calidad. • Saludable. • Beneficioso o útil.	• De sabor agradable. • Sano.
Delicado	• Frágil. • Difícil, que exige cuidado.	Débil o de mala salud.
Despierto	Listo y espabilado.	No dormido.
Frío	Que no muestra afecto o sensibilidad.	No caliente.
Guapo	Que tiene belleza.	Más atractivo de lo habitual.
Listo	Inteligente.	Preparado.
Malo	• Que no tiene bondad. • Travieso. • Perjudicial o insano.	• Enfermo o indispuesto. • Deteriorado o en mal estado.
Mejor	Preferible o más conveniente.	Menos enfermo.
Moreno	Oscuro, negro o castaño.	Bronceado.
Negro	De color totalmente oscuro.	• Furioso. • Muy bronceado.
Orgulloso	Arrogante, exceso de cariño propio.	Contento o satisfecho.
Parado	Tímido o poco atrevido.	• Quieto, inmóvil. • Sin trabajo.

ADJETIVO	SIGNIFICADO CON *SER*	SIGNIFICADO CON *ESTAR*
Peor	Más malo o menos conveniente.	Más enfermo.
Rico	Que tiene mucho dinero.	De sabor muy agradable.
Seguro	• Libre de todo peligro o riesgo. • Cierto, indudable.	Tener la certeza de algo.
Verde	Color semejante al de la hierba o la esmeralda.	• Inmaduro. • Inexperto.
Viejo	Que tiene muchos años.	• De aspecto poco joven. • Estropeado por el uso.

2.3 Adjetivos y adverbios que solo se usan con *estar*

ESTAR	
Adjetivos	**Adverbios**
Caliente	Bien
Contento	Cerca
Lleno	Mal
Muerto	

2.4 Expresiones impersonales que solo se usan con *estar* o con *ser*

EXPRESIONES IMPERSONALES CON *ESTAR*		
Estar (3.ª persona)	**Incluidas en este diccionario**	**No incluidas en este diccionario**
Está Estaba Estuvo Ha estado　　**+** Estará Estaría	bien claro comprobado demostrado mal prohibido	de moda fatal mal visto permitido

EXPRESIONES IMPERSONALES CON *SER*		
Ser (3.ª persona)	Incluidas en este diccionario	No incluidas en este diccionario
Es Era Fue Ha sido **+** Será Sería	bueno cierto estupendo evidente extraño importante increíble indudable lógico mejor necesario normal obvio peor posible probable seguro verdad	horrible indignante maravilloso natural obligatorio oportuno perjudicial probable una casualidad un problema una tontería

3 Verbos de afección

El rasgo más característico de los verbos de afección o de experimentación es el hecho de que el pronombre en función de complemento indirecto designa al individuo que experimenta la acción del verbo. Algunos ejemplos de verbos (o locuciones verbales) de afección son: *gustar, encantar, apetecer, importar, dar miedo, dar pena,* etc.

A continuación, mostramos un ejemplo donde se puede observar cómo funciona el complemento indirecto:

- *Le da pena que no vayamos a verla.* Le → El complemento indirecto hace referencia a la persona que experimenta la acción del verbo. En este caso, la persona (ella) experimenta la sensación de sentir pena o tristeza.

Aunque los verbos de afección o experimentación se usan frecuentemente en tercera persona (singular o plural), también se pueden usar en otras personas.

- *Parece que no te importo.*
- *Me gustas tú.*

El siguiente cuadro muestra como se conjugan estos verbos (en tercera persona) en algunos tiempos de indicativo y el condicional.

MODELO: *GUSTAR*						
	Presente	**Imperfecto**	**Pretérito perfecto simple (indefinido)**	**Pret. perfec. compuesto**	**Futuro**	**Condicional**
Me **Te** **Le**	gusta	gustaba	gustó	ha gustado	gustará	gustaría
Nos **Os** **Les**	gustan	gustaban	gustaron	han gustado	gustarán	gustarían

Verbo *gustar* + determinante + sustantivo singular: [Después del cine] *No me ha gustado la película.*
Verbo *gustar* + infinitivo: [Hablando de aficiones] *Me gusta dibujar.*
Verbo *gustar* + determinante + sustantivo plural: [Con una amiga] *¿Te gustan los zapatos que me he comprado?*

Estos verbos se comportan como el verbo *gustar:*

alegrar	costar	dar igual	dar lo mismo	dar miedo
dar pena	dar rabia	dar vergüenza	encantar	entusiasmar
extrañar	faltar	fastidiar	importar	impresionar
interesar	molestar	parecer	pasar	quedar
sentar bien	sentar mal	sonar	tocar	

MODELO: *APETECER*						
	Presente	**Imperfecto**	**Pretérito perfecto simple (indefinido)**	**Pret. perfec. compuesto**	**Futuro**	**Condicional**
Me **Te** **Le**	apetece	apetecía	apeteció	ha apetecido	apetecerá	apetecería
Nos **Os** **Les**	apetecen	apetecían	apetecieron	han apetecido	apetecerán	apetecerían

Verbo *apetecer* + determinante + sustantivo singular: [Invitando a un amigo] *¿Te apetece un café?*
Verbo *apetecer* + determinante + infinitivo: [Recibiendo a un amigo en casa] *¿Te apetece tomar algo? ¿Una cerveza?*
Verbo *apetecer* + determinante + sustantivo plural: [Con unos amigos] *¿Os apetecen unas pizzas para cenar?*

Estos verbos se comportan como el verbo *apetecer:*

aburrir	divertir	doler	hacer ilusión	ocurrir
ocurrirse	parecer	poner nervioso	sorprender	

4 Verbos con uso pronominal y no pronominal

Hay verbos en español que pueden tener un uso pronominal y un uso que no es pronominal. En su uso pronominal, estos verbos se construyen en todas sus formas con un pronombre reflexivo átono (*me, te, se, nos, os* y *se*) que concuerda con el sujeto. Estos verbos pronominales pueden expresar distintos significados o matices significativos con respecto al mismo verbo en su uso no pronominal.

Modelo de los verbos con uso pronominal

ALEGRARSE
me alegro
te alegras
se alegra
nos alegramos
os alegráis
se alegran

¡Importante! Para identificar un verbo en su uso pronominal solo hay que observar si el infinitivo va acompañado de la forma *se*.

USO NO PRONOMINAL		USO PRONOMINAL	
Aburrir	Producir cansancio o fastidio.	**Aburrirse**	Cansarse de alguna cosa o sentirse decaído.
Acordar	Ponerse de acuerdo.	**Acordarse**	• Tener presente algo en la memoria. • Sentir nostalgia por algo o alguien.
Alegrar	Causar alegría.	**Alegrarse**	Sentir alegría.
Comunicar	Informar.	**Comunicarse**	Entenderse.
Dar	Entregar una cosa a alguien.	**Darse cuenta**	Notar o advertir algo.
Divertir	Causar diversión.	**Divertirse**	Sentir diversión.
Dormir	• Estar en estado de reposo. • Hacer que alguien se quede dormido.	**Dormirse**	Quedarse dormido.
Fastidiar	Molestar o disgustar.	**Fastidiarse**	Aguantarse, sufrir con resignación.
Hacer	• Producir o causar. • Disponer o llevar a cabo. • Fabricar, componer. • Obligar a que se ejecute la acción o ser la causa. • Fingir o simular.	**Hacerse**	Convertirse en algo o llegar a ser algo.
Ir	• Moverse de un lugar a otro. • Dirigirse hacia. • Asistir.	**Irse**	Marcharse.

USO NO PRONOMINAL		USO PRONOMINAL	
Llevar	• Trasportar algo de un lugar a otro. • Vestir una prenda. • Haber pasado un tiempo en una misma situación o lugar.	**Llevarse**	• Adquirir, comprar. • Quitar violentamente algo a alguien. • Estar de moda.
		Llevarse bien / mal	Mantener una (buena o mala) relación con alguien.
Marchar	• Funcionar o progresar. • Andar en formación.	**Marcharse**	Irse o partir de un lugar.
Molestar	Causar molestia o incomodidad.	**Molestarse**	Enfadarse.
Ocurrir	Pasar o suceder algo.	**Ocurrirse**	Pensar o idear algo, por lo general de forma repentina.
Parecer	• Tener cierto aspecto. • Opinar o creer.	**Parecerse**	Tener semejanza, asemejarse.
	• Indica una valoración y se construye con un adjetivo o un adverbio.		
Poner	• Colocar algo en un lugar. • Disponer algo para un fin. • Escribir en papel. • Encender. • Añadir, echar.	**Ponerse**	• Situarse una persona en un lugar determinado. • Vestirse. • Atender una llamada telefónica. • Expresa un cambio de estado.
Probar	• Tomar una pequeña cantidad de comida o bebida. • Comer o beber algo por primera vez.	**Probarse**	Ponerse alguna prenda de vestir o complemento para ver cómo queda.
Quedar	• Concertar una cita. • Faltar para llegar a una situación o a un lugar. • Permanecer o restar parte de algo.	**Quedarse**	• Permanecer en un lugar. • Pasar a estar de una determinada manera.
Quedar + en	Ponerse de acuerdo o tomar una decisión.	**Quedarse + con**	Pasar a tener la posesión de algo.
Quedar bien / mal	Favorecer o no algo a alguien.		

USO NO PRONOMINAL		USO PRONOMINAL	
Sentar	Poner o colocar a alguien en una silla u otro asiento.	**Sentarse**	Ponerse en una silla u otro asiento.
Sentar bien / mal	Producir un buen o mal efecto sobre alguien.		
Sentir	• Experimentar una sensación física. • Lamentar.	**Sentirse**	Encontrarse en un determinado estado físico y/o emocional.
Sorprender	Causar sorpresa.	**Sorprenderse**	Sentir sorpresa.
Tratar	Portarse con alguien de una determinada manera.	**Tratarse + de**	Hacer referencia o afectar a una persona o a algo.
Tratar + de / sobre	Indicar el tema de una película o un libro.		
Tratar de + infinitivo	Procurar el logro de algún fin.		
Volver	Regresar al punto de partida o a un lugar.	**Volverse**	• Cambiar una persona o cosa de aspecto, estado, opinión, etc. • Girar la cabeza o el cuerpo.

5 Verbos que necesitan un pronombre de complemento indirecto

Hay verbos que necesitan un pronombre en función de complemento indirecto, ya que sin este pronombre la oración estaría incompleta. Ejemplo: *Esta tarde me dan el coche*. Sería incorrecto decir: ☹ *Esta tarde dan el coche*. También sería incorrecto decir: ☹ *Esta tarde dan el coche a mí*.

Dependiendo del tipo de verbo, el pronombre en función de complemento indirecto puede hacer referencia al:

1. **Destinatario de la acción** del verbo. Ejemplo: *Esta tarde me dan el coche*.
2. **Individuo que experimenta la acción** del verbo. Ejemplo: *Me dan miedo los aviones*.

1 Verbos que llevan un complemento indirecto que hace referencia al **destinatario de la acción** del verbo

2 Verbos que llevan un complemento indirecto que hace referencia al **individuo que experimenta la acción** del verbo

Verbos de transferencia
Verbos de comunicación
Verbos de petición
Verbos de influencia

Verbos de afección psíquica

Al primer grupo[2] lo hemos llamado: *Verbos que llevan un pronombre de complemento indirecto*, y es el que vamos a tratar en esta sección. El segundo grupo lo hemos tratado en otra sección: 📖 Consulta en *Verbos de afección*.

VERBOS DE TRANSFERENCIA	EJEMPLOS
Confiar	*Te voy a confiar un secreto, pero no se lo digas a nadie.*
Dar	*¿Me das un chicle?*
Devolver	*Préstame tu guía de Berlín. Te la devuelvo a la vuelta del viaje.*
Prestar	*¿Puedes prestarme tu coche, mamá?*

VERBOS DE COMUNICACIÓN	EJEMPLOS
Comunicar	*¿Y ahora qué hago? Nadie **me** había comunicado que no hubiera consulta.*
Contar	*Me han contado que te vas a jubilar. ¿Estás contenta?*
Contestar	*Le he escrito un correo electrónico al hotel y me han contestado que tienen camas supletorias.*
Decir	*Me han dicho que van a poner rebajas en la tienda que tanto te gusta.*
Escribir	*Le he escrito un mensaje para decirle que nos llame cuando pueda.*
Explicar	*Me han explicado que en tu lengua el subjuntivo se usa muy poco.*
Indicar	*No le he entendido bien, pero creo que **nos** ha indicado que es en esta dirección.*
Responder	*Ella **me** respondió que todos estaban invitados.*

---

2 Dentro de este *grupo* puede ocurrir que el complemento indirecto se omita cuando transmitimos informaciones genéricas, es decir, cuando la acción del verbo no va dirigida a ningún individuo concreto. Ejemplo: *Cuenta una leyenda que cuando no puedes dormir es porque estás despierto en los sueños de otra persona.*

VERBOS DE PETICIÓN	EJEMPLOS
Pedir	¿*Le* has pedido la cuenta al camarero?
Preguntar	Voy a preguntar*le* al profesor.
Rogar	*Les* ruego que pasen a la sala de juntas.
Suplicar	*Te* suplico que me perdones.

VERBOS DE INFLUENCIA	EJEMPLOS
Aconsejar	*Le* aconsejó que estudiara todos los días.
Dejar	¿*Me* dejas que te ayude con la comida?
Hacer	¿Por qué *le* has hecho venir?
Indicar	El médico *me* ha indicado que camine dos horas al día.
Permitir	No *te* permito que me hables así.
Prohibir	*Te* prohíbo hablarme así.
Recomendar	*Les* recomiendo el pato.
Sugerir	Para el dolor que tienes, *te* sugiero que hagas más ejercicios de estiramiento.

6 Preposiciones

A	
Usos	Ejemplos
Indica una dirección. (Acompaña a verbos de movimiento como: *ir, venir*…)	Voy al centro. ¿Vienes conmigo?
Señala a una persona. (Acompaña al complemento directo de persona. Suele ir con verbos como: *ver, escuchar*…)	¿Habéis visto a María por aquí? No conozco a nadie que haya ido a ese hotel.
Señala a una persona. (Acompaña al pronombre personal de complemento indirecto. Suele ir con verbos de afección como: *gustar, encantar*…)	A nosotros nos gusta mucho esquiar en Sierra Nevada.
Marca el tiempo. (Hora o edad)	¿Quedamos a las cinco? A los ocho años pintó su primer óleo.

A	
Usos	Ejemplos
Indica distancia.	Si queréis podemos ir a Tarifa. Solo está a 100 km.
Indica precio variable.	¿A cómo están hoy las gambas?

CON	
Usos	Ejemplos
Señala el instrumento, medio o modo para hacer algo.	Abre la puerta con esta llave.
Expresa el contenido o composición de algo.	¿Quieres las patatas con mayonesa?
Indica que algo se hace junto a otra persona, animal o cosa o en su compañía.	Vamos al centro. ¿Vienes con nosotros? De acuerdo. Voy contigo.

DE	
Usos	Ejemplos
Denota el origen o procedencia de alguien.	¿De dónde eres?
Expresa posesión.	Este es el libro de Marisa.
Indica pertenencia.	¿Tú eres del Real Madrid o del Sevilla?
Señala la materia de que está hecho algo.	¿Este bolso es de piel?
Señala el momento del día en el que algo sucede.	Yo prefiero estudiar de noche. De día no me concentro tanto.
Detrás de la hora.	Normalmente me acuesto a las 23:00 de la noche.
Señala lo contenido en algo.	Dos vinos y un plato de queso.
Indica el asunto o materia de lo que trata algo.	Aunque es un libro de filosofía, es fácil de leer.
Indica el punto de partida (de) y de llegada (a) de un recorrido. De… a…	De Málaga a Granada hay 126 km.
Marca el límite o término en un intervalo de tiempo. De… a…	Tenemos clases de lunes a viernes, de 08:30 a 14:30.
Seguido del artículo masculino singular se apocopa. De + el = del	Él es Miguel, un amigo del colegio.

DESDE		
Usos	**Estructuras con esta preposición**	**Ejemplos**
Señala el lugar de procedencia.	**Desde… hasta…** Marca el origen y el destino en un espacio.	*He venido andando desde el centro.* *Todos los días va andando a clase desde el centro hasta la escuela.*
Indica el tiempo exacto del inicio de la acción. (Día, mes, estación, año)	**Desde…**	*Estudio español desde el verano.*
	Desde las… hasta las… Marca el inicio y el final en un intervalo de tiempo.	*Tenemos clases desde las 8:30 hasta las 14:30.*
	Desde hace… Señala el inicio de una acción centrándose en su duración.	*Estudio español desde hace un año.*

EN	
Usos	**Ejemplos**
Indica un lugar: superficie, interior o lugar próximo. (Acompaña a verbos que no son de movimiento como: *poner, estar…*)	*Pon las llaves en la mesa.* *He puesto las cervezas en el congelador para que se enfríen antes.* *Te espero en la puerta del cine.*
Indica una localización. (Acompaña a verbos que no son de movimiento)	*Estudia en la Universidad de Málaga.*
Señala el momento o período en el que se localiza el suceso o estado del que se habla. (Suele acompañar a expresiones de tiempo que hacen referencia a años, meses o épocas)	*Pablo Picasso pintó el Guernica en 1937.* *Podemos ir a París en mayo o en Semana Santa.*
Se refiere a un medio de transporte. (Suele acompañar a verbos de movimiento como: *ir, venir…*)	*¿Vamos a ir en tren o en avión?*

PARA	
Usos	**Ejemplos**
Indica el objetivo de una acción que todavía no se ha realizado. (*Para* + infinitivo)	*Ahora vamos a hacer unos ejercicios para relajarnos un poco.*
Señala una dirección. (Acompaña a verbos de movimiento como: *ir, salir, viajar…*)	*Voy para tu casa.*
Determina el uso que puede darse a algo.	*Esta crema es muy buena para la piel seca.* *He traído dulces para merendar.*
Indica la persona que expresa una opinión.	*Para mí, septiembre es el mejor mes para cogerse vacaciones.*
Señala al destinatario de algo.	*Ha llegado un paquete para ti. Pásate por recepción a buscarlo.*
Marca un límite temporal.	*Estos deberes son para mañana.*
Marca la duración.	*Vamos a ser amigos para siempre.*
En algunas frases con sentido comparativo que expresan desproporción.	*El campo está muy seco para todo lo que ha llovido este año.*

POR	
Usos	**Ejemplos**
Señala la causa de algo que ya ha sucedido. (*Por* + infinitivo) (*Por* + sustantivo)	*Le han suspendido el carné de conducir por saltarse un stop.* *Me gusta Málaga por el clima.*
Lugar aproximado.	*Por favor, déjenos por el centro.*
Tiempo aproximado.	*Las obras estarán terminadas por Navidad.*
Parte del día. (Por la mañana / tarde / noche)	*Por la mañana podemos ir a la playa y por la tarde visitar la ciudad.*
Delante de nombres de lugar denota tránsito.	*Vamos por Granada.*
Señala ausencia de impedimento o indiferencia.	*Vale, por mí no hay problema.* *Por mí, haced lo que queráis.*
Señala el paso de un lugar a otro. ('A través de')	*El gato se escapa por la puerta, cada vez que la abro.*

POR	
Usos	**Ejemplos**
Indica el agente en las oraciones pasivas.	*El político denunciado por su exmujer ha dimitido.*
Medio de comunicación. Medio de transporte.	*Hemos estado hablando por Skype. Le voy a mandar un regalo por correo certificado.*
Indica precio o dinero.	*Me he comprado un sofá nuevo en una página de segunda mano por muy poco.*
Señala un cambio o sustitución. ('En lugar de')	*Hoy no podré ir a la reunión, así que irá mi secretaria por mí.*
Señala una causa que se considera justa. ('A favor o en defensa de algo o alguien')	*Siempre ha luchado por la libertad y la justicia.*
Denota multiplicación de números.	*Siete por cuatro, veintiocho.*
Indica proporción o distribución.	*Hay que poner 10 € por persona.*

SEGÚN	
Usos	**Ejemplos**
Señala una opinión o información a la que se ajusta. ('Conforme a')	*Según la ley, tienes derecho a más días de vacaciones.*

7 Verbos con preposición

VERBO + A	EJEMPLOS
Acostumbrarse a	*Todavía no me he acostumbrado a comer tan tarde.*
Aprender a	*Juan quiere aprender a hablar chino.*
Asistir a	*No voy a asistir al congreso de Filología.*
Ayudar a	*¿Me ayudas a mover el sofá?*
Enseñar a	*En ese bar enseñan a bailar salsa los martes y jueves.*
Invitar a	*Yo te invito a la cerveza.*
Obligar a	*La jefa nos ha obligado a tomarnos las vacaciones en el mes de julio.*
Parecerse a	*Se parece mucho a ti.*

VERBO + DE	EJEMPLOS
Aburrirse de	Me aburro de hacer cada día lo mismo.
Acordarse de	¿Te acuerdas de cómo nos conocimos?
Alegrarse de	Me alegro mucho de volver a verte.
Darse cuenta de	Me acabo de dar cuenta de que María lleva dos días sin venir a clase.
Disfrutar de	En Málaga puedes disfrutar de la playa casi todo el año.
Enamorarse de	Silvia se ha enamorado de su mejor amigo.
Informar de	El servicio contestador le informa de que no tiene ningún mensaje.
Olvidarse de	Me he olvidado de llamar a María para felicitarla por su cumpleaños.
Tratar de / sobre	La película que vi ayer trata de la vida del Che. La película que vi ayer trata sobre la vida del Che.
Tratarse de	No quería decírtelo, pero se trata de Guillermo. Lo han despedido del trabajo.

VERBO + EN	EJEMPLOS
Confiar en	No estamos perdidos. Confía en mí, que yo sé cómo regresar.
Creer en	¿Tú crees en Dios?
Influir en	Su madre siempre influye en sus decisiones.
Insistir en	Insistió en que nos quedáramos a comer en su casa.
Pensar en	Cuando estoy fuera de casa, pienso en mi familia a menudo.
Quedar en	Entonces, quedamos en presentar el proyecto el lunes.
Tardar en	¿Cuánto tardas en llegar?

VERBO + CON	EJEMPLOS
Aburrirse con	*Le encanta salir con Amanda. Dice que es muy divertida y que nunca te aburres con ella.*
Quedarse con	*Al final me quedo con estos dos bolígrafos.*
Soñar con	*Esta noche he soñado con el abuelo.*

VERBO + POR / CONTRA	EJEMPLOS
Luchar por	*Estoy colaborando con una ONG que lucha por los derechos de los niños.*
Luchar contra	*Ahora hay una campaña en televisión que lucha contra el maltrato.*

8 Indicativo / Subjuntivo

8.1 Verbos y expresiones impersonales

8.1.1 Indicativo

El modo indicativo se usa para informar de la realidad que nos rodea. Hay una serie de procesos que pueden producirse en torno a esta información y que se reflejan mediante unos determinados verbos:

- Verbos que expresan cómo llega la información a nosotros (*ver, oír,* etc.).

- Verbos que expresan que la información se ha procesado o se está procesando (*pensar, creer,* etc.).

- Verbos que indican que se transmite la información a otras personas (*decir, comentar,* etc.).

- Verbos o expresiones que indican la aceptación de la información o su confirmación (*aceptar, ser verdad que…*).

Los verbos que se usan para indicar cada uno de estos procesos son introductores de oraciones con indicativo.

ADQUISICIÓN DE LA INFORMACIÓN	INDICATIVO	EJEMPLOS
Darse cuenta Leer Notar Observar Oír Sentir Ver	que + (indicativo)	*Me acabo de dar cuenta de que María lleva dos días sin venir a clase.* *He oído que van a contratar a más gente para el nuevo departamento.*

PROCESAMIENTO DE LA INFORMACIÓN	INDICATIVO	EJEMPLOS
Comprender Creer Decidir Entender Imaginar Imaginarse Opinar Parecer Pensar Saber Soñar Sospechar Suponer	que + (indicativo)	*Cuando la oí hablar de él, comprendí que estaba enamorada.* *Me parece que mañana no hay clase.* *Supongo que nos llamará si decide no venir.*

TRANSMISIÓN DE LA INFORMACIÓN	INDICATIVO	EJEMPLOS
Afirmar Comentar Comunicar Contar Contestar Decir Explicar Indicar Informar Insistir Responder	que + (indicativo)	*Me han contado que te vas a jubilar. ¿Estás contenta?* *El servicio contestador le informa de que no tiene ningún mensaje.*

ACEPTACIÓN O CONFIRMACIÓN DE LA INFORMACIÓN		INDICATIVO	EJEMPLOS
Aceptar Admitir		que + (indicativo)	*Vale, acepto que eres la mejor, siempre me ganas.*
Expresiones impersonales			
Ser (3.ª persona singular)	cierto evidente indudable obvio seguro verdad		*¿Es cierto que te vas a trabajar a Japón?* *Es verdad que no nos llevamos muy bien, pero nos respetamos.*
Estar (3.ª persona singular)	claro comprobado demostrado		*Está comprobado que el alcohol es uno de los principales enemigos del conductor.*

8.1.2 Subjuntivo

El subjuntivo es el modo con el que se expresa un mundo visto a través del prisma personal de un sujeto. Hay una serie de verbos que expresan la actitud del sujeto, su impresión o su valoración con respecto a la información (que en este caso queda en un plano secundario):

- Verbos que en forma negativa indican un rechazo o indiferencia hacia la información transmitida o procesada[3]. (*No aceptar, no es verdad que,* etc.).

- Verbos que expresan las emociones, los sentimientos y las impresiones que experimentan una o varias personas. (*Gustar, molestar, sentir,* etc.).

- Verbos que afectan a la voluntad de otra persona distinta del sujeto. (*Mandar, obligar, aconsejar,* etc.).

- Verbos que indican duda o inseguridad. (*Dudar*).

- Expresiones impersonales que expresan una valoración. (*Está bien que, es extraño que, es bueno que,* etc.).

---

3 Cuando la negación de estos verbos y expresiones no implica rechazo, ni sorpresa, ni indiferencia ni cuestiona la veracidad de esa información, se usa el modo indicativo. Ejemplo: [Con una amiga] *¿No te has dado cuenta de que me he cortado el pelo?*

RECHAZO O INDIFERENCIA HACIA LA INFORMACIÓN	SUBJUNTIVO	EJEMPLOS
Negación + verbo		No he visto que esté lloviendo tanto como tú decías.
No ver		
No creer		No creo que el Real Madrid sea el mejor equipo de la liga.
No pensar		
No decir		
…	que + (subjuntivo)	
Negación + expresión impersonal		No es cierto que el gobierno vaya a hacer cambios.
No ser cierto		
No ser verdad		
No estar claro		No está comprobado científicamente que el agua quite el hambre.
No estar comprobado		
…		

EMOCIÓN O SENTIMIENTO	SUBJUNTIVO	EJEMPLOS
Aburrir		
Agradecer		
Aguantar		
Alegrarse		
Dar igual		
Dar lo mismo		Me alegro mucho de que hayas aprobado todas las asignaturas.
Dar miedo		
Dar pena		
Dar rabia		
Dar vergüenza		
Encantar		
Entusiasmar		
Fastidiar		
Gustar	que + (subjuntivo)	Me gusta que la gente sea puntual.
Hacer ilusión		
Importar		
Impresionar, sorprender		
Interesar		
Lamentar		
Molestar		
Poner nervioso, -a		Me ha sorprendido que no haya ascensor en este hotel.
Sentar bien		
Sentar mal		
Sentir		
Soportar		
Temer		
Tener miedo		

VOLUNTAD	SUBJUNTIVO	EJEMPLOS
Aceptar		
Aconsejar		
Admitir		
Apetecer		
Causar		¿Te apetece que vayamos esta noche
Comprender		de tapas?
Costar		
Decidir		
Decir		
Dejar		Te he dicho mil veces que no hables
Desear		con la boca llena.
Entender		
Esperar		
Exigir		
Hacer		¿Quieres que te recoja en el coche?
Indicar	que + (subjuntivo)	
Insistir		
Necesitar		
Obligar		Me ha llamado Mario y me ha
Pedir		pedido que vuelva con él.
Permitir		
Preferir		
Prohibir		
Provocar		Te recomiendo que pidas el arroz con
Querer		bogavante, es la especialidad de la
Recomendar		casa.
Rogar		
Soñar		
Sugerir		
Suplicar		
DUDA O INSEGURIDAD	SUBJUNTIVO	EJEMPLOS
Dudar		Dudo que nos paguen más. La
Expresiones impersonales		empresa no tiene dinero.
Ser posible (3.ª persona singular)	que + (subjuntivo)	
Ser probable (3.ª persona singular)		Es probable que nos devuelvan el dinero en junio. Nos dijeron que cobraban este mes.

VALORACIÓN		SUBJUNTIVO	EJEMPLOS
Expresiones impersonales			
Ser (3.ª persona singular)	bueno estupendo extraño importante increíble lógico malo mejor necesario normal peor …	que + (subjuntivo)	*Es importante que penséis bien las respuestas antes de responder.* *Es lógico que tengáis dudas con el subjuntivo.*
Estar (3.ª persona singular)	bien mal		*Está bien que la gente joven recicle cada vez más.*
Parecer	bien mal estupendo importante …		*Le parece estupendo que mañana no haya clase.*

Algunas aclaraciones

La mayoría de estos verbos y expresiones suelen introducir una oración con subjuntivo cuando el sujeto de la oración principal y el de la subordinada son distintos. Cuando el sujeto de ambos verbos es el mismo, el verbo que acompaña va en infinitivo y sin la conjunción *que*.

> *Quiero aprender a bailar salsa.* (El mismo sujeto)
> *Quiero que aprendas a bailar salsa.* (Distintos sujetos)

Sin embargo, con algunos verbos, como: *aconsejar, dejar, hacer, exigir, obligar, pedir, permitir, prohibir* y *recomendar*; los sujetos siempre son distintos y es posible el uso del infinitivo o del subjuntivo sin que haya diferencia de significado.

> *Te prohíbo hablarme así.* (Distintos sujetos)
> *Te prohíbo que me hables así.* (Distintos sujetos)

8.1.3 Indicativo y subjuntivo

En algunos casos de las tablas anteriores, el mismo verbo puede ser introductor del modo indicativo o del subjuntivo. Esto se debe a que dependiendo del significado que tenga el verbo se usa un modo u otro.

Se usa el modo indicativo cuando el verbo expresa la idea de informar, opinar, creer o percibir. Sin embargo, cuando el verbo expresa la idea de influir en otra persona o la idea de hacer una determinada valoración se usa el subjuntivo. Aquí se muestra un resumen de los verbos que pueden introducir indicativo y subjuntivo.

	INDICATIVO	SUBJUNTIVO
Aceptar	'Admitir algo sin poner oposición' *Vale, acepto que eres la mejor, siempre me ganas.*	'Permitir o acceder a algo' *El director ha aceptado que tengamos las clases por la tarde gracias a tu propuesta.*
Admitir	'Reconocer como cierta una cosa' *El presidente del Real Madrid admite que se ha equivocado.*	'Permitir o tolerar algo' *No admito que me hables así.*
Comprender / Entender	'Tener una idea clara de las cosas' *Cuando la oí hablar de él, comprendí / entendí que estaba enamorada.*	'Encontrar justificados o razonables los actos o sentimientos de otro' *Siento llegar tan tarde. Comprendo / entiendo que estés enfadado conmigo.*
Decidir	'Tomar una determinación sobre algo' *Aunque me ha costado, he decidido que voy a dejar mi actual trabajo.*	'Tomar una determinación sobre alguien' *Decidimos que Luisa no viniera al viaje con nosotros.*
Decir	'Expresar verbalmente una información' *Me han dicho que van a poner rebajas en la tienda que tanto te gusta.*	'Ordenar o mandar' *Te he dicho mil veces que no hables con la boca llena.*
Insistir	'Decir algo repetidamente' *Insiste en que va a venir aunque no se encuentre bien.*	'Solicitar o pedir algo repetidamente' *Insistió en que nos quedáramos a comer en su casa.*
Parecer	'Opinar o creer' *Me parece que mañana no hay clases.*	'Valorar una información' *Me parece estupendo que mañana no haya clase.*

Sentir	'Experimentar una sensación física' *Sentí que alguien me acariciaba la cara.*	'Lamentar' *Siento mucho que hayas suspendido el examen.*
Soñar	'Representarse una fantasía mientras se duerme' *He soñado que estaba en París de vacaciones.*	'Desear insistentemente algo' *Sueño con que te cases algún día.*

8.2 Conectores

Los conectores pueden indicar una causa, una finalidad, una condición, etc. A veces el mismo conector puede indicar distintos valores (*como* puede tener un valor causal, condicional o modal, por ejemplo). Dependiendo del valor que tengan los conectores y de otra serie de factores pueden introducir el modo indicativo exclusivamente, el modo subjuntivo exclusivamente o ambos.

8.2.1 Indicativo

VALORES	CONECTORES CON INDICATIVO	EJEMPLOS
Causal	Como Dado que Es que Porque Puesto que Que Ya que	*Como no me llamaste, creí que no ibas a venir.* *No voy a poder ir. Es que no me encuentro muy bien.* *Tuvimos que alquilar varios coches, ya que éramos muchas personas.*
Consecutivo	Así (es) que Conque Entonces Por eso Por (lo) tanto Tan… que Tanto, -a, -os, -as… que	*Si tú lo dices, entonces será verdad.* *He empezado a hacer régimen, por eso tomo cerveza sin alcohol.*
Posibilidad	A lo mejor Igual Lo mismo	*Han dicho que a lo mejor llueve mañana.*
Temporal	Al mismo tiempo que	*Puedes aprender al mismo tiempo que juegas.*

VALORES	CONECTORES CON INDICATIVO	EJEMPLOS
Concesivo	Y eso que	*Habla muy bien italiano, y eso que nunca ha estado en Italia.*
Comparativo	Como	*No es tan alto como parece en la foto.*
Condicional	Cuando	*Cuando no se puede solucionar un problema, ¿de qué sirve que uno se preocupe?*

8.2.2 Subjuntivo

Algunos de los conectores que presentamos introducen una oración con subjuntivo únicamente cuando el sujeto de la oración principal y el sujeto de la subordinada son distintos. Hemos marcado en el cuadro los conectores con este símbolo: *. Sin embargo, cuando el sujeto de ambos verbos (el de la oración principal y el de la subordinada) es el mismo, el verbo que acompaña es un infinitivo y no se usa la conjunción *que*.

VALORES	CONECTORES CON SUBJUNTIVO *(Únicamente cuando los verbos tienen distintos sujetos)	EJEMPLOS
Causal	No es que No porque	*Suspendí el examen no porque no estudiara, sino porque era muy difícil.*
Final	*A (que) *Con el fin de (que) *Con el objetivo de (que) *Con el objeto de (que) *Con la intención de (que) *Para (que) Que	*Esta tarde viene la hija de Pablo a que le explique matemáticas.* *Hemos bajado los precios con el objetivo de que nuestros clientes estén más satisfechos.* *Llamaré a mi madre para que no se preocupe.*
Temporal	*Antes de (que)	*No te preocupes, que yo limpio todo antes de que lleguen tus amigos.*
Consecutivo	De ahí que	*La imagen de un producto es lo primero que vemos, de ahí que el diseño gráfico esté tan de moda.*
Concesivo	Por mucho, -a… que Por muy… que	*Ha declarado que por mucho dinero que le ofrezca el otro club, nunca dejará a su equipo.*

VALORES	CONECTORES CON SUBJUNTIVO *(Únicamente cuando los verbos tienen distintos sujetos)	EJEMPLOS
Deseo	Ojalá (que) Que Quién	Ojalá tuviera diez años menos. Que te lo pases bien. ¡Quién pudiera tomarse unas vacaciones ahora!
Comparación hipotética	Como si Ni que	¡Qué sueño tengo! Estoy como si no hubiera dormido en toda la noche.
Condicional	A condición de que A menos que A no ser que *Con tal de (que) En caso de que Como	La información puede ser copiada para su uso personal a condición de que se respeten los derechos de autor. Llámame en caso de que tengas algún problema. Como no termines, no sales esta tarde.
Posibilidad	Puede (ser) que	Si todo va bien, puede que me quede un mes más en España.

8.2.3 Indicativo y subjuntivo

Algunos conectores permiten el uso de infinitivo en lugar de indicativo y subjuntivo y el significado no cambia. Hemos marcado en el cuadro los conectores con este símbolo:*.

VALORES	CONECTORES	INDICATIVO	SUBJUNTIVO	EJEMPLOS
Temporal	A medida que Cada vez que Cuando Desde que *Después de (que)[4]	Sentido habitual o Acción pasada		Cuando llego a casa, me ducho y me pongo cómodo.
	En cuanto Hasta que Mientras (que) *Nada más (que) Siempre que Tan pronto (como) Una vez que		Sentido futuro	Te escribiré un mensaje cuando lleguemos.

---

4 *Después de (que)* puede introducir un verbo en subjuntivo cuando el verbo de la oración principal es un pasado.

VALORES	CONECTORES	INDICATIVO	SUBJUNTIVO	EJEMPLOS
Comparativo	Cuanto Cuanto, -a, -os, -as	Sentido habitual o Acción pasada		*Dicen que cuantas más proteínas tomas, más adelgazas.*
			Sentido futuro	*Cuantas más horas duermas, más descansado estarás.*
Concesivo	*A pesar de (que) Aun cuando Aunque Por mucho que Por más que Por poco que	Informa de una objeción o dificultad Acepta una objeción		*Tiene una forma de trabajar muy organizada, aunque es un poco serio.* *Sí, es cierto, pero aunque es un poco serio, se puede trabajar con él.*
			La objeción se presenta como un hecho que no se acepta, se cuestiona, no se le da importancia o se desconoce	*Todavía no he mirado los precios, pero, aunque cueste muy caro, me lo pienso comprar.* *Por mucho que trabaje ahora, no conseguiré tener una buena jubilación.*
Posibilidad	Posiblemente Probablemente Quizá(s) Seguramente Tal vez	Expresa mayor seguridad		*Probablemente tiene el mejor servicio de toda la zona porque es el hotel que más estrellas tiene.*
			Expresa menor seguridad	*Probablemente tenga el mejor servicio de toda la zona, pero no lo sé, hay otros hoteles cerca que son muy buenos también.*

VALORES	CONECTORES	INDICATIVO	SUBJUNTIVO	EJEMPLOS
Modal	Como Según	Indica que se conoce la manera en que se hace algo		*Yo hago las lentejas como mi madre me enseñó.* *Lo haré según me dices.*
			Indica que se desconoce la manera en que se hace algo	*Haz la paella como tú veas.* *Lo haré según me diga el jefe.*
Condicional	Si	Acción posible referida al presente		*Si me queda bien, me lo compro.*
		Acción posible referida al futuro		*Si tenemos vacaciones en agosto, nos iremos de viaje.*
			Acción poco posible o imposible referida al presente o futuro	*Si aprobara el examen, no tendría que estudiar en verano.*
			Acción poco posible o imposible referida al pasado	*Si me hubiera avisado antes, habría ido.*

RELATIVOS	CONECTORES	INDICATIVO	SUBJUNTIVO	EJEMPLOS
De persona, cosa o lugar	Que	Señala a una persona, cosa o lugar conocido o identificado.		*Hemos elegido a la persona que mejor ha cantado y ha bailado.* *He visto una casa que tiene un jardín enorme.*
			Señala a una persona, cosa o lugar desconocido o no identificado	*La persona que mejor cante y baile, será elegida para el musical.* *Busco una casa que tenga un jardín grande.*
De persona	Quien Quienes	Señala a una persona conocida o identificada Señala a una persona desconocida o no identificada, en una oración con sentido habitual		*Este es el chico de quien te hablé.* *A quien madruga, Dios le ayuda.*
			Señala a una persona desconocida o no identificada, en una oración con sentido futuro	*Quien quiera un poco más que repita.*

9 Verbos de cambio

Existen unos verbos en español que expresan un cambio o transformación cuando van seguidos de ciertos adjetivos, participios, sustantivos, adverbios, complementos preposicionales o expresiones. Estos verbos hacen referencia a cambios de muy diversa naturaleza: físico, profesional, anímico, de posición, etc.

Los verbos de cambio son: *ponerse, hacerse, volverse, quedarse, convertirse* y *llegar a ser.*
En muchas ocasiones, cuando el cambio es consecuencia de un logro profesional o social, es posible el uso de más de un verbo de cambio con un significado muy parecido.

Llegó a ser un gran empresario.
Se convirtió en un gran empresario.

PONERSE		
Tipo de cambio		
Aspecto físico	Ponerse	*fuerte* *guapo,- a* *gordo, -a* *rubio, -a* *sexy* *amarillo, -a* *blanco, -a / pálido, -a* *colorado, -a / rojo, -a* *como un tomate* *moreno, -a* *negro, -a*
Estado de ánimo	Ponerse	*como un loco, -a* *contento, -a* *de mal humor* *histérico, -a* *nervioso, -a* *serio, -a* *triste*
Salud	Ponerse	*bien / mal* *bueno, -a / malo, -a* *enfermo, -a* *mejor / peor*

PONERSE		
Posición	Ponerse	boca abajo / boca arriba de espaldas de frente de lado de pie de rodillas
Efecto de la comida y la bebida	Ponerse	ciego, -a morado, -a

HACERSE		
Tipo de cambio		
Causado por el paso de los años	Hacerse	grande un hombre maduro, -a mayor una mujer responsable viejo, -a
Religión	Hacerse	budista católico, -a cristiano, -a musulmán, -a
Intereses personales y hábitos	Hacerse	donante fan seguidor, -a socio, -a vegetariano, -a voluntario, -a
Situación legal	Hacerse	español, -a
Profesión	Hacerse	autónomo, -a empresario, -a modelo
Estatus social	Hacerse	(muy) conocido, -a (muy) famoso, -a millonario, -a rico, -a

VOLVERSE		
Tipo de cambio		
A peor	Volverse	*(muy) antipático, -a* *egoísta* *insoportable* *introvertido, -a* *loco, -a* *raro, -a* *tacaño, -a* *un, -a aburrido, -a*
A mejor	Volverse	*(más) amable* *(más) cariñoso, -a* *(muy) estudioso, -a* *(más) sensato, -a* *(más) sociable* *(más) responsable* *(muy) tranquilo, -a*

QUEDARSE		
Tipo de cambio		
Efecto de una sorpresa	Quedarse	*asombrado, -a* *boquiabierto, -a* *de piedra* *helado, -a* *impresionado, -a* *sorprendido, -a*
Consecuencia de otra acción	Quedarse	*callado, -a* *con hambre* *dormido, -a* *embarazada* *en la ruina* *hecho, -a polvo* *muy delgado, -a* *parado, -a* *preocupado, -a* *quieto, -a* *sin amigos / dinero / nada / trabajo / gas* *solo, -a* *tranquilo, -a* *vacío, -a*

QUEDARSE		
Resultado de un accidente o enfermedad	Quedarse	*ciego, -a* *cojo, -a* *mudo, -a* *sordo, -a*

CONVERTIRSE		
Tipo de cambio		
Resultado de la magia o la ficción	Convertirse en	*brujo, -a* *hombre lobo* *princesa* *príncipe* *rana* *vampiro, -a*
Resultado de un esfuerzo o logro profesional o social	Convertirse en	*alguien imprescindible* *alguien muy importante* *campeón, -a (de)* *el/la primero, -a de…* *un genio* *un mito* *un, -a profesional*

LLEGAR A SER		
Tipo de cambio		
Profesión	Llegar a ser	*jefe, -a* *actor / actriz* *cantante* *modelo* *profesor, -a de universidad* *empresario, -a*
Resultado de un esfuerzo o logro profesional o social	Llegar a ser	*alguien imprescindible* *alguien muy importante* *campeón, -a (de)* *el/la primero, -a de…* *un genio* *un mito* *un, -a profesional* *una buena persona* *famoso, -a*

10 Perífrasis

En los siguientes cuadros recogemos las perífrasis de infinitivo, gerundio y participio incluidas en el diccionario. Estas perífrasis están ordenadas por sus distintos valores.

VALORES			
	PERÍFRASIS DE INFINITIVO		
Inicio	Comenzar a	+ infinitivo	*Ha comenzado a llover.*
	Empezar a		*He empezado a ir al gimnasio.*
	Estar a punto de		*Alfonso está a punto de llegar, apagad las luces.*
	Ir a		*Voy a acostarme. Estoy muy cansado.*
	Ponerse a		*Se ha puesto a llorar de repente. No sé qué le pasa.*
	PERÍFRASIS DE INFINITIVO		
Finalización	Acabar de	+ infinitivo	*Acabo de llegar a casa, luego te llamo.*
			Por fin acabé de estudiar. ¿Te apetece que vayamos a tomar algo?
	Acabar por		*Se presentó al examen en varias ocasiones, pero como no aprobaba, acabó por dejar la carrera.*
	Dejar de		*Ha dejado de venir a nuestra casa desde que discutimos.*
	Terminar de		*Ya he terminado de estudiar. ¿Salimos?*
	PERÍFRASIS DE GERUNDIO		
	Acabar	+ gerundio	*Íbamos ganando, pero acabamos perdiendo.*

Continuación	**PERÍFRASIS DE INFINITIVO**		
	Continuar sin	+ infinitivo	Mi hermano continúa sin encontrar trabajo. = Antes no trabajaba, ahora tampoco.
	Llevar sin		Lleva sin venir a clase tres días.
	Seguir sin		Sigue sin venir a clase.
	PERÍFRASIS DE GERUNDIO		
	Continuar	+ gerundio	Mi hermano no continúa trabajando. = Antes trabajaba, ahora no.
	Llevar		Llevo trabajando en esta empresa dos años.
	Seguir		Jorge sigue llegando tarde a clase.
	PERÍFRASIS DE PARTICIPIO		
	Continuar	+ participio	Creo que Carla continúa dormida, así que es mejor que la dejemos tranquila.
	Seguir		¿Sigue roto el ascensor?
Obligación o necesidad	**PERÍFRASIS DE INFINITIVO**		
	Deber	+ infinitivo	Debes ayudar a tu madre con las tareas del hogar. Debes portarte bien en clase.
	Haber de		He de reconocer que tienes razón.
	Haber que		Hay que poner la mesa.
	Tener que		Tienes que estudiar más si quieres aprobar. Tengo que hacer una copia de la llave, no sé dónde está la mía.

			PERÍFRASIS DE GERUNDIO
Realización	Estar	+ gerundio	Ahora estoy trabajando, pero te llamo en una hora. He estado trabajando dos años en Barcelona.
	Ir		Mientras el pollo se va cocinando, vamos a poner la mesa. Yo voy saliendo. Te espero en el coche.
	Quedarse		Me he quedado estudiando toda la noche.
			PERÍFRASIS DE PARTICIPIO
Resultado	Dejar	+ participio	¡Qué bien habla este niño! Me ha dejado asombrado.
	Llevar		Llevo estudiados dos temas y me quedan seis más.
	Quedar		Finalmente todo quedó aclarado con una llamada.
	Quedarse		Se quedaron muy sorprendidos cuando les dijimos que nos íbamos a casar.
			PERÍFRASIS DE INFINITIVO
Probabilidad	Deber de	+ infinitivo	Deben de llegar sobre las 18:00.
	Tener que		Ya tienen que estar en casa. ¿Los llamamos?
Futuro	Ir a	+ infinitivo	Mañana voy a comprar lo que nos falta para la fiesta.
Logro	Llegar a	+ infinitivo	Mi abuelo llegó a tener una importante colección de arte.
Costumbre o frecuencia	Soler	+ infinitivo	Los españoles solemos acostarnos tarde. Cuando llueve y hace sol suele verse el arcoíris.
Repetición	Volver a	+ infinitivo	He vuelto a leerme El Quijote. Lo leí por primera vez hace veinte años.
Capacidad o posibilidad	Poder	+ infinitivo	Yo solo no puedo hacerlo. Yo no puedo ir mañana. Ya he quedado.

11 Palabras con tilde y sin tilde

Existen parejas de palabras en español cuya única diferencia gráfica es la presencia o ausencia de una tilde. Es importante conocer el significado de estas palabras con el objetivo de evitar su confusión y usarlas correctamente.

CON TILDE		SIN TILDE	
Aún	'Todavía'. *¿Aún no sabes cuándo empieza el torneo de pádel?*	**Aun + gerundio**	'Aunque'. *Aun sabiendo que no aprobaría, se presentó al examen.*
		Aun + cuando	'Aunque'. *El agente inmobiliario tiene derecho a sus honorarios, aun cuando la venta no se formalice.*
Cómo	*Pronombre interrogativo.* *¿Cómo se llama tu profesora?*	**Como**	*Conjunción causal.* *Como no me llamaste, creí que no ibas a venir.*
	Pronombre exclamativo. *¡Cómo puedes llevar esos tacones tan altos!*		*Conjunción modal.* *Yo hago las lentejas como mi madre me enseñó.*
	En interrogativas indirectas. *No sé cómo decírselo.*		*Conjunción condicional.* *Como no termines, no sales esta tarde.*
			Con valor comparativo. *No es tan alto como parece en la foto.*
Cuál	*Pronombre interrogativo.* *¿Cuál es tu correo electrónico?*	**Cual**	*Pronombre relativo.* *La terraza del hotel, desde la cual se puede contemplar el mar, está abierta solo durante los meses de julio y agosto.*
	En interrogativas indirectas. *No sé cuál ponerme. Los dos vestidos son preciosos.*		

CON TILDE		SIN TILDE	
Cuándo	*Adverbio interrogativo.* ¿Cuándo vais a venir a visitarnos? En interrogativas indirectas. Hay tanta gente que no me he dado cuenta de cuándo se ha ido. *Adverbio exclamativo.* ¡Cuándo aprenderás a ser responsable!	**Cuando**	*Conjunción temporal.* Te escribiré un mensaje cuando lleguemos. *Conjunción condicional.* Cuando no se puede solucionar un problema, ¿de qué sirve que uno se preocupe?
Cuánto	*Pronombre interrogativo.* Al final, ¿cuántos somos para la comida? En interrogativas indirectas. No sabes cuánto me ha costado decidirme. *Pronombre de tiempo exclamativo.* ¡Hombre, cuánto tiempo sin verte!	**Cuanto**	*Adverbio relativo.* Cuanto más duermo, más sueño tengo. *Pronombre relativo.* 'Todas las personas que'. La exposición se inaugura hoy. Un espacio abierto que acogerá a cuantos deseen acercarse a ella. *Adjetivo.* 'Algunos'. He invitado a unos cuantos compañeros de trabajo.
Dé	**Del verbo *dar*.** Primera persona y tercera persona del presente de subjuntivo. *Preferimos una habitación que no dé a la piscina.*	**De**	*Preposición.* ¿De dónde eres?
Dónde	*Adverbio interrogativo.* ¿Dónde has estado este fin de semana? En interrogativas indirectas. No sé dónde he puesto las llaves del coche.	**Donde**	*Adverbio relativo.* Este es el colegio donde yo estudié.

CON TILDE		SIN TILDE	
Él	*Pronombre personal* con función de sujeto. *A mí me parece que él vale más que ella.* *Pronombre personal* acompañado de preposición. *¿Otra vez estás saliendo con él?*	**El**	*Artículo definido.* *El vino de esta región es muy bueno.*
Mí	*Pronombre personal.* Siempre va precedido de preposición. *Para mí, el mejor café es el italiano.*	**Mi**	*Adjetivo posesivo.* Va siempre delante de un sustantivo. *El domingo como con mi familia.*
Porqué	*Sustantivo.* 'Causa o motivo'. *Alejandro dice que está enfadado conmigo, pero no entiendo el porqué.*	**Porque**	*Conjunción causal.* 'Por causa de que'. *Julia no ha venido porque tenía trabajo.*
Por qué	*Locución adverbial.* 'Por qué razón, causa o motivo'. *¿Por qué no ha venido Martin a clase?* En interrogativas indirectas. *No sé por qué no vienen. No me lo han dicho.*		

	CON TILDE		SIN TILDE
Qué	*Pronombre interrogativo.* ¿Qué quieres hacer esta tarde? En interrogativas indirectas. *Todavía no he pensado qué voy a comprarle a mi padre para Reyes.* *Pronombre exclamativo.* ¡Qué va! Yo no he dicho eso. *Adverbio exclamativo.* ¡Qué bonitos son estos zapatos!	**Que**	*Pronombre relativo.* Estos son los pantalones que quiero comprarme. *Conjunción con valor causal.* Miguel, no hables tan rápido, que no te entiendo. *Conjunción con valor comparativo.* Me gusta más la carne que el pescado. *Conjunción con valor consecutivo.* Ha llovido tanto que se han inundado algunas calles. Introduce oraciones sustantivas. *Me da pena que no pueda venir al viaje.* Introduce oraciones independientes. *Que te lo pases bien.* *Conjunción con valor final.* Sal del probador que te vea mejor.
Quién	*Pronombre interrogativo.* ¿Quién es ese chico que va con vosotros? En interrogativas indirectas. *No sé quién ha llamado a la puerta.* *Pronombre exclamativo.* ¡Quién pudiera tomarse unas vacaciones ahora!	**Quien**	*Pronombre relativo.* Esta es la chica con quien salí anoche.

CON TILDE		SIN TILDE	
Sé	• **Del verbo** *saber*. Primera persona del singular del presente de indicativo. *Yo no sé nada de ella desde hace meses.* • **Del verbo** *ser*. Segunda persona del singular del imperativo. *¡Sé bueno y hazle caso a tu profesora!*	**Se**	*Pronombre reflexivo.* *Hoy se ha levantado más temprano para ir a clase.* *Pronombre de complemento indirecto.* Variante de *le* o *les* precedido de: *lo, la, los* o *las*. *Ya se lo he comprado.* En oraciones impersonales donde no se especifica el sujeto. *En España se cocina con aceite de oliva.* Marca la carencia de agente en las oraciones pasivas reflejas. *No se admiten devoluciones.* Puede expresar que algo ocurre sin la intervención de una persona. *Hacía tanto viento que las velas se apagaron.*
Sí	*Adverbio de afirmación.* *Sí, con leche, por favor.* *Pronombre reflexivo de tercera persona singular y plural.* *Se ha hecho daño a sí mismo.* *Sustantivo masculino.* 'Consentimiento, permiso'. *Ya tengo el sí de mi padre.* Se usa como intensificador. *David sí que es un buen amigo.*	**Si**	*Conjunción condicional.* *Si vosotros no vais, cancelaremos la excursión.* Introduce una oración interrogativa indirecta. *Me preguntó si pensabas ir a la fiesta.*

CON TILDE		SIN TILDE	
Sólo	Antes esta palabra se escribía con tilde cuando significaba 'únicamente, solamente'. En la actualidad la Real Academia Española recomienda el uso sin tilde.	**Solo**	*Adverbio.* 'Únicamente, solamente'. *¡Qué suerte! Solo trabaja tres días a la semana.* *Adverbio.* 'Expresamente, sin otra intención'. *Te llamo solo para decirte la hora a la que hemos quedado.* *Adjetivo.* 'Sin compañía'. *Si no quieres vivir solo, nosotros tenemos una habitación disponible.* *Adjetivo.* 'Sin otra cosa'. *Yo siempre desayuno café solo.*
Té	*Sustantivo.* 'Infusión'. *Yo quiero un té con un poquito de leche, por favor.*	**Te**	Pronombre en función de complemento directo. *Te llamo más tarde, ¿vale?* Pronombre en función de complemento indirecto. *¿Qué te apetece tomar?* Pronombre reflexivo. *¿A qué hora te acostaste al final?*
Tú	*Pronombre personal* con función de sujeto. *A mí me gustaría que vinieras, pero ¿tú quieres venir?*	**Tu**	*Adjetivo posesivo.* Cuando acompaña a un sustantivo. *¿Te gusta tu profesor? ¿Y tus compañeros, cómo son?*

12 Uso incorrecto de una palabra

1. Es incorrecto el uso de palabras que son calcos por influencia del inglés.

👍 CORRECTO *QUIEREN DECIR ...*	👎 INCORRECTO (calco del inglés) *PERO DICEN...*
Actuar	Jugar
Apoyar	Soportar
Asistir	Visitar
Barrio	Suburbio
Biblioteca	Librería
Calidad	Cualidad
Carta	Letra
Composición / redacción	Ensayo
Cometer errores	Hacer errores
Contaminación	Polución
Darse cuenta	Realizar
De hecho	Actualmente
Destino	Destinación
Devolver	Volver
Hablar	Comunicar, discutir
Lujoso	Lujurioso
Manifestación	Demostración
Más	Plus
Pedir	Preguntar / preguntar por
Practicar	Ensayar
Presentar	Introducir
Probar	Intentar
Reserva	Reservación
Respeto	Respecto
Tema	Tópico
Temporada	Estación
Tocar	Jugar
Vez	Tiempo

2. Deben evitarse las estructuras incorrectas debido a diversos factores como son: la influencia de otras lenguas, el mal uso y el desconocimiento de la gramática española.

👍 CORRECTO	👎 INCORRECTO
Antes de clase.	⊗ Antes clase.
Antes de entrar.	⊗ Antes entrar.
Después de comer.	⊗ Después comer.
Después de las clases.	⊗ Después las clases.
Es el único que ha hecho los deberes.	⊗ Es el solo que ha hecho los deberes.
Conmigo.	⊗ Con mí.
Es un amigo mío.	⊗ Es un amigo de mío.
Es mío.	⊗ Es mí.

👍 CORRECTO	👎 INCORRECTO
Mucho mejor.	☹ Más mejor.
Hace mucho frío.	☹ Hace tan mucho frío.
Hace calor.	☹ Es caliente.
La gente es…	☹ La gente son…
La mayoría votó.	☹ La mayoría votaron.
Todo el mundo va…	☹ Todo el mundo van…
Hace más de tres años.	☹ Hace más que tres años.
Estudia español desde el verano.	☹ Estudia español desde hace el verano.
Estudio español desde hace un año.	☹ Estudio español desde un año.
Estuvo en … hace dos años.	☹ Desde hace dos años estuvo en… ☹ Dos años pasados estuvo en...
Desde las 8:30 hasta las 14:30.	☹ Desde 8:30 hasta 14:30.
Lo mismo que…	☹ Lo mismo como…
Yo quiero lo mismo.	☹ Yo quiero el mismo.
Algún libro.	☹ Alguno libro.
¿Alguno de vosotros?	☹ ¿Alguien de vosotros…?
Ninguno de nosotros…	☹ Nadie de nosotros…
No hay ningún libro.	☹ No hay algún libro.
¿Conoces Granada?	☹ ¿Sabes Granada?
¿Conoces a Juan?	☹ ¿Conoces Juan?
No he visto a nadie.	☹ No he visto nadie.
Cualquier farmacia.	☹ Cualquiera farmacia.
Una gran persona.	☹ Una grande persona.
El primer piso.	☹ El primero piso.
Tercer lugar.	☹ Tercero lugar.
Dinero.	☹ Dineros.
Ropa.	☹ Ropas.
Vacaciones.	☹ Vacación.
Un amigo del colegio.	☹ Un amigo de el colegio.
¿Vamos al cine?	☹ ¿Vamos a el cine?
Me duele la cabeza.	☹ Me duele mi cabeza.
Me gusta mucho el mar.	☹ Quiero el mar.
Le gusta mucho el chocolate.	☹ Le encanta mucho el chocolate.
Le gusta la playa.	☹ Se gusta la playa.
¿Qué le has regalado a Carmen?	☹ ¿Qué has regalado a Carmen?
La casa la compramos hace seis años.	☹ La casa compramos hace seis años.
Lo bueno es que…	☹ El bueno es que…
Me gusta ir a pueblos que tengan ríos.	☹ Me gusta ir a pueblos los cuales tengan ríos.
Me gusta Málaga por el clima.	☹ Me gusta Málaga porque el clima.
A mí tampoco me gusta.	☹ A mí tampoco no me gusta.

👍 CORRECTO	👎 INCORRECTO
Nunca he ido a Roma.	☹ He ido nunca a Roma.
No hay nada.	☹ Hay nada.
No hay tiza.	☹ Hay no tiza.
No hay ninguna manzana.	☹ No hay ningunas manzanas.
Hay un / una…	☹ Hay el / la…
Está el / la	☹ Está un / una…
Está bien.	☹ Es bien.
Está mal.	☹ Es mal.
Estoy en mi casa.	☹ Soy en mi casa.
Mi ciudad está cerca.	☹ Mi ciudad es cerca.
La ropa está lavada.	☹ La ropa es lavada.
Está prohibido.	☹ Es prohibido.
Está prohibido hacer fotos.	☹ Está prohibido de hacer fotos.
Intenta abrir la puerta.	☹ Intenta de abrir la puerta.
Al día siguiente…	☹ El próximo día.
Siento que…	☹ Lo siento que…
Te escribiré cuando lleguemos.	☹ Te escribiré cuando llegaremos.
Tengo que estudiar.	☹ Debo que estudiar.
Es lo contrario.	☹ Es el contrario.
Así era antes la moda.	☹ Como así era antes la moda.
Me da vergüenza.	☹ Estoy embarazada, -o.
No es asunto tuyo.	☹ No es tu negocio.
Otro café.	☹ Un otro café.
Perdona, ¿puedo coger la silla?	☹ Lo siento, ¿puedo coger la silla?
Por primera vez…	☹ Por la primera vez…
¡Qué alto es!	☹ ¡Cómo alto es!
Sé tocar la guitarra.	☹ Puedo tocar la guitarra.
Se parecen.	☹ Son similares.
¿Cuál es la diferencia?	☹ ¿Qué es la diferencia?
Tengo treinta años.	☹ Soy treinta años.
Yo también.	☹ Mi también.
Es una ciudad muy agradable.	☹ Es una ciudad muy amable.
Este libro / Ese libro	☹ Esto libro / Eso libro
Ya se ha lavado las manos.	☹ Ya se ha lavado sus manos.
El alemán es muy difícil.	☹ Alemán es muy difícil.
Los ordenadores de *Apple* me parecen caros.	☹ Ordenadores de *Apple* me parecen caros.
Tiene los ojos marrones.	☹ Tiene ojos marrones.
Soy informático.	☹ Soy un informático.

3. Debe evitarse la confusión entre palabras o locuciones del español debido a su parecido en el significado o en la forma.

PARECIDO EN EL SIGNIFICADO	PARECIDO EN LA FORMA
Acordarse / recordar	A cambio / en cambio
Anciano / antiguo / mayor / viejo	Adentro / dentro
Andar / caminar	A pie / de pie
Atrás / detrás	A cerca de / cerca de
Bastante / suficiente	Al fin / al final
Billete / entrada / tique	Al final / por fin
Bonito / bueno / guapo	Atrás / detrás
Caramelo / dulce	Atraso / retraso
Completo / lleno	Bolso / bolsa
Conocer / saber	Deber / deber de
¿Cuál es? / ¿Qué es?	Dejar / dejar de
Durante / mientras	En cambio / a cambio
Durar / tardar	Gorra / gorro
Empezar a / ponerse a	Hacer la compra / ir de compras
Finalmente / al final	Macho / machista
Ir / venir	Pimienta / pimiento
Llevar / traer	Prestar / pedir prestado
Medio / mitad	Seguramente / es seguro
Normal / regular	Sentarse / sentirse
Para / por	Sino / si no
Pero / sino	Tratarse / tratar
Rato / Tiempo	
Sin embargo / pero	
Terminar de / dejar de	
Ya / todavía	

13 Verbos irregulares[5]

1. Irregularidades vocálicas
Los verbos sufren una modificación en una vocal de su raíz.

O → UE			
INFINITIVO	**PRESENTE DE INDICATIVO**	**PRESENTE DE SUBJUNTIVO**	**IMPERATIVO**
ACORDAR(SE)	(me) acuerdo (te) acuerdas (se) acuerda (nos) acordamos (os) acordáis (se) acuerdan	(me) acuerde (te) acuerdes (se) acuerde (nos) acordemos (os) acordéis (se) acuerden	acuerda (acuérdate) acordad (acordaos)
CONTAR	cuento cuentas cuenta contamos contáis cuentan	cuente cuentes cuente contemos contéis cuenten	cuenta contad
COSTAR[6]•	cuesta cuestan	cueste cuesten	
DEVOLVER	devuelvo devuelves devuelve devolvemos devolvéis devuelven	devuelva devuelvas devuelva devolvamos devolváis devuelvan	devuelve devolved
DOLER•	me duele me duelen	me duela me duelan	
PROBAR(SE)	(me) pruebo (te) pruebas (se) prueba (nos) probamos (os) probáis (se) prueban	(me) pruebe (te) pruebes (se) pruebe (nos) probemos (os) probéis (se) prueben	prueba (pruébate) probad (probaos)

5 Se han incluido únicamente los verbos que están en el diccionario.
6 En los verbos marcados con el signo • solo se incluyen las formas de uso frecuente (3.ª persona).

O → UE

INFINITIVO	PRESENTE DE INDICATIVO	PRESENTE DE SUBJUNTIVO	IMPERATIVO
RECORDAR	recuerdo recuerdas recuerda recordamos recordáis recuerdan	recuerde recuerdes recuerde recordemos recordéis recuerden	recuerda recordad
ROGAR[7]*	ruego ruegas ruega rogamos rogáis ruegan	ruegue ruegues ruegue roguemos roguéis rueguen	ruega rogad
SOLER	suelo sueles suele solemos soléis suelen	suela suelas suela solamos soláis suelan	
SONAR*	suena suenan	suene suenen	suena sonad
SOÑAR	sueño sueñas sueña soñamos soñáis sueñan	sueñe sueñes sueñe soñemos soñéis sueñen	sueña soñad
VOLVER(SE)	(me) vuelvo (te) vuelves (se) vuelve (nos) volvemos (os) volvéis (se) vuelven	(me) vuelva (te) vuelvas (se) vuelva (nos) volvamos (os) volváis (se) vuelvan	vuelve (vuélvete) volved (volveos)

7 Los verbos marcados con este signo * tienen también una irregularidad ortográfica.

O → UE **O → U**

INFINITIVO	PRESENTE DE INDICATIVO	PRESENTE DE SUBJUNTIVO	IMPERATIVO	PRETÉRITO PERFECTO SIMPLE	IMPERFECTO DE SUBJUNTIVO	GERUNDIO
DORMIR(SE)	(me) **duermo** (te) **duermes** (se) **duerme** (nos) dormimos (os) dormís (se) **duermen**	(me) **duerma** (te) **duermas** (se) **duerma** (nos) durmamos (os) durmáis (se) **duerman**	**duerme** (**duérmete**) dormid (dormíos)	(me) dormí (te) dormiste (se) **durmió** (nos) dormimos (os) dormisteis (se) **durmieron**	(me) durmiera/-iese (te) durmieras/-ieses (se) durmiera/-iese (nos) durmiéramos/-iésemos (os) durmierais/-ieseis	durmiendo (durmiéndose)
MORIR	**muero** **mueres** **muere** morimos morís **mueren**	**muera** **mueras** **muera** muramos muráis **mueran**	**muere** morid	morí moriste murió morimos moristeis murieron	muriera/-iese murieras/-ieses muriera/-iese muriéramos/-iésemos murierais/-ieseis murieran/-iesen	muriendo

E → IE			
INFINITIVO	**PRESENTE DE INDICATIVO**	**PRESENTE DE SUBJUNTIVO**	**IMPERATIVO**
COMENZAR*	comienzo comienzas comienza comenzamos comenzáis comienzan	comience comiences comience comencemos comencéis comiencen	comienza comenzad
EMPEZAR*	empiezo empiezas empieza empezamos empezáis empiezan	empiece empieces empiece empecemos empecéis empiecen	empieza empezad
ENTENDER	entiendo entiendes entiende entendemos entendéis entienden	entienda entiendas entienda entendamos entendáis entiendan	entiende entended
PENSAR	pienso piensas piensa pensamos pensáis piensan	piense pienses piense pensemos penséis piensen	piensa pensad

E → IE			
INFINITIVO	**PRESENTE DE INDICATIVO**	**PRESENTE DE SUBJUNTIVO**	**IMPERATIVO**
RECOMEDAR	recomiendo recomiendas recomienda recomendamos recomendáis recomiendan	recomiende recomiendes recomiende recomendemos recomendéis recomienden	recomienda recomendad
SENTAR'	sienta sientan	siente sienten	
SENTARSE	me siento te sientas se sienta nos sentamos os sentáis se sientan	me siente te sientes se siente nos sentemos os sentéis se sienten	siéntate sentaos

U → UE			
INFINITIVO	**PRESENTE DE INDICATIVO**	**PRESENTE DE SUBJUNTIVO**	**IMPERATIVO**
JUGAR*	juego juegas juega jugamos jugáis juegan	juegue juegues juegue juguemos juguéis jueguen	juega jugad

E → IE **E → I**

INFINITIVO	PRESENTE DE INDICATIVO	PRESENTE DE SUBJUNTIVO	IMPERATIVO	PRETÉRITO PERFECTO SIMPLE	IMPERFECTO DE SUBJUNTIVO	GERUNDIO
CONVERTIRSE	me convierto te conviertes se convierte nos convertimos os convertís se convierten	me convierta te conviertas se convierta nos convirtamos os convirtáis se conviertan	conviértete convertíos	me convertí te convertiste se convirtió nos convertimos os convertisteis se convirtieron	(me) convirtiera/-iese (te) convirtieras/-ieses (se) convirtiera/-iese (nos) convirtiéramos/-iésemos (os) convirtierais/-ieseis (se) convirtieran/-iesen	convirtiéndose
DIVERTIR(SE)	(me) divierto (te) diviertes (se) divierte (nos) divertimos (os) divertís (se) divierten	(me) divierta (te) diviertas (se) divierta (nos) divirtamos (os) divirtáis (se) diviertan	divierte (diviértete) divertid (divertíos)	(me) divertí (te) divertiste (se) divirtió (nos) divertimos (os) divertisteis (se) divirtieron	(me) divirtiera/-iese (te) divirtieras/-ieses (se) divirtiera/-iese (nos) divirtiéramos/-iésemos (os) divirtierais/-ieseis	divirtiendo (divirtiéndose)
PREFERIR	prefiero prefieres prefiere preferimos preferís prefieren	prefiera prefieras prefiera prefiramos prefiráis prefieran	prefiere preferid	preferí preferiste prefirió preferimos preferisteis prefirieron	prefiriera / prefiriese prefirieras / prefirieses prefiriera / prefiriese prefiriéramos / prefiriésemos prefirierais / prefirieseis prefirieran / prefiriesen	prefiriendo

E → IE				E → I		
INFINITIVO	**PRESENTE DE INDICATIVO**	**PRESENTE DE SUBJUNTIVO**	**IMPERATIVO**	**PRETÉRITO PERFECTO SIMPLE**	**IMPERFECTO DE SUBJUNTIVO**	**GERUNDIO**
SENTIR(SE)	(me) **siento** (te) **sientes** (se) **siente** (nos) sentimos (os) sentís (se) **sienten**	(me) **sienta** (te) **sientas** (se) **sienta** (nos) sintamos (os) sintáis (se) **sientan**	**siente** (**siéntete**) sentid (sentíos)	(me) sentí (te) sentiste (se) sintió (nos) sentimos (os) sentisteis (se) sintieron	(me) sintiera/-iese (te) sintieras/-ieses (se) sintiera/-iese (nos) sintiéramos/-iésemos (os) sintierais/-ieseis (se) sintieran/-iesen	sintiendo (sintiéndose)
SUGERIR	sugiero sugieres sugiere sugerimos sugerís sugieren	sugiera sugieras sugiera sugiramos sugiráis sugieran	sugiere sugerid	sugerí sugeriste sugirió sugerimos sugeristeis sugirieron	sugiriera/-iese sugirieras/-ieses sugiriera/-iese sugiriéramos/-iésemos sugirierais/-ieseis	sugiriendo

E → I

INFINITIVO	PRESENTE DE INDICATIVO	PRESENTE DE SUBJUNTIVO	IMPERATIVO	PRETÉRITO PERFECTO SIMPLE	IMPERFECTO DE SUBJUNTIVO	GERUNDIO
PEDIR	pido pides pide pedimos pedís piden	pida pidas pida pidamos pidáis pidan	pide pedid	pedí pediste pidió pedimos pedisteis pidieron	pidiera/-iese pidieras/-ieses pidiera/-iese pidiéramos/-iésemos pidierais/-ieseis pidieran/-iesen	pidiendo
REÍRSE	me río te ríes se ríe nos reímos os reís se ríen	me ría te rías se ría nos riamos os riáis se rían	ríete reíos	me reí te reíste se rió nos reímos os reísteis se rieron	(me) riera/-iese (te) rieras/-ieses (se) riera/-iese (nos) riéramos/-iésemos (os) rierais/-ieseis (se) rieran/-iesen	riéndose
SEGUIR*	sigo sigues sigue seguimos seguís siguen	siga sigas siga sigamos sigáis sigan	sigue seguid	seguí seguiste siguió seguimos seguisteis siguieron	siguiera / siguiese siguieras / siguieses siguiera / siguiese siguiéramos / siguiésemos siguierais / siguieseis siguieran / siguiesen	siguiendo
SERVIR	sirvo sirves sirve servimos servís sirven	sirva sirvas sirva sirvamos sirváis sirvan	sirve servid	serví serviste sirvió servimos servisteis sirvieron	sirviera / sirviese sirvieras / sirvieses sirviera / sirviese sirviéramos / sirviésemos sirvierais / sirvieseis sirvieran / sirviesen	sirviendo

2. Irregularidades consonánticas

Los verbos añaden una o más consonantes o se sustituye una consonante por otra.

+ Z		
INFINITIVO	**PRESENTE DE INDICATIVO**	**PRESENTE DE SUBJUNTIVO**
AGRADECER	agradezco agradeces agradece agradecemos agradecéis agradecen	agradezca agradezcas agradezca agradezcamos agradezcáis agradezcan
APETECER*	apetece apetecen	apetezca apetezcan
CONOCER	conozco conoces conoce conocemos conocéis conocen	conozca conozcas conozca conozcamos conozcáis conozcan
PARECER(SE)	(me) parezco (te) pareces (se) parece (nos) parecemos (os) parecéis (se) parecen	(me) parezca (te) parezcas (se) parezca (nos) parezcamos (os) parezcáis (se) parezcan

3. Irregularidades mixtas

Los verbos presentan tanto una irregularidad consonántica como vocálica.

	PRESENTE DE INDICATIVO	PRESENTE DE SUBJUNTIVO	IMPERATIVO	PRETÉRITO PERFECTO SIMPLE	IMPERFECTO DE SUBJUNTIVO	FUTURO	CONDICIONAL
ANDAR				anduve anduviste anduvo anduvimos anduvisteis anduvieron	anduviera/-iese anduvieras/-ieses anduviera/-iese anduviéramos/-iésemos anduvierais/-ieseis anduvieran/-iesen		
CONDUCIR	conduzco conduces conduce conducimos conducís conducen	conduzca conduzcas conduzca conduzcamos conduzcáis conduzcan		conduje condujiste condujo condujimos condujisteis condujeron	condujera/-ese condujeras/-eses condujera/-ese condujéramos/-ésemos condujerais/-eseis condujeran/-esen		
DAR(SE)	(me) doy (te) das (se) da (nos) damos (os) dais (se) dan	(me) dé (te) des (se) dé (nos) demos (os) deis (se) den		(me) di (te) diste (se) dio (nos) dimos (os) disteis (se) dieron	(me) diera/-iese (te) dieras/-ieses (se) diera/-iese (nos) diéramos/-iésemos (os) dierais/-ieseis (se) dieran/-iesen		

	PRESENTE DE INDICATIVO	PRESENTE DE SUBJUNTIVO	IMPERATIVO	PRETÉRITO PERFECTO SIMPLE	IMPERFECTO DE SUBJUNTIVO	FUTURO	CONDICIONAL
DECIR*	digo / dices / dice / decimos / decís / dicen	diga / digas / diga / digamos / digáis / digan	di / decid	dije / dijiste / dijo / dijimos / dijisteis / dijeron	dijera/-ese / dijeras/-eses / dijera/-ese / dijéramos/-ésemos / dijerais/-eseis / dijeran/-esen	diré / dirás / dirá / diremos / diréis / dirán	diría / dirías / diría / diríamos / diríais / dirían
ESTAR	estoy / estás / está / estamos / estáis / están	esté / estés / esté / estemos / estéis / estén		estuve / estuviste / estuvo / estuvimos / estuvisteis / estuvieron	estuviera/-iese / estuvieras/-ieses / estuviera/-iese / estuviéramos/-iésemos / estuvierais/-ieseis / estuvieran/-iesen		
HACER(SE)	(me) hago / (te) haces / (se) hace / (nos) hacemos / (os) hacéis / (se) hacen	(me) haga / (te) hagas / (se) haga / (nos) hagamos / (os) hagáis / (se) hagan	haz / (hazte) / haced / (haceos)	(me) hice / (te) hiciste / (se) hizo / (nos) hicimos / (os) hicisteis / (se) hicieron	(me) hiciera/-iese / (te) hicieras/-ieses / (se) hiciera/-iese / (nos) hiciéramos/-iésemos / (os) hicierais/-ieseis / (se) hicieran/-iesen	(me) haré / (te) harás / (se) hará / (nos) haremos / (os) haréis / (se) harán	(me) haría / (te) harías / (se) haría / (nos) haríamos / (os) haríais / (se) harían

* **Decir** en gerundio es irregular: diciendo

	PRESENTE DE INDICATIVO	PRESENTE DE SUBJUNTIVO	IMPERATIVO	PRETÉRITO PERFECTO SIMPLE	IMPERFECTO DE SUBJUNTIVO	FUTURO	CONDICIONAL
INTRODUCIR	introduzco introduces introduce introducimos introducís introducen	introduzca introduzcas introduzca introduzcamos introduzcáis introduzcan		introduje introdujiste introdujo introdujimos introdujisteis introdujeron	introdujera / introdujese introdujeras / introdujeses introdujera / introdujese introdujéramos / introdujésemos introdujerais / introdujeseis introdujeran / introdujesen		
IR(SE)*	(me) voy (te) vas (se) va (nos) vamos (os) vais (se) van	(me) vaya (te) vayas (se) vaya (nos) vayamos (os) vayáis (se) vayan	ve (vete) id (idos)	(me) fui (te) fuiste (se) fue (nos) fuimos (os) fuisteis (se) fueron	(me) fuera / (me) fuese (te) fueras / (te) fueses (se) fuera / (se) fuese (nos) fuéramos / (nos) fuésemos (os) fuerais / (os) fueseis (se) fueran / (se) fuesen		
OÍR**	oigo oyes oye oímos oís oyen	oiga oigas oiga oigamos oigáis oigan	oye oíd	oí oíste oyó oímos oísteis oyeron	oyera / oyese oyeras / oyeses oyera / oyese oyéramos / oyésemos oyerais / oyeseis oyeran / oyesen		

* **Ir(se)** es irregular en gerundio: yendo (se) y en imperfecto de indicativo: (me) iba, (te) ibas, (se) iba, (nos) íbamos, (os) ibais, (se) iban

** **Oír** en gerundio es irregular: oyendo

	PRESENTE DE INDICATIVO	PRESENTE DE SUBJUNTIVO	IMPERATIVO	PRETÉRITO PERFECTO SIMPLE	IMPERFECTO DE SUBJUNTIVO	FUTURO	CONDICIONAL
PODER*	puedo	pueda		pude	pudiera/-iese	podré	podría
	puedes	puedas	puede	pudiste	pudieras/-ieses	podrás	podrías
	puede	pueda		pudo	pudiera/-iese	podrá	podría
	podemos	podamos		pudimos	pudiéramos/-iésemos	podremos	podríamos
	podéis	podáis	poded	pudisteis	pudierais/-ieseis	podréis	podríais
	pueden	puedan		pudieron	pudieran/-iesen	podrán	podrían
PONER(SE)	(me) pongo	(me) ponga		(me) puse	(me) pusiera/-iese	(me) pondré	(me) pondría
	(te) pones	(te) pongas	pon	(te) pusiste	(te) pusieras/-ieses	(te) pondrás	(te) pondrías
			(ponte)				
	(se) pone	(se) ponga		(se) puso	(se) pusiera/-iese	(se) pondrá	(se) pondría
	(nos) ponemos	(nos) pongamos		(nos) pusimos	(nos) pusiéramos/-iésemos	(nos)	(nos)
	(os) ponéis	(os) pongáis	poned	(os) pusisteis	(os) pusierais/-ieseis	pondremos	pondríamos
	(se) ponen	(se) pongan	(poneos)	(se) pusieron	(se) pusieran/-iesen	(os) pondréis	(os) pondríais
						(se) pondrán	(se) pondrían
QUERER	quiero	quiera		quise	quisiera/-iese	querré	querría
	quieres	quieras	quiere	quisiste	quisieras/-ieses	querrás	querrías
	quiere	quiera		quiso	quisiera/-iese	querrá	querría
	queremos	queramos		quisimos	quisiéramos/-iésemos	querremos	querríamos
	queréis	queráis	quered	quisisteis	quisierais/-ieseis	querréis	querríais
	quieren	quieran		quisieron	quisieran/-iesen	querrán	querrían

* **Poder** en gerundio es irregular: pudiendo

	PRESENTE DE INDICATIVO	PRESENTE DE SUBJUNTIVO	IMPERATIVO	PRETÉRITO PERFECTO SIMPLE	IMPERFECTO DE SUBJUNTIVO	FUTURO	CONDICIONAL
SABER	sé	sepa		supe	supiera/-iese	sabré	sabría
	sabes	sepas		supiste	supieras/-ieses	sabrás	sabrías
	sabe	sepa		supo	supiera/-iese	sabrá	sabría
	sabemos	sepamos		supimos	supiéramos/-iésemos	sabremos	sabríamos
	sabéis	sepáis		supisteis	supierais/-ieseis	sabréis	sabríais
	saben	sepan		supieron	supieran/-iesen	sabrán	sabrían
SALIR	salgo	salga				saldré	saldría
	sales	salgas	sal			saldrás	saldrías
	sale	salga				saldrá	saldría
	salimos	salgamos				saldremos	saldríamos
	salís	salgáis	salid			saldréis	saldríais
	salen	salgan				saldrán	saldrían
SER*	soy	sea		fui	fuera/-ese		
	eres	seas	sé	fuiste	fueras/-eses		
	es	sea		fue	fuera/-ese		
	somos	seamos		fuimos	fuéramos/-ésemos		
	sois	seáis	sed	fuisteis	fuerais/-eseis		
	son	sean		fueron	fueran/-esen		
SUPONER	supongo	suponga		supuse	supusiera/-iese	supondré	supondría
	supones	supongas	supón	supusiste	supusieras/-ieses	supondrás	supondrías
	supone	suponga		supuso	supusiera/-iese	supondrá	supondría
	suponemos	supongamos		supusimos	supusiéramos/-iésemos	supondremos	supondríamos
	suponéis	supongáis	suponed	supusisteis	supusierais/-ieseis	supondréis	supondríais
	suponen	supongan		supusieron	supusieran/-iesen	supondrán	supondrían

* **Ser** en imperfecto de indicativo es irregular: era, eras, era, éramos, erais, eran

	PRESENTE DE INDICATIVO	PRESENTE DE SUBJUNTIVO	IMPERATIVO	PRETÉRITO PERFECTO SIMPLE	IMPERFECTO DE SUBJUNTIVO	FUTURO	CONDICIONAL
TENER	traigo	traiga		traje	trajera/-ese		
	traes	traigas		trajiste	trajeras/-eses		
	trae	traiga		trajo	trajera/-ese		
	traemos	traigamos		trajimos	trajéramos/-ésemos		
	traéis	traigáis		trajisteis	trajerais/-eseis		
	traen	traigan		trajeron	trajeran/-esen		
TRADUCIR	valgo	valga				valdré	valdría
	vales	valgas				valdrás	valdrías
	vale	valga				valdrá	valdría
	valemos	valgamos				valdremos	valdríamos
	valéis	valgáis				valdréis	valdríais
	valen	valgan				valdrán	valdrían
TRAER*	vengo	venga		vine	viniera/-iese	vendré	vendría
	vienes	vengas	ven	viniste	vinieras/-ieses	vendrás	vendrías
	viene	venga		vino	viniera/-iese	vendrá	vendría
	venimos	vengamos	venid	vinimos	viniéramos/-iésemos	vendremos	vendríamos
	venís	vengáis		vinisteis	vinierais/-ieseis	vendréis	vendríais
	vienen	vengan		vinieron	vinieran/-iesen	vendrán	vendrían
VALER	veo	vea					
	ves	veas					
	ve	vea					
	vemos	veamos					
	veis	veáis					
	ven	vean					

* **Traer** en gerundio es irregular: trayendo

	PRESENTE DE INDICATIVO	PRESENTE DE SUBJUNTIVO	IMPERATIVO	PRETÉRITO PERFECTO SIMPLE	IMPERFECTO DE SUBJUNTIVO	FUTURO	CONDICIONAL
VENIR*	tengo	tenga		tuve	tuviera/-iese	tendré	tendría
	tienes	tengas	ten	tuviste	tuvieras/-ieses	tendrás	tendrías
	tiene	tenga		tuvo	tuviera/-iese	tendrá	tendría
	tenemos	tengamos		tuvimos	tuviéramos/-iésemos	tendremos	tendríamos
	tenéis	tengáis	tened	tuvisteis	tuvierais/-ieseis	tendréis	tendríais
	tienen	tengan		tuvieron	tuvieran/-iesen	tendrán	tendrían
VER**	traduzco	traduzca		traduje	tradujera/-ese		
	traduces	traduzcas		tradujiste	tradujeras/-eses		
	traduce	traduzca		tradujo	tradujera/-ese		
	traducimos	traduzcamos		tradujimos	tradujéramos/-ésemos		
	traducís	traduzcáis		tradujisteis	tradujerais/-eseis		
	traducen	traduzcan		tradujeron	tradujeran/-esen		

* **Venir** en gerundio es irregular: viniendo

****Ver** en imperfecto de indicativo es irregular: veía, veías, veía, veíamos, veíais, veían

El verbo *haber*

El verbo *haber* tiene un doble uso:

1. Auxiliar en las formas compuestas.

¡Importante!
Recuerda que el participio
en las formas compuestas
no varía de género ni de
número.

TIEMPOS COMPUESTOS	INDICATIVO		SUBJUNTIVO	
Pretérito perfecto compuesto	he has ha hemos habéis han		**Presente** haya hayas haya hayamos hayáis hayan	+ participio
Pretérito pluscuamperfecto	había habías había habíamos habíais habían	+ participio	**Imperfecto** hubiera / hubiese hubieras / hubieses hubiera / hubiese hubiéramos / hubiésemos hubierais / hubieseis hubieran / hubiesen	
Futuro compuesto	habré habrás habrá habremos habréis habrán			
Condicional compuesto	habría habrías habría habríamos habríais habrían			

Verbos con participios irregulares

INFINITIVO	PARTICIPIO
ABRIR	**abierto**
CUBRIR	**cubierto**
DECIR	**dicho**
ESCRIBIR	**escrito**
HACER	**hecho**
MORIR	**muerto**
PONER	**puesto**
ROMPER	**roto**
VER	**visto**
VOLVER	**vuelto**

También son irregulares todos sus compuestos: *componer, devolver, describir, descubrir, deshacer*, etc.

2. Impersonal: solo se usa en tercera persona del singular

PRESENTE DE INDICATIVO	hay	FUTURO SIMPLE	habrá
PRESENTE DE SUBJUNTIVO	haya	CONDICIONAL SIMPLE	habría
PRETÉRITO PERFECTO SIMPLE (indefinido)			hubo

3. Cambio ortográfico

Los siguientes verbos presentan un cambio ortográfico.

C → QU	PRETÉRITO PERFECTO SIMPLE	PRESENTE DE SUBJUNTIVO
COMUNICAR(SE)	(me) comuniqué (te) comunicaste (se) comunicó (nos) comunicamos (os) comunicasteis (se) comunicaron	(me) comunique (te) comuniques (se) comunique (nos) comuniquemos (os) comuniquéis (se) comuniquen
EXPLICAR	expliqué explicaste explicó explicamos explicasteis explicaron	explique expliques explique expliquemos expliquéis expliquen
INDICAR	indiqué indicaste indicó indicamos indicasteis indicaron	indique indiques indique indiquemos indiquéis indiquen
PROVOCAR	provoqué provocaste provocó provocamos provocasteis provocaron	provoque provoques provoque provoquemos provoquéis provoquen
SUPLICAR	supliqué suplicaste suplicó suplicamos suplicasteis suplicaron	suplique supliques suplique supliquemos supliquéis supliquen

C → QU	PRETÉRITO PERFECTO SIMPLE	PRESENTE DE SUBJUNTIVO
TOCAR	toqué tocaste tocó tocamos tocasteis tocaron	toque toques toque toquemos toquéis toquen

G → J	PRESENTE INDICATIVO	PRESENTE DE SUBJUNTIVO
EXIGIR	exijo exiges exige exigimos exigís exigen	exija exijas exija exijamos exijáis exijan

G → GU	PRETÉRITO PERFECTO SIMPLE	PRESENTE DE SUBJUNTIVO
LLEGAR	llegué llegaste llegó llegamos llegasteis llegaron	llegue llegues llegue lleguemos lleguéis lleguen
OBLIGAR	obligué obligaste obligó obligamos obligasteis obligaron	obligue obligues obligue obliguemos obliguéis obliguen

Z → C	PRETÉRITO PERFECTO SIMPLE	PRESENTE DE SUBJUNTIVO
REALIZAR	realicé realizaste realizó realizamos realizasteis realizaron	realice realices realice realicemos realicéis realicen

I → Y	PRESENTE DE INDICATIVO	PRESENTE DE SUBJUNTIVO	IMPERA.	PRETÉRITO PERFECTO SIMPLE	IMPERFECTO DE SUBJUNTIVO	GERUNDIO
INFLUIR	influyo influyes influye influimos influís influyen	influya influyas influya influyamos influyáis influyan	influye influid	influí influiste influyó influimos influisteis influyeron	influyera/-ese influyeras/-eses influyera/-ese influyéramos/-ésemos influyerais/-eseis influyeran/-esen	influyendo
CREER				creí creíste creyó creímos creísteis creyeron	creyera/-ese creyeras/-eses creyera/-ese creyéramos/-ésemos creyerais/-eseis creyeran/-esen	creyendo
LEER				leí leíste leyó leímos leísteis leyeron	leyera/-ese leyeras/-eses leyera/-ese leyéramos/-ésemos leyerais/-eseis leyeran/-esen	leyendo

III Ejercicios

1 Género masculino y femenino

1 [Con un compañero de piso] *¿Dónde has puesto _____ agua? No encuentro la botella por ninguna parte.*
a) el   b) la

2 [En la playa, con un familiar] *¿No te vas a bañar? El agua está muy _____.*
a) bueno   b) buena

3 [En una escuela] *Perdona, ¿sabes dónde está _____ aula tres?*
a) el   b) la

4 [En clase de Historia] *Toledo fue _____ capital de España hasta 1560.*
a) el   b) la

5 [En un restaurante] *¿Cómo quiere _____ carne?*
a) el   b) la

6 [En una guía turística] *Cádiz es _____ ciudad más antigua de Europa.*
a) el   b) la

7 [Con un compañero] *¿Sabes dónde tenemos _____ clase de Lingüística?*
a) el   b) la

8 [Con un compañero después del trabajo] *¿Dónde has aparcado _____ coche?*
a) el   b) la

9 [Con un amigo extranjero] *En España no tenemos _____ costumbre de pedir agua del grifo cuando salimos a tomar algo.*
a) el   b) la

10 [Con una compañera de clase] *Le hemos comprado _____ flores a la profesora.*
a) unos   b) unas

11 [En la calle, preguntando a un desconocido] *Perdone, ¿nos puede hacer _____ foto?*
a) un   b) una

12 [En una clase de Español] *No entiendo _____ frase.*
a) este   b) esta

13 [Describiendo un lugar] *La plaza del pueblo es muy agradable: hay _____ fuente en medio y muchos árboles alrededor.*
a) un   b) una

14 [Hablando de un viaje] *Oye, ¿nos compramos _____ guía de Grecia para el viaje?*
a) un   b) una

15 [Hablando de una boda] *No puedes imaginar _____ hambre que pasamos en la boda, empezaron a servir la comida tardísimo.*
a) el   b) la

16 [En un restaurante, antes de comer] *Tengo _____ hambre porque hoy he desayunado muy temprano.*
a) mucho
b) mucha

17 [Con un amigo que habla muy bien inglés] *Yo no tengo tanta facilidad para _____ idiomas como tú.*
a) los
b) las

18 [Con un compañero de piso] *¿Dónde guardo _____ leche?*
a) el   b) la

19 [En el periódico] *El Gobierno quiere reformar _____ ley electoral.*
a) el   b) la

20 [Subiendo una montaña] *Dame _____ mano y te ayudo a subir.*
a) el   b) la

21 [En clase de Geografía] *En _____ mapa podemos ver las diferentes comunidades autónomas de España.*
a) este
b) esta

22 [Con una compañera de clase] *Esta mañana no he venido en _____ moto porque estaba lloviendo.*
a) el   b) la

23 [Con un compañero de piso] *_____ paredes de este piso son demasiado finas, se oye todo.*
a) Los   b) Las

24 [Hablando de un examen] *Creo que hice
bien _____ parte.*
a) el primer   b) la primera

25 [En un periódico] *_____ Policía cierra una
discoteca por no tener licencia.*
a) El   b) La

26 [Hablando de un amigo] *No encuentra
trabajo y _____ problema es que no habla
bien inglés.*
a) el   b) la

27 [Con un compañero de piso, viendo la tele]
Me encantan _____ programas de cocina.
a) los   b) las

28 [Explicando una dirección] *Si cruzas _____
puente, verás el centro comercial.*
a) el   b) la

29 [Con un compañero de piso] *¿Dónde has
puesto _____ sartén pequeña?*
a) el   b) la

30 [Hablando de política] *_____ actual
sistema electoral debería cambiar porque
no es justo.*
a) El   b) La

31 [Con un compañero de piso] *He comprado
unos cojines para _____ sofá. ¿Te gustan?*
a) el   b) la

32 [Con un compañero de clase] *¿Cuál es
_____ tema de tu presentación?*
a) el   b) la

33 [Con amigo extranjero] *Este fin de semana
fuimos a Lisboa y visitamos _____ Torre
de Belén.*
a) el   b) la

34 [Con un amigo] *_____ vez que fui a
Portugal, no entendía el portugués.*
a) El primer
b) La primera

2 Ser / Estar

1 [Con un amigo extranjero] *¿Hasta qué hora
_____ abiertos los bancos en España?*
a) son   b) están

2 [Con una amiga, hablando de un viaje]
*Los mexicanos _____ muy abiertos y
acogedores con nosotros.*
a) han sido
b) han estado

3 [Con un compañero de clase] *Me gusta
mucho esta profesora. _____ muy abierta
y podemos hablar de todo en clase.*
a) Es   b) Está

4 [Hablando de un bebé] *_____ un niño muy
alegre. Siempre se está riendo.*
a) Es
b) Está

5 [En casa de un amigo] *La decoración de tu
salón me gusta mucho, _____ muy alegre.*
a) es   b) está

6 [En un bar, con un amigo] *Me he tomado
dos cervezas y ya _____ alegre.*
a) soy   b) estoy

7 [Un profesor a sus alumnos] *Hoy tenéis que
_____ muy atentos porque la lección que
voy a explicar es muy importante.*
a) ser   b) estar

8 [Con un compañero] *Ayer no vine a clase
porque no _____ bien. Me dolía la cabeza.*
a) era
b) estaba

9 [En clase] *Este ejercicio _____ bien.*
a) es   b) está

10 [Hablando de las dietas] *_____ bien
cuidarse un poco.*
a) Es   b) Está

11 [En una fiesta] *¿Quién ha hecho el postre?
_____ muy bueno.*
a) Es   b) Está

12 [Una madre con su hijo pequeño] *Si te tomas esta medicina, seguro que mañana ya _____ bueno.*
a) vas a ser   b) vas a estar

13 [Presentando a un amigo] *David _____ ingeniero industrial y estudió la carrera conmigo.*
a) es   b) está

14 [Con un amigo extranjero] *La paella _____ un plato español, concretamente valenciano.*
a) es   b) está

15 [En una librería] *Me llevo estos tres libros. ¿Cuánto _____ todo?*
a) es   b) está

16 [Con un compañero de clase, hablando de un profesor] *Seguro que te aprueba, _____ muy buena persona y sabe que te has esforzado.*
a) es   b) está

17 [Hablando de un alumno] *_____ un buen chico. En clase se comporta muy bien.*
a) Es   b) Está

18 [En una tienda de electrodomésticos] *Esta marca _____ muy buena y tiene tres años de garantía.*
a) es   b) está

19 [Una madre con su hijo] *No _____ bueno que tomes tantos refrescos con gas.*
a) es   b) está

20 [Hablando de hábitos] *_____ bueno caminar un poco todos los días.*
a) Es   b) Está

21 [En casa, a la hora de la comida] *Esperad un poco, que la sopa _____ muy caliente.*
a) es   b) está

22 [Unos padres hablando de su hija] *Esta niña _____ muy caliente, vamos a ponerle el termómetro.*
a) es   b) está

23 [Hablando de un amigo] *Ernesto _____ evangelista y va a la parroquia todos los domingos.*
a) es   b) está

24 [Hablando de un evento] *La cena _____ en el restaurante Sabores.*
a) será   b) estará

25 [En una clase de Español] *Mi ciudad _____ cerca de la frontera con Alemania.*
a) es   b) está

26 [Con una amiga, hablando de planes] *¿_____ cierto que te vas a trabajar a Japón?*
a) Es   b) Está

27 [En clase, un profesor explicando] *¿ _____ claro? ¿Alguna pregunta?*
a) Es   b) Está

28 [En el periódico] *_____ comprobado que el alcohol es uno de los principales enemigos del conductor.*
a) Es   b) Está

29 [En una tienda] *Esta chaqueta me gusta más porque _____ de piel.*
a) es   b) está

30 [Con un compañero de clase] *_____ muy contento con los resultados de los exámenes.*
a) Soy   b) Estoy

31 [Lavando los platos] *Ten cuidado con las copas que _____ muy delicadas.*
a) son   b) están

32 [En un hospital] *_____ una operación muy delicada.*
a) Es   b) Está

33 [Hablando de una amiga] *Desde que la operaron _____ bastante delicada.*
a) es   b) está

34 [En el periódico] *_____ demostrado que el alcohol es uno de los principales enemigos del conductor.*
a) Es   b) Está

35 [Hablando de planes] *Vamos a llamar a Marina, ya son las 12:00 y seguro que _____ despierta.*
a) es   b) está

36 [Un profesor hablando con los padres de un alumno] *Su hijo _____ un niño muy despierto y muy sociable.*
a) es   b) está

37 [Con un amigo, por teléfono] *Todavía* _____ *en mi casa, pero salgo en cinco minutos.*
a) soy   b) estoy

38 [Con un amigo extranjero] *Mi ciudad* _____ *cerca de Milán.*
a) es   b) está

39 [En un examen] _____ *un poco nervioso porque este examen es muy importante para mí.*
a) Soy   b) Estoy

40 [Con un amigo, por teléfono] *Yo no voy a salir esta noche.* _____ *muy cansado.*
a) Soy   b) Estoy

41 [En el médico] *Me duele la espalda porque* _____ *de pie muchas horas seguidas.*
a) soy   b) estoy

42 [Un profesor a un alumno] *Tu examen* _____ *muy bien. ¡Enhorabuena!*
a) es   b) está

43 [Un reencuentro con un amigo] _____ *estupendo volver a verte.*
a) Es   b) Está

44 [Hablando de un amigo] _____ *evidente que está enfadado contigo, por eso no te ha llamado.*
a) Es   b) Está

45 [Paseando por la calle] _____ *extraño ver a tantos turistas en esta época del año.*
a) Es   b) Está

46 [Hablando de la familia de un amigo] *Me pareció que su familia* _____ *muy fría. No fueron cariñosos conmigo.*
a) era   b) estaba

47 [En la playa, con una amiga] *El agua* _____ *fría. No sé si bañarme.*
a) es   b) está

48 [En el cine] *Me encanta este actor,* _____ *muy guapo.*
a) es   b) está

49 [En una fiesta] *¡Qué guapa* _____ *con ese vestido!*
a) eres
b) estás

50 [Un profesor antes de un examen] _____ *importante que penséis bien las respuestas antes de responder.*
a) Es   b) Está

51 [Hablando de tenis] _____ *increíble que haya ganado con las rodillas en tan mal estado.*
a) Es   b) Está

52 [Con una compañera de trabajo] _____ *indudable que la situación de la empresa está mejorando.*
a) Es   b) Está

53 [Un padre hablando de su hijo] _____ *muy listo, pero no estudia.*
a) Es   b) Está

54 [En un restaurante, esperando una mesa] *Pueden sentarse, su mesa ya* _____ *lista.*
a) es   b) está

55 [Con un amigo, en el centro de la ciudad] *Los viernes por la noche este bar siempre* _____ *lleno.*
a) es   b) está

56 [Con un amigo, intentando hacer planes] *Con una agenda tan apretada como la tuya,* _____ *lógico no tener tiempo para nada.*
a) es   b) está

57 [En clase] *Este ejercicio* _____ *mal.*
a) es   b) está

58 [Con un compañero de clase que tiene mala cara] *Oye, ¿* _____ *mal?*
a) eres
b) estás

59 [Hablando de un amigo] _____ *mal que se case con ella solo por su dinero.*
a) Es
b) Está

60 [Hablando del personaje de una película] *Su marido* _____ *un hombre muy malo.*
a) era
b) estaba

61 [Hablando de un conocido] *Es un poco raro, pero no* _____ *un mal chico.*
a) es   b) está

62 [En una revista de salud] *El exceso de grasa _____ malo para el corazón.*
a) es   b) está

63 [Con una amiga] *_____ malo estudiar con poca luz.*
a) Es   b) Está

64 [Un alumno con su profesor] *¿Puedo salir de clase? No me siento bien, creo que _____ malo.*
a) soy   b) estoy

65 [Con un compañero de piso, delante de la nevera] *Este jamón _____ malo. Lleva muchos días en la nevera.*
a) es   b) está

66 [Informando a un amigo extranjero] *Dicen que _____ mejor visitar la Alhambra al atardecer.*
a) es   b) está

67 [Con un amigo] *Ya _____ mejor, pero he estado una semana con fiebre.*
a) soy   b) estoy

68 [Con una amiga, después de las vacaciones] *¡Qué morena _____!*
a) eres   b) estás

69 [En el jardín] *Estas flores _____ muertas.*
a) son   b) están

70 [Con un amigo, en un bar] *Este bar _____ muerto. ¿Vamos a otro sitio?*
a) es   b) está

71 [Con un familiar, en casa] *He ido a correr un poco y _____ muerto.*
a) soy   b) estoy

72 [Con una amiga] *Hoy en día _____ necesario saber algún idioma para trabajar en un hotel.*
a) es   b) está

73 [Denunciando un robo] *La cartera _____ negra, pequeña y de piel.*
a) era
b) estaba

74 [Al llegar al trabajo] *Me acaban de poner una multa. ¡_____ negra!*
a) Soy   b) Estoy

75 [Con una amiga, después de las vacaciones] *¡_____ negra! ¿Has estado en la playa?*
a) Eres   b) Estás

76 [Con un amigo extranjero] *¿En tu país _____ normal independizarse a los dieciocho años?*
a) es   b) está

77 [En una reunión de trabajo] *_____ obvio que hay que tomar una decisión cuanto antes.*
a) Es   b) Está

78 [Con un amigo, hablando de un conocido] *Todo el mundo dice que Alfredo _____ muy orgulloso, pero a mí me parece simpático.*
a) es   b) está

79 [Con un compañero de clase] *¡Qué bien me ha salido el examen! ¡Qué orgulloso _____!*
a) soy   b) estoy

80 [Hablando de la familia] *Nuestros hijos son muy trabajadores y responsables. Mi mujer y yo _____ muy orgullosos de ellos.*
a) somos   b) estamos

81 [Llegando a la parada del autobús] *El autobús _____ parado. Creo que todavía podemos cogerlo.*
a) es   b) está

82 [Hablando de una amiga] *Su marido _____ parado desde hace ya seis meses.*
a) es   b) está

83 [Con una compañera que no se encuentra bien] *No he ido a clase porque _____ peor esta mañana.*
a) era   b) estaba

84 [Hablando de planes] *_____ posible que mañana vayamos al zoo depende del tiempo.*
a) Es
b) Está

85 [Hablando de unos amigos] *_____ probable que nos devuelvan el dinero en junio. Nos dijeron que cobraban ese mes.*
a) Es   b) Está

86 [Con un amigo, en un museo] _____ prohibido hacer fotos.
a) Es   b) Está

87 [Comentando una noticia] *El dueño de Zara* _____ *muy rico: uno de los hombres más ricos del mundo.*
a) es
b) está

88 [Durante la comida] *El pollo en salsa* _____ *muy rico.*
a) es   b) está

89 [En una tienda de coches] *Este monovolumen* _____ *muy seguro y consume poca gasolina.*
a) es
b) está

90 [Hablando de unos amigos] *No* _____ *seguro que vengan todos.*
a) es   b) está

91 [En una fiesta, hablando con alguien] *Yo te conozco de algo.* _____ *segura.*
a) Soy   b) Estoy

92 [Hablando de un compañero] _____ *verdad que no nos llevamos muy bien, pero nos respetamos.*
a) Es   b) Está

93 [Hablando de una fiesta] *El vestido que voy a llevar* _____ *verde.*
a) es   b) está

94 [En un mercado] *Estos plátanos* _____ *un poco verdes.*
a) son   b) están

95 [En un jardín] *Este árbol* _____ *el más viejo que tenemos.*
a) es   b) está

96 [Hablando de unos pantalones] _____ *muy viejos porque me los pongo mucho.*
a) Son   b) Están

3 Verbos de afección

1 [En casa, viendo la televisión] _____ *la tele. No hay nada interesante.*
a) Yo aburro   b) Me aburre

2 [Hablando de unos familiares] _____ *mucho tu visita.*
a) Les ha alegrado
b) Les han alegrado

3 [Invitando a un amigo] ¿ _____ *un café?*
a) Os apetecen   b) Te apetece

4 [Con un compañero de clase] *Las matemáticas* _____ *mucho.*
a) cuestan   b) me cuestan

5 [Con una amiga extranjera] _____ *mucho entenderte cuando hablas en inglés.*
a) Te cuestan   b) Me cuesta

6 [Hablando de una crítica] _____ *los comentarios de la gente.*
a) Me dan igual
b) Me da igual

7 [Hablando de un viaje] _____ *los aviones.*
a) Tengo miedo
b) Me dan miedo

8 [Viajando en coche] _____ *que corras tanto con el coche.*
a) Me da miedo   b) Me dan miedo

9 [En un zoo] _____ *los animales que están en un espacio tan pequeño.*
a) Les da pena   b) Me dan pena

10 [Hablando de la abuela] _____ *que no vayamos a verla.*
a) Les da pena
b) Le da pena

11 [Expresando una opinión] _____ *la gente que está todo el día mirando el móvil.*
a) Me dan rabia   b) Me da rabia

12 [Con un amigo] _____ *bailar en público.*
a) Me da vergüenza
b) Le das vergüenza

13 [Con una compañera de clase] _____ que
me pregunten en clase.
a) Me dan vergüenza
b) Me da vergüenza

14 [Hablando de un amigo] _____ mucho las
series americanas.
a) Divierto   b) Le divierten

15 [Estudiando con una amiga] Voy a hacer un
descanso, que _____ la cabeza.
a) nos duele   b) me duele

16 [Hablando de una amiga] _____ los
deportes de riesgo.
a) Les gusta   b) Le encantan

17 [Hablando de las vacaciones de verano]
_____ veranear cerca de la playa.
a) Os encantan   b) Nos encanta

18 [Hablando de su pareja] _____ que Luis
cocine para mí.
a) Me encanta   b) Me encantas

19 [Hablando de un amigo] _____ el cine,
igual que a mí.
a) Se entusiasma   b) Le entusiasma

20 [Esperando a unos amigos] _____ que no
hayan llamado para decir que venían más
tarde.
a) Te extrañan
b) Me extraña

21 [Vistiéndose] _____ un botón a la camisa.
a) Le faltan   b) Le falta

22 [En un parque infantil] _____ los niños que
gritan tanto.
a) Les fastidia   b) Me fastidian

23 [Después del cine] _____ la película.
a) No me ha gustado
b) Me han gustado

24 [Hablando de un compañero] _____ que la
gente sea puntual.
a) Les gusta   b) Le gusta

25 [Hablando de una chica que ha conocido por
internet] _____ que venga a conocerme.
a) Te hacen ilusión
b) Me hace ilusión

26 [Hablando de un conocido] No _____ sus
opiniones.
a) me importa   b) me importan

27 [Con una compañera de piso] ¿ _____ que
ponga música?
a) Te importo   b) Te importa

28 [Después del cine] _____ los paisajes tan
bonitos que aparecen en la película.
a) Me impresionó
b) Me impresionaron

29 [Con un amigo extranjero] _____
comprobar lo rápido que has aprendido a
hablar español.
a) Me impresiona
b) Me impresionas

30 [Con una amiga] _____ estudiar inglés
para poder viajar al extranjero.
a) Le interesas   b) Me interesa

31 [Hablando de una compañera de piso] _____
la tele cuando está estudiando.
a) Se molesta   b) Le molesta

32 [Con un compañero de piso] ¿ _____ que
ponga la tele?
a) Te molesta   b) Te molestas

33 [Mirando por la ventana] ¿Qué _____? ¿Por
qué hay tanta gente en la calle?
a) han ocurrido
b) ha ocurrido

34 [Informando a un compañero de clase]
_____ que mañana no hay clases.
a) Me parezco   b) Me parece

35 [Hablando de un compañero de clase] _____
estupendo que mañana no haya clases.
a) Se parece   b) Le parece

36 [Preguntando por una compañera que no
ha ido a clase] ¿Sabes lo que _____ a
Carolina?
a) ha pasado
b) le ha pasado

37 [En una cafetería] Voy a tomar un zumo. El
café _____.
a) me pone nervioso
b) me pongo nervioso

38 [Con un amigo, delante de un cajero] *Tengo que sacar dinero. Solo _____ diez euros.*
a) me queda   b) me quedan

39 [En un restaurante] *No como pimientos porque _____.*
a) siento mal   b) me sientan mal

40 [Hablando de la nueva imagen de un amigo] *¡Qué guapo está Mario! Esas gafas _____.*
a) les sientan muy bien
b) le sientan muy bien

41 [Hablando de una amiga] *_____ que dijeras eso de su mejor amigo.*
a) Le sentaron mal   b) Le sentó mal

42 [Con el amigo de un amigo] *_____ mucho tu cara, pero no sé de qué.*
a) Me sueno   b) Me suena

43 [Hablando de música] *_____ agradablemente el nuevo disco de Miguel Bosé.*
a) Me han sorprendido
b) Me ha sorprendido

44 [Hablando de una amiga] *_____ ver a Valeria en la fiesta.*
a) Le sorprendió
b) Le sorprenden

45 [Con un compañero de piso] *¿A quién _____ hoy lavar los platos?*
a) os toca   b) le toca

46 [En una clase] *Ahora _____ al otro grupo hacer su presentación.*
a) le toca
b) le tocan

4 Verbos con uso pronominal y no pronominal y verbos que necesitan un pronombre de complemento indirecto

1 [Hablando de un compañero de clase] *_____ aburre hacer tantos ejercicios en clase y por eso no ha venido.*
a) Le   b) Se

2 [Hablando del profesor de una amiga] *_____ aconsejó que estudiara todos los días.*
a) Le   b) Ø

3 [Con un amigo extranjero] *_____ aconsejo no llamar a su casa a la hora de la siesta.*
a) Te   b) Ø

4 [Hablando de una amiga] *_____ encanta salir con Amanda. Dice que es muy divertida y que nunca se aburre con ella.*
a) Se   b) Le

5 [En el periódico] *Los sindicatos _____ han acordado ir a la huelga el 29 de septiembre.*
a) se   b) Ø

6 [Con un amigo] *¿_____ acuerdas de cómo nos conocimos?*
a) Te   b) Ø

7 [Dando las gracias por un ascenso en el trabajo] *_____ agradezco que haya pensado en mí.*
a) Le
b) Se

8 [En la consulta de un médico, hablando con una enfermera] *¿Y ahora qué hago? Nadie _____ había comunicado que no hubiera consulta.*
a) me   b) Ø

9 [Con un amigo] *Desde que vivo en el extranjero, _____ acuerdo mucho de mi familia.*
a) me   b) Ø

10 [Hablando de unos familiares] *_____ ha alegrado mucho tu visita.*
a) Les   b) Ø

11 [Hablando de la salud de un conocido] *¡Qué bien que ya está mejor tu padre! _____ alegro mucho.*
a) Me   b) Se

12 [Hablando del encuentro de un amigo] *Me dijo que _____ alegró mucho de volver a verte.*
a) se   b) le

13 [Con un amigo íntimo] *_____ voy a confiar un secreto, pero no se lo digas a nadie.*
a) Te   b) Ø

14 [Hablando de un familiar] *_____ comunicaron que el presidente de su empresa había dimitido.*
a) Le   b) Se

15 [Con un amigo que tiene un paquete de chicles] *¿_____ das un chicle?*
a) Me   b) Ø

16 [En una presentación] *Soy profesora y _____ doy clases en la facultad.*
a) me   b) Ø

17 [Con un amigo que se ha comprado un coche] *Esta tarde _____ dan el coche.*
a) me   b) Ø

18 [Con una amiga] *Préstame tu guía de Berlín. _____ la devuelvo a la vuelta del viaje.*
a) Te   b) Ø

19 [Con una amiga] *¿No _____ has dado cuenta de que me he cortado el pelo?*
a) te   b) Ø

20 [Con un compañero de clase] *¡Es verdad! No _____ había dado cuenta de que María llevara dos días sin venir a clase.*
a) me   b) Ø

21 [Alguien enfadado en un restaurante] *_____ exijo que me traiga el libro de reclamaciones.*
a) Le   b) Les

22 [Hablando de un amigo] *_____ divierten mucho las series americanas.*
a) Le   b) Se

23 [Hablando de un juego] *Es estupendo. Aprendes y _____ diviertes al mismo tiempo.*
a) te
b) Ø

24 [Sorprendido, con un compañero de clase] *Nadie _____ había explicado que el verbo jugar fuera irregular.*
a) me   b) Ø

25 [Con una compañera de trabajo] *Estoy un poco cansada porque últimamente solo _____ duermo seis horas al día.*
a) me   b) Ø

26 [Con un amigo, por teléfono] *Te llamo en cuanto _____ duerma el niño.*
a) se
b) Ø

27 [Buscando una dirección] *No _____ he entendido bien, pero creo que nos ha indicado que es en esta dirección.*
a) le   b) se

28 [Un padre a su hijo] *No _____ permito que me hables así.*
a) te   b) Ø

29 [Hablando de un ex] *Me ha llamado Mario y _____ ha pedido que vuelva con él.*
a) me   b) Ø

30 [Hablando de unos niños] *Anoche _____ durmieron viendo la tele.*
a) se   b) Ø

31 [En un hotel] *Voy a preguntar en recepción si _____ permiten fumar en algún sitio.*
a) se   b) Ø

32 [Un hijo con su madre] *¿Puedes prestar_____ tu coche, mamá?*
a) me   b) Ø

33 [Hablando de planes] *_____ haremos la fiesta antes de que termine el curso.*
a) Nos   b) Ø

34 [En una discusión] *_____ prohíbo que me hables así.*
a) Te   b) Ø

35 [Hablando de cine] *Este director _____ ha hecho muchas películas muy buenas.*
a) se   b) Ø

36 [Con una compañera de clase] *Este profesor _____ ha hecho estudiar más horas.*
a) nos   b) Ø

37 [Una madre hablando de su hijo] _____ ha
hecho mayor en muy poco tiempo.
a) Se   b) Ø

38 [Hablando de un amigo] *Dice que desde que*
_____ *ha hecho vegetariano se siente mucho*
mejor.
a) se   b) le

39 [Hablando de un amigo] *Antes trabajaba*
para una empresa, pero ahora _____ *ha*
hecho autónomo.
a) se   b) Ø

40 [Una madre a su hija] *Concha,* _____ *ruego*
que no uses el móvil cuando estamos
comiendo.
a) te   b) Ø

41 [En el periódico] *Un chico de diecisiete*
años _____ *ha hecho rico vendiendo una*
aplicación para móviles.
a) se
b) le

42 [En una estación] *Este tren* _____ *va a*
Córdoba.
a) se   b) Ø

43 [En una reunión de trabajo] _____ *ruego*
que pasen a la sala de juntas.
a) Les   b) Se

44 [Hablando de una boda] *La novia* _____
llevaba un vestido precioso.
a) se   b) Ø

45 [En la parada de autobús] _____ *llevo más*
de diez minutos aquí y no ha pasado
ningún autobús.
a) Me   b) Ø

46 [En una tienda, señalando unas camisas]
¿Cuál _____ *lleva al final?*
a) se   b) Ø

47 [Hablando de un robo] *Los ladrones*
entraron de noche y _____ *llevaron todo*
el dinero de la caja fuerte.
a) se   b) Ø

48 [En una revista de moda] *Esta temporada*
_____ *llevan los colores fluorescentes.*
a) se   b) les

49 [Hablando de un familiar] *No* _____ *llevo*
bien con mi primo.
a) me   b) Ø

50 [Hablando de un negocio] *Esto no* _____
marcha. Vamos a tener que cerrar.
a) se   b) Ø

51 [Con un amigo extranjero] *Vengo a*
despedirme porque mañana _____
marcho.
a) me   b) Ø

52 [Hablando de una compañera de piso] _____
molesta la tele cuando está estudiando.
a) Le
b) Se

53 [Hablando de un amigo] *¿Tú crees que*
_____ *ha molestado por lo que le he*
dicho? Está muy serio.
a) le   b) se

54 [Mirando por la ventana] *¿Qué* _____ *ha*
ocurrido? ¿Por qué hay tanta gente en la
calle?
a) se   b) Ø

55 [En un gimnasio] *Para el dolor que tienes,*
_____ *sugiero que hagas más ejercicios de*
estiramiento.
a) te   b) Ø

56 [Preguntando a una amiga] *¿Sabes lo que*
_____ *ocurrió el viernes?*
a) me   b) se

57 [Hablando de un amigo] *Rodrigo es tan*
rubio que _____ *parece alemán.*
a) se   b) Ø

58 [Hablando de un compañero de clase] _____
parece estupendo que mañana no haya
clases.
a) Le   b) Se

59 [Hablando de unas hermanas] _____
parecen un montón.
a) Se   b) Ø

60 [Con una amiga, hablando de su bebé]
_____ *parece mucho a ti.*
a) Se
b) Le

61 [En casa de un amigo] *¿Dónde _____ pongo el abrigo?*
a) nos   b) Ø

62 [Alguien haciendo una foto] *¿Puedes _____ más a la derecha?*
a) ponerte   b) poner

63 [En casa, después de sonar el teléfono fijo] *Mamá, _____, es para ti.*
a) ponte   b) pon

64 [Hablando de un amigo] *Siempre que toma el sol _____ pone rojo.*
a) se   b) le

65 [Con un compañero de clase] *Cuando tenemos examen, _____ pongo muy nervioso.*
a) me   b) Ø

66 [Hablando de un familiar] *Después de comer _____ ha puesto malo.*
a) se   b) le

67 [Hablando de un boda] *Cuando entraron los novios todo el mundo _____ puso de pie.*
a) se   b) Ø

68 [Con un amigo extranjero] *¿_____ has probado el gazpacho alguna vez?*
a) Te   b) Ø

69 [En una óptica] *¿Puedo _____ estas gafas?*
a) probar   b) probarme

70 [Hablando de planes] *¿_____ quedamos a las diez?*
a) Nos   b) Ø

71 [Viajando en coche] *¿Cuánto _____ queda para llegar?*
a) se   b) Ø

72 [Con un compañero de trabajo] *Entonces, _____ quedamos en presentar el proyecto el lunes.*
a) nos   b) Ø

73 [Después de una fuerte discusión] *_____ suplico que me perdones.*
a) Te   b) Ø

74 [Con un amigo, en una fiesta] *¿Te vas o _____ quedas un rato más?*
a) te   b) Ø

75 [Hablando de una amiga] *María estuvo haciendo régimen todo el verano y _____ quedó muy delgada.*
a) le   b) se

76 [Con un amigo extranjero, hablando de una ciudad] *En agosto, Madrid _____ queda vacía.*
a) le   b) se

77 [En casa] *Esta Coca-Cola no estaba bien cerrada y _____ ha quedado sin gas.*
a) se   b) Ø

78 [Comprando en una papelería] *Al final _____ quedo con estos dos bolígrafos.*
a) me   b) Ø

79 [Con un amigo, en un avión] *Prefiero _____ junto a la ventanilla, ¿te importa?*
a) sentar   b) sentarme

80 [En una novela] *_____ sentí que alguien me acariciaba la cara.*
a) Me   b) Ø

81 [En clase, con una compañera] *_____ siento mucho que hayas suspendido el examen.*
a) Me   b) Ø

82 [Con un amigo, hablando del estado físico] *Hoy _____ siento muy bien.*
a) me   b) Ø

83 [Hablando de una amiga] *_____ sorprendió ver a Valeria en la fiesta.*
a) Se   b) Le

84 [Hablando de un encuentro] *_____ sorprendió mucho cuando te vio. No esperaba verte en ese momento.*
a) Se
b) Ø

85 [Hablando del jefe] *Es una persona muy amable. Siempre _____ trata muy bien a todo el mundo.*
a) se
b) Ø

86 [Hablando de cine] *La película que vi ayer _____ trata de la vida del Che.*
a) se
b) Ø

87 [Con un amigo] *Siempre _____ trato de hablar francés cuando viajo a Francia.*
a) me   b) Ø

88 [Con un compañero de trabajo] *No quería decírtelo, pero _____ trata de Guillermo. Lo han despedido del trabajo.*
a) se   b) Ø

89 [Con un compañero de piso] *Tengo que salir un rato. _____ vuelvo en una hora.*
a) Me   b) Ø

90 [Con un amigo extranjero] *Desde que vives en España _____ has vuelto más cariñoso.*
a) te   b) Ø

5 Preposiciones

1 [Con un amigo, proponiendo un plan] *Voy _____ centro. ¿Vienes conmigo?*
a) al   b) en el

2 [Hablando de unas llaves] *Ponlas _____ la mesa.*
a) en   b) con

3 [Con un compañero de piso] *He puesto las cervezas _____ congelador para que se enfríen antes.*
a) en el   b) al

4 [Hablando de planes] *No conozco _____ nadie que haya ido a ese hotel.*
a) a   b) Ø

5 [Hablando de un amigo] *Estudia _____ la Universidad de Málaga.*
a) en   b) a

6 [En clase de arte] *Pablo Picasso pintó el Guernica _____ 1937.*
a) en   b) a

7 [Un profesor hablando de Picasso] *_____ los ocho años pintó su primer óleo.*
a) A   b) En

8 [Hablando de planes] *Podemos ir a París _____ mayo.*
a) en   b) a

9 [Hablando de un viaje] *¿Vamos a ir _____ tren?*
a) en   b) con

10 [En el trabajo, preguntando por una compañera] *¿Habéis visto _____ María por aquí?*
a) a   b) Ø

11 [Hablando del tiempo libre] *_____ nosotros nos gusta mucho esquiar en Sierra Nevada.*
a) A   b) Ø

12 [Hablando de un político] *Siempre ha luchado _____ la libertad y la justicia.*
a) a   b) por

13 [Hablando de un compañero de clase] *Todos los días va andando a clase _____ el centro hasta la escuela.*
a) desde
b) de

14 [Con un amigo, haciendo planes] *¿Quedamos _____ las cinco?*
a) a   b) en

15 [Organizando un viaje] *Si queréis podemos ir a Tarifa. Solo está _____ 100 km.*
a) a   b) en

16 [En el mercado, con el pescadero] *¿ _____ cómo están hoy las gambas?*
a) A   b) Ø

17 [Con una compañera de piso] *Abre la puerta _____ esta llave.*
a) con   b) de

18 [En una hamburguesería] *¿Quieres las patatas _____ mayonesa?*
a) con   b) de

19 [Con un compañero que no conoces] *¿ _____ dónde eres?*
a) De
b) Por

20 [Con una compañera de clase] *Yo prefiero estudiar _____ noche.*
a) por   b) de

21 [Con un amigo] *Normalmente me acuesto a las 23:00 _____ la noche.*
a) por   b) de

22 [Con una compañera de trabajo] *Hoy no podré ir a la reunión, así que irá mi secretaria _____ mí.*
a) para
b) por

23 [Hablando de un libro] *Aunque es un libro _____ filosofía, es fácil de leer.*
a) por   b) de

24 [Hablando de horarios] *Tenemos clases de lunes a viernes, _____ 8:30 a 14:30.*
a) desde   b) de

25 [Con un amigo extranjero] *Estudio español _____ el verano.*
a) desde   b) de

26 [Con un compañero de clase] *Tenemos clases _____ las 8:30 hasta las 14:30.*
a) desde
b) de

27 [En una tienda] *¿Este bolso es _____ piel?*
a) con   b) de

28 [En clase de gimnasia] *Ahora vamos a hacer unos ejercicios _____ relajarnos un poco.*
a) para   b) por

29 [Hablando de una amiga que vive en otra ciudad] *Le voy a mandar un regalo _____ correo certificado.*
a) para
b) por

30 [Hablando de un gato] *Se escapa _____ la puerta, cada vez que la abro.*
a) para   b) por

31 [En la farmacia] *Esta crema es muy buena _____ la piel seca.*
a) para   b) por

32 [De visita en casa de un amigo] *He traído dulces _____ merendar.*
a) para   b) por

33 [Hablando de un amigo que ha hecho un examen de conducir] *Le han suspendido _____ saltarse un stop.*
a) para   b) por

34 [Hablando de las ventajas de una ciudad] *Me gusta Málaga _____ el clima.*
a) para   b) por

35 [En un taxi] *Por favor, déjenos _____ el centro.*
a) para   b) por

36 [En un viaje, hablando de planes] *_____ la mañana podemos ir a la playa y por la tarde visitar la ciudad.*
a) Para   b) Por

37 [De viaje, explicado el lugar en el que se encuentran] *Vamos _____ Granada.*
a) para   b) por

38 [Confirmando una cita] *Vale, _____ mí no hay problema.*
a) para   b) por

39 [Con un amigo, dando su opinión] *_____ mí, septiembre es el mejor mes para cogerse vacaciones.*
a) Para
b) Por

40 [Un compañero de trabajo] *Ha llegado un paquete _____ ti. Pásate por recepción a buscarlo.*
a) para
b) por

41 [Un profesor en clase] *Estos deberes son _____ mañana.*
a) para
b) por

42 [Haciendo una comparación] *El campo está muy seco _____ todo lo que ha llovido este año.*
a) para
b) por

43 [Titular en un periódico] *El político denunciado _____ su exmujer ha dimitido.*
a) para
b) por

44 [Hablando de un familiar que vive en el extranjero] *Hemos estado hablando* _____ *Skype.*
a) para   b) por

45 [Con una amiga] *Me he comprado un sofá nuevo en una página de segunda mano* _____ *muy poco.*
a) para   b) por

46 [En clase de Matemáticas] *Siete* _____ *cuatro, veintiocho.*
a) para
b) por

47 [Hablando de un regalo para un amigo] *Hay que poner 10 €* _____ *persona.*
a) para
b) por

6 Verbos con preposición

1 [Hablando de una amiga] *Le encanta salir con Amanda. Dice que es muy divertida y que nunca se aburre* _____ *ella.*
a) a   b) con

2 [Con un amigo extranjero, hablando de los horarios en España] *Todavía no me he acostumbrado* _____ *comer tan tarde.*
a) Ø   b) a

3 [Con una compañera de clase] *Me alegro mucho* _____ *que hayas aprobado todas las asignaturas.*
a) para   b) de

4 [Con una amiga, hablando de su hijo] *Juan quiere aprender* _____ *hablar chino.*
a) a   b) Ø

5 [Con un compañero de clase] *No voy a asistir* _____ *congreso de Filología.*
a) del   b) al

6 [Hablando del profesor de un alumno] *Lo ayudó* _____ *aprobar inglés. Es muy buen profesor.*
a) a
b) Ø

7 [Con un amigo, en la montaña] *No estamos perdidos. Confía* _____ *mí, que yo sé cómo regresar.*
a) a   b) en

8 [Con un amigo, hablando de religión] *¿Tú crees* _____ *Dios?*
a) de   b) en

9 [Con una amiga] *¿No te has dado cuenta* _____ *que me he cortado el pelo?*
a) en   b) de

10 [Con un amigo extranjero] *En Málaga puedes disfrutar* _____ *la playa casi todo el año.*
a) a   b) de

11 [Hablando de una amiga] *Silvia se ha enamorado* _____ *su mejor amigo.*
a) con   b) de

12 [Con un amigo, delante de un bar] *En ese bar enseñan* _____ *bailar salsa los martes y los jueves.*
a) Ø   b) a

13 [Hablando de una amiga] *Su madre siempre influye* _____ *sus decisiones.*
a) en   b) de

14 [En una empresa] *Nos informaron* _____ *que habíamos ganado el concurso de arquitectura.*
a) por   b) de

15 [Hablando de un amigo] *Insistió* _____ *que nos quedáramos a comer en su casa.*
a) en   b) de

16 [Reprochando algo] *¿Por qué siempre la invitas tú* _____ *ella?*
a) para   b) a

17 [Con un amigo] *Estoy colaborando con una ONG que lucha* _____ *los derechos de los niños.*
a) por   b) para

18   [Hablando de un amigo que iba en coche] *La policía lo ha obligado _____ dar la vuelta porque la calle estaba cortada.*
a) a   b) de

19   [Con un amigo, hablando de otra amiga] *Me he olvidado _____ llamar a María para felicitarla por su cumpleaños.*
a) en   b) de

20   [Con una amiga, hablando de su bebé] *Se parece mucho _____ ti.*
a) a   b) de

21   [Con una amiga extranjera] *Cuando estoy fuera de casa, pienso _____ mi familia a menudo.*
a) en   b) de

22   [Con un compañero de trabajo] *Entonces, quedamos _____ presentar el proyecto el lunes.*
a) en   b) con

23   [Comprando en una papelería] *Al final me quedo _____ estos dos bolígrafos.*
a) en   b) con

24   [Después de levantarse] *Esta noche he soñado _____ la película de ayer.*
a) de   b) con

25   [Con un amigo, por teléfono] *¿Cuánto tardas _____ llegar?*
a) en   b) a

26   [Hablando de cine] *La película que vi ayer trata _____ la vida del Che.*
a) de   b) con

27   [Con un amigo] *Siempre trato _____ hablar francés cuando viajo a Francia.*
a) a   b) de

28   [Con un compañero de trabajo] *No quería decírtelo, pero se trata _____ Guillermo. Lo han despedido del trabajo.*
a) de   b) con

7 Indicativo / Subjuntivo. Verbos y expresiones impersonales

1   [Con un amigo, en una cola] *Me aburre que nos _____ esperar tanto tiempo.*
a) hacen   b) hagan

2   [Con un compañero de clase] *Gracias a tu propuesta, el director ha aceptado que _____ las clases por la tarde.*
a) tenemos   b) tengamos

3   [Con amigo extranjero] *Te aconsejo que no _____ a su casa a la hora de la siesta.*
a) llamas   b) llames

4   [En el periódico] *El presidente del Real Madrid admite que se _____.*
a) ha equivocado
b) haya equivocado

5   [En una discusión] *No admito que me _____ así.*
a) hablas
b) hables

6   [Con un amigo, comentando una noticia] *El presidente del gobierno ha afirmado esta mañana que _____ elecciones anticipadas.*
a) habrá   b) haya

7   [Dando las gracias por un ascenso en el trabajo] *Le agradezco que _____ en mí.*
a) ha pensado b) haya pensado

8   [Hablando de un compañero de trabajo] *No aguanto que siempre me _____ cómo tengo que hacer mi trabajo.*
a) dice   b) diga

9   [Hablando del encuentro de un amigo] *Me dijo que _____ mucho de volver a verte.*
a) se alegró b) se alegrara

10   [Recibiendo a un amigo en casa] *¿Te apetece _____ algo? ¿Una cerveza?*
a) tomar   b) tomemos

11 [Proponiendo un plan] *¿Te apetece que
_____ esta noche de tapas?*
a) vamos   b) vayamos

12 [Hablando del medioambiente] *Está bien que
la gente joven _____ cada vez más.*
a) recicla   b) recicle

13 [Hablando de hábitos] *Es bueno _____ un
poco todos los días.*
a) caminar
b) caminemos

14 [Hablando de educación] *Es bueno que
los niños _____ a estudiar inglés desde
pequeños.*
a) empiecen   b) empiezan

15 [Revista sobre medioambiente] *La
contaminación está causando que muchas
especies _____.*
a) se extingan
b) se han extinguido

16 [Con una amiga, hablando de planes] *¿Es
cierto que te _____ a Japón?*
a) vas a trabajar
b) vayas a trabajar

17 [Informando a una amiga sobre las rebajas]
*Me han comentado que _____ rebajas en
esta tienda la semana que viene.*
a) ponen   b) pongan

18 [Hablando de una amiga] *Cuando la oí
hablar de él, comprendí que _____
enamorada.*
a) estaba   b) esté

19 [En el periódico] *Está comprobado que
el alcohol _____ uno de los principales
enemigos del conductor.*
a) es   b) sea

20 [En una revista] *No está comprobado
científicamente que el agua _____ el
hambre.*
a) quita   b) quite

21 [Con una compañera de trabajo] *Me han
contado que te _____. ¿Estás contenta?*
a) vas a jubilar
b) vayas a jubilar

22 [Hablando sobre un viaje] *Le he escrito
un correo electrónico al hotel y me han
contestado que _____ camas supletorias.*
a) tienen   b) tengan

23 [Hablando de su perro] *Voy a buscar ayuda
profesional porque me cuesta que nos
_____ caso.*
a) hace   b) haga

24 [Con un amigo, hablando de fútbol] *Creo que
el Real Madrid _____ el mejor equipo de
la liga.*
a) es   b) sea

25 [Hablando de planes] *Me da igual _____
un poco más tarde.*
a) salir   b) salgo

26 [Hablando de una amiga] *Me da igual que
no _____. Estoy enfadada con ella.*
a) viene
b) venga

27 [Viajando en coche] *Me da miedo que
_____ tanto con el coche.*
a) corres   b) corras

28 [Hablando de la abuela] *Le da pena que no
_____ a verla.*
a) vamos   b) vayamos

29 [Con un amigo] *Me da vergüenza _____ en
público.*
a) bailar   b) baile

30 [Con una compañera de clase] *Me da
vergüenza que me _____ en clase.*
a) preguntan
b) pregunten

31 [Con un compañero de clase] *Me acabo de
dar cuenta de que María _____ dos días
sin venir a clase.*
a) lleva   b) lleve

32 [Con una amiga] *Aunque me ha costado, he
decidido que _____ mi actual trabajo.*
a) voy a dejar
b) vaya a dejar

33 [Informando a una amiga] *Me han dicho que
_____ rebajas en esta tienda.*
a) van a poner   b) vayan a poner

34   [Una madre regañando a su hijo, a la hora de comer] *Te he dicho mil veces que no _____ con la boca llena.*
     a) hablas   b) hables

35   [En casa de un amigo] *¿Me dejas que te _____ con la comida?*
     a) ayudo
     b) ayude

36   [En el periódico] *Está demostrado que el alcohol _____ uno de los principales enemigos del conductor.*
     a) es   b) sea

37   [En una boda] *Os deseo que _____ muy felices.*
     a) sois   b) seáis

38   [Hablando de una amiga] *Me duele que nunca _____ de mí.*
     a) se acuerda   b) se acuerde

39   [Hablando del sueldo] *Dudo que nos _____ más. La empresa no está en una buena situación.*
     a) pagan   b) paguen

40   [Hablando de una amiga] *Hemos hablado por teléfono y he entendido que no _____ al final.*
     a) va a venir
     b) vaya a venir

41   [Hablando de unas amigas] *Les entusiasma _____ a otros países.*
     a) viaje   b) viajar

42   [Despidiéndose de un amigo que vive en otra ciudad] *Espero _____ el próximo verano.*
     a) volver   b) vuelvo

43   [Hablando de un evento] *Espero que no _____ el día de la boda.*
     a) llueve   b) llueva

44   [Un reencuentro con un amigo] *Es estupendo _____ a verte.*
     a) vuelva   b) volver

45   [Hablando de un amigo] *Es evidente que _____ enfadado contigo, por eso no te ha llamado.*
     a) está   b) esté

46   [Alguien enfadado en un restaurante] *Le exijo que me _____ el libro de reclamaciones.*
     a) trae   b) traiga

47   [Con un amigo extranjero] *Me han explicado que este verbo no _____ mucho.*
     a) se usa   b) se use

48   [Paseando por la calle] *Es extraño _____ a tantos turistas en esta época del año.*
     a) ver   b) veamos

49   [Hablando sobre la conexión a internet] *Le fastidia que _____ veinte megas y den diez.*
     a) cobran   b) cobren

50   [Hablando de un compañero] *Le gusta que la gente _____ puntual.*
     a) es   b) sea

51   [Hablando de un concierto] *Me hace ilusión _____. Es la primera vez que este grupo viene a la ciudad.*
     a) ir   b) vamos

52   [Hablando de una chica que ha conocido por internet] *Me hace ilusión que _____ a conocerme.*
     a) venga   b) venir

53   [Con una amiga, hablando de planes] *Me imagino que nos _____ de viaje en verano.*
     a) iremos   b) vayamos

54   [Un profesor] *Es importante ir al extranjero para _____ bien inglés.*
     a) aprendemos   b) aprender

55   [Un profesor antes de un examen oral] *Es importante que _____ bien las respuestas antes de responder.*
     a) pensáis   b) penséis

56   [Con unos amigos] *No me importa que _____ un poco tarde un día, pero no siempre.*
     a) llegáis   b) lleguéis

57   [Hablando de un partido de tenis] *Me impresionó que Nadal _____ remontar el partido.*
     a) poder   b) pudiera

58 [Buscando una dirección] *No le he entendido bien, pero creo que nos ha indicado que _____ en esta dirección.*
a) es   b) sea

59 [Después de una consulta médica] *El médico me ha indicado que _____ dos horas al día.*
a) camino   b) camine

60 [Con una compañera de trabajo] *Es indudable que la situación de la empresa _____.*
a) está mejorando
b) esté mejorando

61 [En una empresa] *Nos informaron de que _____ el concurso de arquitectura.*
a) habíamos ganado
b) hubiéramos ganado

62 [Hablando de un amigo] *Insistió en que _____ a comer en su casa.*
a) nos quedamos
b) nos quedáramos

63 [Hablando de la obra del metro] *Me interesaría que el metro _____ hasta mi trabajo.*
a) llega   b) llegara

64 [En la recepción de un hotel] *Lamento que la estancia no _____ de su agrado.*
a) ha sido   b) haya sido

65 [Comentando una noticia] *He leído esta mañana en el periódico que las elecciones _____ antes de lo previsto.*
a) se celebrarán
b) se celebren

66 [Un profesor, en una clase de Español] *Es lógico que _____ dudas sobre el subjuntivo.*
a) tenéis   b) tengáis

67 [Hablando de un amigo] *Está mal que _____ con ella solo por su dinero.*
a) se casa   b) se case

68 [Con una amiga] *Es malo _____ con poca luz.*
a) estudiamos   b) estudiar

69 [Un padre a su hija] *Es malo que _____ tantos refrescos con gas.*
a) tomas   b) tomes

70 [Haciendo una recomendación] *Es mejor que no _____ paella para cenar.*
a) pides   b) pidas

71 [Con un compañero de piso] *¿Te molesta que _____ la tele?*
a) pongo   b) ponga

72 [Con una amiga] *Hoy en día es necesario _____ algún idioma para trabajar en un hotel.*
a) sepáis   b) saber

73 [En una secretaría] *Es necesario que _____ la solicitud si queréis hacer el examen oficial.*
a) rellenáis   b) rellenéis

74 [Con una amiga que habla inglés] *Necesito que me _____ con la traducción.*
a) ayudas   b) ayudes

75 [Hablando de un amigo] *No es normal que se _____ sin despedirse.*
a) ha ido   b) haya ido

76 [Hablando del tiempo] *Esta mañana he notado que la temperatura _____.*
a) ha bajado   b) haya bajado

77 [Con un compañero de trabajo] *La jefa nos ha obligado a _____ las vacaciones en el mes de julio.*
a) tomarnos   b) tomemos

78 [Hablando de un amigo] *Últimamente he observado que Andrés _____ más nervioso.*
a) está   b) esté

79 [En una reunión de trabajo] *Es obvio que _____ una decisión cuanto antes.*
a) hay que tomar
b) haya que tomar

80 [Con un compañero de trabajo] *He oído que _____ a más gente para el nuevo departamento.*
a) van a contratar
b) vayan a contratar

81 [En casa de una amiga] *Opino que* _____ *irnos ya, es muy tarde.*
a) deberíamos   b) debamos

82 [Informando a un compañero de clase] *Me parece que mañana no* _____ *clase.*
a) hay   b) haya

83 [Hablando de un compañero de clase] *Le parece estupendo que mañana no* _____ *clases.*
a) hay   b) haya

84 [Hablando de un ex] *Me ha llamado Mario y me ha pedido que* _____ *con él.*
a) vuelvo   b) vuelva

85 [Unos padres hablando de su hijo] *Yo también pienso que Matías no* _____ *lo suficiente.*
a) estudia   b) estudie

86 [Hablando de un examen] *Yo creo que es peor que* _____ *alguna pregunta en blanco.*
a) dejas   b) dejes

87 [Un padre a su hijo] *No te permito que me* _____ *así.*
a) hablas   b) hables

88 [Con un compañero de clase] *Me pone nervioso que me* _____ *todos cuando hablo en clase.*
a) miran   b) miren

89 [En un cartel de una farmacia] *Es posible* _____ *peso fácilmente.*
a) pierdo   b) perder

90 [Hablando de planes] *Es posible que mañana* _____ *al zoo, depende del tiempo.*
a) vamos   b) vayamos

91 [Con un buen amigo] *Prefiero que me* _____ *la verdad, aunque no me guste.*
a) dices   b) digas

92 [En una discusión] *Te prohíbo* _____ *así.*
a) me hables
b) hablarme

93 [Noticia] *El terremoto ha provocado que muchas personas* _____ *sin hogar.*
a) se quedan   b) se queden

94 [Hablando de planes] *¿Quieres que te* _____ *en el coche?*
a) recojo   b) recoja

95 [En un restaurante] *Te recomiendo* _____ *el arroz con bogavante, es la especialidad de la casa.*
a) pidas   b) pedir

96 [Comentando una conversación] *Ella me respondió que todos* _____ *invitados.*
a) estaban   b) estuvieran

97 [En una reunión de trabajo] *Les ruego que* _____ *a la sala de juntas.*
a) pasan
b) pasen

98 [Con un compañero de trabajo] *El jefe sabía que yo* _____ *a llegar tarde hoy.*
a) iba   b) fuera

99 [Hablando de una amiga] *Le sentó mal que* _____ *eso de su mejor amigo.*
a) dijiste   b) dijeras

100 [En una novela] *Sentí que alguien me* _____ *la cara.*
a) acariciaba
b) acariciara

101 [En clase, con una compañera] *Siento mucho que* _____ *el examen.*
a) has suspendido
b) hayas suspendido

102 [Recordando un sueño] *He soñado que* _____ *en París de vacaciones.*
a) estaba   b) estuviera

103 [Una abuela a su nieto] *Sueño con que* _____ *algún día.*
a) te casas   b) te cases

104 [Hablando con un amigo] *No soporto que me* _____ *cuando estoy comiendo.*
a) llaman   b) llamen

105 [Hablando de una amiga] *Le sorprendió* _____ *a Valeria en la fiesta.*
a) ver   b) vea

106 [En un hotel] *Me ha sorprendido que no* _____ *ascensor en este hotel.*
a) habría   b) haya

107 [Esperando a un amigo] *Sospecho que _____ tarde. Siempre hace lo mismo.*
a) va a llegar   b) vaya a llegar

108 [En un gimnasio] *Para el dolor que tienes, te sugiero que _____ más ejercicios de estiramiento.*
a) haces   b) hagas

109 [Hablando de una amiga] *Supongo que nos _____ si decide no venir.*
a) llamará
b) llame

110 [Hablando de un compañero] *Es verdad que no _____ muy bien, pero nos respetamos.*
a) nos llevemos   b) nos llevamos

8 Indicativo / Subjuntivo. Conectores.

1 [En un documento] *La información puede ser copiada para su uso personal a condición de que _____ los derechos de autor.*
a) se respeten b) respetarse

2 [Hablando de una aplicación para el móvil] *Puedes aprender al mismo tiempo que _____.*
a) juegas   b) juegues

3 [Con un amigo, un día soleado] *Han dicho que a lo mejor _____ mañana.*
a) llueve   b) llueva

4 [Dirección General de Tráfico] *A medida que _____ la velocidad, el campo de visión del conductor se va reduciendo.*
a) aumenta   b) aumentar

5 [En clase de Español] *No voy a explicar la diferencia otra vez a menos que alguien no lo _____ claro.*
a) tenga   b) tiene

6 [Hablando de planes] *Iremos a la playa a no ser que _____.*
a) llueve   b) llueva

7 [Con un compañero de clase] *¿Comemos algo antes de _____ en clase?*
a) entrar   b) entremos

8 [Con un compañero de piso] *No te preocupes, que yo limpio todo antes de que _____ tus amigos.*
a) llegan   b) lleguen

9 [Hablando de un conocido] *A pesar de _____ setenta años, aparenta ser muy joven.*
a) tengo   b) tener

10 [Con un amigo, hablando de un viaje] *La agencia de viajes no nos ha reservado el hotel, a pesar de que _____ el viaje con antelación.*
a) pagamos   b) paguemos

11 [Un padre con su hijo, antes de una carrera] *Pues a pesar de que _____ viejo, voy a ganarte, ya lo verás.*
a) ser   b) sea

12 [Hablando de la hija de un amigo] *Esta tarde viene la hija de Pablo a que le _____ matemáticas.*
a) explico   b) explique

13 [Con un familiar] *Vamos a ir al oculista a que te _____ la vista.*
a) gradúa   b) gradúe

14 [En una clase] *Vuestro profesor está enfermo, así es que yo _____ la clase.*
a) voy a dar
b) vaya a dar

15 [Con un amigo, hablando de planes] *Marta viene al cine con nosotros, así que _____ en su casa.*
a) la recoja b) recógela

16 [Con una amiga] *Me presentaré al examen, aunque no _____.*
a) aprueba
b) apruebe

17 [Después de llamar a alguien varias veces] *Cada vez que lo _____, me sale el buzón de voz.*
a) llamo   b) llame

18   [Hablando de la infancia] *Cada vez que*
_____ *que ir al dentista, me ponía a*
llorar.
a) tenía   b) tuviera

19   [Con un amigo, hablando de planes futuros]
Voy a viajar cada vez que _____ *la*
oportunidad.
a) tengo   b) tenga

20   [Con una amiga] *Como no me* _____ *, creí*
que no ibas a venir.
a) llamaste   b) llamaras

21   [Preparando unas lentejas] *Yo hago las*
lentejas como mi madre me _____ *.*
a) enseñó   b) enseñara

22   [Una madre amenazando a su hijo pequeño]
Como no _____ *, no sales esta tarde.*
a) terminas   b) termines

23   [Comentando una foto] *No es tan alto como*
_____ *en la foto.*
a) parece   b) parezca

24   [En un bar, hablando de un amigo] *Juan ha*
llegado hace un rato y no nos ha saludado.
Parece como si _____ *enfadado con*
nosotros.
a) está   b) estuviera

25   [En el periódico] *La Universidad Europea*
ofrece la posibilidad de realizar estancias
en el extranjero, con el fin de que
todos sus estudiantes _____ *una visión*
internacional de su profesión.
a) tienen   b) tengan

26   [En la presentación de un trabajo de
investigación] *He añadido un índice de*
términos con el objetivo de _____ *su*
búsqueda.
a) facilitar   b) facilite

27   [En un anuncio comercial] *Hemos bajado*
los precios con el objetivo de que nuestros
clientes _____ *más satisfechos.*
a) están   b) estén

28   [Un profesor] *He colgado toda la*
información en internet con el objeto de
que _____ *consultarla fácilmente.*
a) podéis   b) podáis

29   [Hablando de un compañero de trabajo]
Está haciendo méritos con la intención de
_____ *en la empresa.*
a) promocionarse
b) se promociona

30   [Con un amigo, hablando de fútbol] *Ya se ha*
resuelto la situación del equipo, conque
ahora todos _____ *más tranquilos.*
a) estuviéramos   b) estaremos

31   [Con un amigo que acaba de llegar] *¡Conque*
no _____ *a venir! Siempre dices lo mismo*
y al final vienes.
a) ibas   b) fueras

32   [Hablando de trabajo] *Prefiero* _____
menos ingresos con tal de tener más
flexibilidad en el horario.
a) tener   b) tenga

33   [Unos padres con su hijo] *Estamos*
dispuestos a comprarte un ordenador
nuevo con tal de que _____ *.*
a) estudias   b) estudies

34   [Con un amigo, hablando de hábitos] *Cuando*
_____ *a casa, me ducho y me pongo*
cómodo.
a) llego   b) llegue

35   [Con un amigo] *Te escribiré un mensaje*
cuando _____ *.*
a) lleguemos   b) llegaremos

36   [Dándole un consejo a un amigo] *Cuando no*
se puede solucionar un problema, ¿de qué
sirve que uno _____ *?*
a) se preocupa   b) se preocupe

37   [En un periódico] *Dado que no* _____
posible entrevistar a toda la población,
es necesario hacer una selección para
realizar la encuesta.
a) es   b) sea

38   [En el periódico] *La imagen de un producto*
es lo primero que vemos, de ahí que el
diseño gráfico _____ *tan de moda.*
a) está   b) esté

39   [Con un amigo, hablando del tiempo] *Desde*
que _____ *aquí no ha salido el sol.*
a) llegué   b) llegue

40 [Una madre hablando con su hijo] *Después de que _____ los deberes, puedes ir a jugar.*
a) haces   b) hagas

41 [Con un familiar, hablando de planes] *¿Ahora no quieres ir al cine? Después de que _____ del trabajo antes para poder ir juntos.*
a) he salido   b) haya salido

42 [Con un amigo que se va de viaje] *Llámame en caso de que _____ algún problema.*
a) tienes   b) tengas

43 [Con una amiga, hablando de su hijo] *Es muy responsable. Se pone a estudiar en cuanto _____ del colegio.*
a) llega   b) llegue

44 [Un profesor con un alumno] *Envíame el primer capítulo de la tesis en cuanto lo _____ listo.*
a) tienes   b) tengas

45 [Hablando con una amiga] *Si tú lo dices, entonces _____ verdad.*
a) será   b) sea

46 [Con un amigo que te ha invitado a cenar] *No voy a poder ir. Es que no _____ muy bien.*
a) me encuentre   b) me encuentro

47 [Con una compañera de trabajo] *Al final no fui a la presentación del libro, pero no es que no _____, es que se me olvidó completamente.*
a) pude   b) pudiera

48 [Un padre a su hija] *Yo tuve muchas novias hasta que _____ a tu madre.*
a) conocí   b) conociera

49 [Hablando de una comida] *No os preocupéis, que no empezaremos a comer hasta que _____.*
a) llegáis
b) lleguéis

50 [Hablando de un amigo que ha llegado a nuestra ciudad] *Esta tarde podemos llevarlo a dar una vuelta por el centro, o igual _____ descansar un rato.*
a) prefiere   b) prefiera

51 [Con una amiga, hablando de planes] *No me esperéis porque lo mismo no _____.*
a) voy   b) vaya

52 [Hablando de un amigo del pasado] *Le gustaba estudiar mientras _____ música relajante.*
a) escuchaba   b) escuchara

53 [Con un compañero de trabajo] *Mientras (que) tú no _____ tu parte, yo no puedo empezar la mía.*
a) terminas
b) termines

54 [Hablando de un familiar] *Nada más _____, me acordé de su padre.*
a) verlo   b) lo viera

55 [Una madre con su hijo] *Por favor, envíame un correo nada más _____ a Nueva York.*
a) llegáis   b) lleguéis

56 [Una madre después de que su hijo le pida más dinero] *¡Ni que _____ millonarios!*
a) somos   b) fuéramos

57 [En una fiesta, hablando de un amigo] *Ojalá _____, pero no creo que le dé tiempo a terminar todo el trabajo.*
a) viene   b) viniera

58 [Hablando de una amiga] *Está aprendiendo español para _____ a Hispanoamérica.*
a) viajar   b) viaja

59 [Dando un consejo a un amigo] *Te lo digo para que _____ cuidado.*
a) tienes   b) tengas

60 [Una chica que va a llegar más tarde a casa] *Llamaré a mi madre para que no _____.*
a) se preocupa
b) se preocupe

61 [Con una amiga, en un bar] *He empezado a hacer régimen, por eso _____ cerveza sin alcohol.*
a) tomo   b) tome

62 [En el periódico] *Los acuerdos se han incumplido, por lo tanto no _____ haber negociación.*
a) puede   b) pueda

63   [Hablando del futuro] *Por más que _____ ahora, no conseguiré tener una buena jubilación.*
a) trabajo   b) trabaje

64   [Hablando de un futbolista] *Ha declarado que por mucho dinero que le _____ el otro club, nunca dejará a su equipo.*
a) ofrece   b) ofrezca

65   [Hablando de un profesor] *Por muy simpático que _____, luego es muy duro poniendo notas.*
a) es   b) sea

66   [Hablando de planes] *Por muy lejos que _____ tu casa, voy a tardar menos si voy andando.*
a) está   b) esté

67   [Con un amigo] *Julia no ha venido porque _____ trabajo.*
a) tenía
b) tuviera

68   [Hablando de planes] *Si todo va bien, puede que _____ un mes más en España.*
a) me quedo   b) me quede

69   [Después de una entrevista de trabajo] *Puesto que _____ mucha experiencia en el área de ventas, vamos a darte una oportunidad en nuestra empresa.*
a) tienes   b) tengas

70   [Buscando una nueva casa] *He visto una casa que _____ un jardín enorme.*
a) tiene   b) tenga

71   [Buscando una nueva casa] *Busco una casa que _____ un jardín grande.*
a) tiene   b) tenga

72   [Con un amigo, por teléfono] *Miguel, no hables tan rápido, que no _____.*
a) te entiendo   b) te entienda

73   [Hablando del tiempo] *Ha llovido tanto que _____ algunas calles.*
a) se han inundado
b) se hayan inundado

74   [Al despedirnos de un amigo que va de viaje] *Que te lo _____ bien.*
a) pasas   b) pases

75   [Con una amiga, en un bar] *Este es el chico de quien te _____.*
a) hablé   b) hablara

76   [Con unos amigos, en una cena] *Quien _____ un poco más que repita.*
a) quiere   b) quiera

77   [Expresando un deseo] *¡Quién _____ tomarse unas vacaciones ahora!*
a) pudo   b) pudiera

78   [Con un amigo] *Todavía no estoy bien del todo. Voy a clase según _____.*
a) me encuentro
b) me encuentre

79   [En una tienda, hablando de un vestido] *Si _____ bien, me lo compro.*
a) me queda   b) me quede

80   [Después de hacer un examen que no le ha salido bien] *Si _____ el examen, no tendría que estudiar en verano.*
a) aprobé   b) aprobara

81   [Hablando de planes] *Si _____ más joven, iría con vosotros a esquiar.*
a) soy   b) fuera

82   [Hablando de una reunión de amigos] *Si me _____ antes, hubiese ido.*
a) había avisado
b) hubiera avisado

83   [Con un amigo, hablando de hábitos] *Siempre que _____ a casa, me pongo las zapatillas.*
a) llego   b) llegue

84   [Con un amigo, hablando de hábitos pasados] *Antes de la dieta, siempre que _____, me comía un helado.*
a) me apetecía   b) me apeteciera

85   [Un profesor a una alumna] *Te resolveré las dudas siempre que me _____.*
a) preguntas
b) preguntes

86   [Buscando aparcamiento] *Mi coche es tan grande que nunca _____ aparcamiento.*
a) encuentro
b) encuentre

87 [Hablando de hábitos] *Me pongo el pijama tan pronto como _____ a casa.*
a) llego   b) llegar

88 [Con un amigo] *Te llamé para decírtelo tan pronto como _____, pero no estabas en casa.*
a) me enteré   b) me enterara

89 [Después de una entrevista] *Le daremos una respuesta tan pronto como _____ posible.*
a) es   b) sea

90 [A la hora de la cena] *Come tanto que después no _____ dormir.*
a) puede   b) pueda

91 [Hablando con un familiar que vive lejos] *Iremos a verte una vez que _____ de pintar la casa.*
a) hemos terminado
b) hayamos terminado

92 [Una madre con su hijo] *Una vez que _____ con el médico, llámame para contarme lo que te ha dicho.*
a) hablas   b) hables

93 [Hablando de un viaje] *Tuvimos que alquilar varios coches, ya que _____ muchas personas.*
a) éramos
b) fuéramos

94 [Hablando de un examen] *Ya que _____, deberíamos celebrarlo, ¿no?*
a) has aprobado
b) hayas aprobado

95 [Hablando de un amigo] *Habla muy bien italiano, y eso que nunca _____ en Italia.*
a) ha estado
b) haya estado

9 Verbos de cambio

1 [Hablando de un amigo] *Antes trabajaba para una empresa, pero ahora _____ autónomo.*
a) se ha hecho   b) se ha puesto

2 [Una madre hablando de su hijo] *_____ mayor en muy poco tiempo.*
a) Se ha hecho
b) Se ha puesto

3 [Hablando de un amigo] *Dice que desde que _____ vegetariano se siente mucho mejor.*
a) ha llegado a ser   b) se ha hecho

4 [Con un amigo] *¿Tampoco quieres salir esta noche? _____ un aburrido.*
a) Te has vuelto
b) Te has quedado

5 [En el periódico] *Un chico de diecisiete años _____ rico vendiendo una aplicación para móviles.*
a) se ha convertido en
b) se ha hecho

6 [Hablando de un familiar] *Después de comer _____ malo.*
a) se ha quedado   b) se ha puesto

7 [Hablando de un amigo] *_____ jefe de la empresa con solo treinta y dos años.*
a) Llegó a ser   b) Se ha vuelto

8 [Hablando de un amigo] *Siempre que toma el sol _____ rojo.*
a) se hace   b) se pone

9 [En casa] *Esta Coca-Cola no estaba bien cerrada y _____ sin gas.*
a) se ha puesto   b) se ha quedado

10 [Con un compañero de clase] *Cuando tenemos examen, _____ muy nervioso.*
a) me pongo
b) ha llegado a ser

11 [Titular en una revista] *No hace falta ser inteligente para _____ un genio.*
a) hacerse
b) convertirse en

12   [Hablando de un boda] *Cuando entraron los novios, todo el mundo _____ de pie.*
a) se hizo   b) se puso

13   [Hablando de una amiga] *María estuvo haciendo régimen todo el verano y _____ muy delgada*
a) se hizo   b) se quedó

14   [Con un amigo extranjero, hablando de una ciudad] *En agosto, Madrid _____ vacía.*
a) se queda
b) se vuelve

15   [Con un amigo extranjero] *Desde que vives en España, _____ más cariñoso.*
a) te has puesto   b) te has vuelto

10 Perífrasis

1   [Hablando de un objeto de valor que ha cogido un niño] *Le dije que no lo cogiera y al final _____.*
a) acabó de romperlo
b) acabó rompiéndolo

2   [Hablando de un amigo] *Se presentó al examen en varias ocasiones, pero como no aprobaba, _____ la carrera.*
a) pudo dejar
b) acabó por dejar

3   [Con una amiga, por teléfono] *_____ a casa, luego te llamo.*
a) Acabo de llegar
b) Acabé llegando

4   [Con un compañero de piso] *Por fin _____. ¿Te apetece que vayamos a tomar algo?*
a) acabé de estudiar
b) acabé estudiando

5   [Hablando del partido de fútbol de la noche anterior] *Íbamos ganando, pero _____.*
a) acabamos de perder
b) acabamos perdiendo

6   [Contando una anécdota] *_____ de casa cuando me llamaron para la entrevista.*
a) Puedo salir
b) Acababa de salir

7   [En una cafetería] *En cuanto _____ el café, nos vamos.*
a) acabe de tomarme
b) acabe tomándome

8   [Explicando el final de una discusión] *Le costó admitir que estaba equivocado, pero _____ la razón.*
a) acabó por darme
b) acabó de darme

9   [Con un amigo, hablando de un familiar] *Mi hermano _____ en la misma empresa desde hace diez años.*
a) sigue sin trabajar
b) continúa trabajando

10   [Hablando de una compañera de piso] *Creo que Carla _____, así que es mejor que la dejemos tranquila.*
a) continúa sin dormir
b) continúa dormida

11   [Hablando de un familiar] *Mi hermano no _____.*
a) acaba trabajando
b) continúa trabajando

12   [En casa] *_____ a tu madre con las tareas del hogar.*
a) Lleva ayudando
b) Debes ayudar

13   [Esperando a unos amigos] *_____ sobre las 18:00.*
a) Han dejado de llegar
b) Deben de llegar

14   [Hablando de un amigo] *_____ a nuestra casa desde que discutimos.*
a) Ha dejado de venir
b) Ha vuelto a venir

15 [Recomendando una ruta a un amigo] _____ *por Frigiliana, vale la pena visitar este pueblo.*
a) Acaba de pasar
b) Deberíais pasar

16 [Un hijo pidiendo permiso a su padre] _____ *esta noche, papá.*
a) Deja de salir b) Déjame salir

17 [Con un amigo, por teléfono] *Ahora _____, pero te llamo en una hora.*
a) déjame trabajar
b) estoy trabajando

18 [Hablando de nuevos hábitos] _____ *al gimnasio.*
a) He empezado a ir
b) Me he puesto a ir

19 [Dando la razón a un amigo] _____ *que tienes razón.*
a) Dejo de reconocer
b) He de reconocer

20 [En una entrevista de trabajo] _____ *dos años en Barcelona.*
a) He vuelto a trabajar
b) He estado trabajando

21 [En una fiesta sorpresa] *Alfonso _____, apagad las luces.*
a) hay que llegar
b) está a punto de llegar

22 [Con un compañero de piso, hablando de planes] *Mañana _____ lo que nos falta para la fiesta.*
a) dejé de comprar
b) voy a comprar

23 [Disculpándose] _____, *de verdad, pero al final no pude.*
a) Podía llamarte
b) Iba a llamarte

24 [Con un amigo, hablando de planes] *Mañana _____ al cine, ¿te apuntas?*
a) voy a ir b) sigo sin ir

25 [Hablando de la afición de un familiar] *Mi abuelo _____ una importante colección de arte.*
a) lleva teniendo b) llegó a tener

26 [Con un amigo que tiene prisa] *Yo _____. Te espero en el coche.*
a) llevo saliendo b) voy saliendo

27 [Con una compañera de trabajo] _____ *en esta empresa dos años.*
a) Sigo trabajando
b) Llevo trabajando

28 [Hablando de planes] *Yo no _____ mañana. Ya he quedado.*
a) dejo de ir b) puedo ir

29 [Hablando de una compañera de clase] _____ *a clase tres días.*
a) Lleva sin venir
b) Sigue sin venir

30 [En un museo] *Aquí no se _____ fotos.*
a) pueden hacer b) deben de hacer

31 [En una tienda] *¿ _____ el precio de esta cafetera?*
a) Puede decirme
b) Acaba por decirme

32 [Con un compañero de clase] _____ *toda la noche.*
a) Sigo sin estudiar
b) Me he quedado estudiando

33 [Hablando de un bebé] _____ *de repente. No sé qué le pasa.*
a) Acabo de llorar
b) Se ha puesto a llorar

34 [Hablando de amigos comunes] _____ *cuando les dijimos que nos íbamos a casar.*
a) Suelen sorprenderse mucho
b) Se quedaron muy sorprendidos

35 [Con un compañero de piso] *La puerta _____ y el gato del vecino se metió dentro de casa.*
a) se quedó abierta b) se puede abrir

36 [Con una amiga] *Anoche _____ viendo la tele.*
a) me voy a dormir
b) me quedé dormida

37 [Un profesor hablando de un alumno] *Jorge _____ tarde a clase.*
a) lleva llegando b) sigue llegando

38   [Con un amigo extranjero] *Los españoles ____ tarde.*
   a) tenemos que acostarnos
   b) solemos acostarnos

39   [Hablando de una amiga] *Ana no ____ la carrera.*
   a) lleva estudiando
   b) sigue estudiando

40   [Preguntando a un vecino] *¿ ____ el ascensor?*
   a) Sigue roto
   b) Lleva roto

41   [En una clase de Ciencias] *Cuando llueve y hace sol ____ el arcoíris.*
   a) tiene que verse
   b) suele verse

42   [Un profesor con un alumno] *____ más si quieres aprobar.*
   a) Lleva sin estudiar
   b) Tienes que estudiar

43   [Hablando de unos amigos] *Ya ____ en casa. ¿Los llamamos?*
   a) hay que estar
   b) tienen que estar

44   [Con un compañero de piso] *____ una copia de la llave, no sé dónde está la mía.*
   a) Dejo de hacer
   b) Tengo que hacer

45   [Hablando de libros] *____ El Quijote. Lo leí por primera vez hace veinte años.*
   a) Llevo leyendo
   b) He vuelto a leerme

11 Palabras con tilde y sin tilde

1   [Dos profesores hablando de un alumno] *____ sabiendo que no aprobaría, se presentó al examen.*
   a) Aun   b) Aún

2   [Con un amigo] *¿____ no sabes cuándo empieza el torneo de pádel?*
   a) Aun   b) Aún

3   [En un colegio] *¿____ se llama tu profesora?*
   a) Como   b) Cómo

4   [Con una amiga] *____ no me llamaste, creí que no ibas a venir.*
   a) Como   b) Cómo

5   [Preparando unas lentejas] *Yo hago las lentejas ____ mi madre me enseñó.*
   a) como   b) cómo

6   [Una madre hablando con su hijo pequeño] *____ no termines, no sales esta tarde.*
   a) Como   b) Cómo

7   [Hablando de un amigo al que tienen que darle una mala noticia] *No sé ____ decírselo.*
   a) como   b) cómo

8   [Comentando una foto] *No es tan alto ____ parece en la foto.*
   a) como
   b) cómo

9   [Con un amigo, preparando una paella] *Haz la paella ____ tú sepas. Yo no tengo ni idea de cómo se prepara*
   a) como   b) cómo

10   [En una fiesta, con una amiga] *¡____ puedes llevar esos tacones tan altos!*
   a) Como   b) Cómo

11   [Con una amiga, delante de unos pasteles] *¿____ de los dos prefieres?*
   a) Cual   b) Cuál

12   [Eligiendo un vestido] *No sé ____ ponerme. Los dos vestidos son preciosos.*
   a) cual   b) cuál

13   [En un libro de gramática] *Es necesario el uso del verbo ser, el ____ puede tener distintos significados.*
   a) cual
   b) cuál

14 [En una guía turística] *La terraza del hotel, desde la _____ se puede contemplar el mar, está abierta solo durante los meses de julio y agosto.*
a) cual   b) cuál

15 [En el probador de una tienda, hablando de varios pantalones] *¿_____ te gustan más? ¿Estos o esos?*
a) Cuales   b) Cuáles

16 [Con un amigo, contando lo que hizo el día anterior] *_____ llegué a casa, me duché y me puse cómodo.*
a) Cuando   b) Cuándo

17 [Con unos amigos que viven en otra ciudad] *¿_____ vais a venir a visitarnos?*
a) Cuando   b) Cuándo

18 [Una madre enfadada con su hijo] *¡_____ aprenderás a ser responsable!*
a) Cuando   b) Cuándo

19 [Con un amigo, hablando de su futuro matrimonio] *No sabes _____ me ha costado decidirme.*
a) cuanto
b) cuánto

20 [En una fiesta] *He invitado a unos _____ compañeros de trabajo.*
a) cuantos   b) cuántos

21 [Un encuentro de dos amigos] *¡Hombre, _____ tiempo sin verte!*
a) cuanto   b) cuánto

22 [Con un amigo, hablando de hábitos] *_____ más duermo, más sueño tengo.*
a) Cuanto   b) Cuánto

23 [En el periódico] *La exposición se inaugura hoy. Un espacio abierto que acogerá a _____ deseen acercarse a ella.*
a) cuantos   b) cuántos

24 [Con un amigo] *Al final, ¿_____ somos para la comida?*
a) cuantos   b) cuántos

25 [Con un compañero que no conoces] *¿_____ dónde eres?*
a) De   b) Dé

26 [En la recepción de un hotel] *Preferimos una habitación que no _____ a la piscina.*
a) de   b) dé

27 [Con una compañera de clase] *Este es el libro _____ Marisa. Ella siempre se sienta aquí.*
a) de   b) dé

28 [Con un amigo] *¿_____ has estado este fin de semana?*
a) Donde   b) Dónde

29 [Con un amigo, delante de un edificio] *Este es el colegio _____ yo estudié.*
a) donde
b) dónde

30 [Buscando unas llaves] *No sé _____ he puesto las llaves del coche.*
a) donde   b) dónde

31 [En un restaurante] *_____ vino de esta región es muy bueno.*
a) El   b) Él

32 [Con una amiga, hablando de una pareja] *A mí me parece que _____ vale más que ella.*
a) el   b) él

33 [Con una amiga, hablando de un ex] *¿Otra vez estás saliendo con _____?*
a) el   b) él

34 [Hablando de planes] *Este domingo como con _____ familia.*
a) mi   b) mí

35 [Dando una opinión] *Para _____ el mejor café es el italiano.*
a) mi   b) mí

36 [Hablando de una relación sentimental] *Alejandro dice que está enfadado conmigo, pero no entiendo el _____.*
a) porque   b) porqué

37 [Con un amigo] *Julia no ha venido _____ tenía trabajo.*
a) porque   b) por qué

38 [Hablando de unas amigas] *No sé _____ no vienen. No me lo han dicho.*
a) por qué   b) porque

39 [Respondiendo a una pregunta] _____ quería darte una sorpresa.
a) Porque   b) Por qué

40 [Hablando de un examen] *Suspendí el examen no* _____ *no estudiara, sino porque era muy difícil.*
a) porque   b) porqué

41 [Con un profesor] ¿_____ *no ha venido Martin a clase?*
a) Porque
b) Por qué

42 [Hablando de una chica] *La chica* _____ *vino con nosotros, es la hermana de Gonzalo.*
a) que   b) qué

43 [Señalando una casa] *Esta es la casa en la* _____ *nació mi padre.*
a) que   b) qué

44 [En una tienda] ¡_____ *bonitos son estos zapatos!*
a) Que   b) Qué

45 [Presentando a un amigo] *Este es el amigo del* _____ *tantas veces me has oído hablar.*
a) que   b) qué

46 [Buscando una nueva casa] *Busco una casa* _____ *tenga un jardín grande.*
a) que   b) qué

47 [Hablando de gustos] *Me gusta más la carne* _____ *el pescado.*
a) que   b) qué

48 [Preguntando por los planes] ¿_____ *quieres hacer esta tarde?*
a) Que   b) Qué

49 [Con un amigo, por teléfono] *Miguel, no hables tan rápido,* _____ *no te entiendo.*
a) que   b) qué

50 [Hablando del tiempo] *Ha llovido tanto* _____ *se han inundado algunas calles.*
a) que   b) qué

51 [Hablando de un amigo] *Me da pena* _____ *no pueda venir al viaje.*
a) que   b) qué

52 [Al despedirnos de un amigo que va de viaje] _____ *te lo pases bien.*
a) Que   b) Qué

53 [Con una amiga] *Todavía no he pensado* _____ *voy a comprarle a mi padre para Reyes.*
a) que   b) qué

54 [Enseñando una foto del móvil] *Esta es la chica con* _____ *salí anoche.*
a) quien   b) quién

55 [Organizando planes] _____ *venga que lo diga.*
a) Quien   b) Quién

56 [Con una amiga, en un bar] ¿_____ *es ese chico que va con vosotros?*
a) Quien   b) Quién

57 [Con una amiga, en un bar] *Este es el chico de* _____ *te hablé.*
a) quien   b) quién

58 [Refrán] *A* _____ *madruga, Dios le ayuda.*
a) quien   b) quién

59 [Con unos amigos, en una cena] _____ *quiera un poco más que repita.*
a) Quien   b) Quién

60 [Con un compañero de piso] *No sé* _____ *ha llamado a la puerta.*
a) quien   b) quién

61 [Expresando un deseo] ¡_____ *pudiera tomarse unas vacaciones ahora!*
a) Quien   b) Quién

62 [Hablando de un niño pequeño] *Ya* _____ *ha lavado las manos.*
a) se   b) sé

63 [Hablando de España] *En España* _____ *cocina con aceite de oliva.*
a) se   b) sé

64 [Hablando de una amiga] *Yo no* _____ *nada de ella desde hace meses.*
a) se   b) sé

65 [En un cartel de una tienda] *No* _____ *admiten devoluciones.*
a) se
b) sé

66 [Una madre con su hijo] ¡ _____ bueno y
    hazle caso a tu profesora!
    a) Se   b) Sé

67 [Hablando de planes] _____ tenemos
    vacaciones en agosto, nos iremos de viaje.
    a) Si   b) Sí

68 [Con un amigo] Me preguntó _____
    pensabas ir a la fiesta.
    a) si   b) sí

69 [Respondiendo a un camarero] _____, con
    leche, por favor.
    a) Si   b) Sí

70 [En una tienda, hablando de un vestido]
    _____ me queda bien, me lo compro.
    a) Si
    b) Sí

71 [Hablando de un niño] Se ha hecho daño a
    _____ mismo.
    a) si
    b) sí

72 [Después de pedirle la moto al padre] Ya
    tengo el _____ de mi padre.
    a) si   b) sí

73 [Hablando del favor que le ha hecho un
    amigo] David _____ que es un buen
    amigo.
    a) si   b) sí

74 [En una cafetería] ¿Qué _____ apetece
    tomar?
    a) te   b) té

75 [En una cafetería] Yo quiero un _____ con
    un poquito de leche, por favor.
    a) te   b) té

76 [Con un amigo, hablando de planes] A mí me
    gustaría que vinieras, pero ¿_____ quieres
    venir?
    a) tu   b) tú

77 [Con un amigo] ¿Te gusta _____ profesor?
    ¿Y tus compañeros, cómo son?
    a) tu   b) tú

12 Uso incorrecto de una palabra

1 [Hablando de una comida] No la hizo Paula,
   _____ Manolo.
   a) pero   b) sino

2 [Hablando de un compañero de clase] Es
   muy guapo, _____ muy antipático.
   a) pero   b) sino

3 [El profesor pregunta a sus alumnos] ¿Tenéis
   alguna duda _____ del examen del
   próximo viernes?
   a) acerca   b) cerca

4 [Hablando de un amigo común] La ONG en
   la que trabaja ayuda a _____ de quince
   mil personas sin recursos.
   a) acerca   b) cerca

5 [Con un amigo, hablando de planes] Este
   fin de semana _____ Shakira en Madrid.
   ¿Vamos al concierto?
   a) actúa   b) juega

6 [En una reunión de amigos] ¿Alguien sabe
   _____ la guitarra?
   a) tocar   b) jugar

7 [Hablando de la ciudad en la que estoy
   viviendo] Es una ciudad muy _____.
   a) agradable   b) amable

8 [Con un compañero de clase] ¡_____
   es viernes! Mañana no tenemos que
   madrugar.
   a) Al final   b) Al fin

9 [Con un amigo, hablando de planes] He
   hablado con Marta y _____ no vamos a
   cenar al restaurante italiano.
   a) al final   b) al fin

10 [Con un amigo, hablando de la compra de un
   coche] En el concesionario me han ofrecido
   3000 € _____ de mi antiguo coche.
   a) en cambio   b) a cambio

11 [Hablando de las hijas de un amigo] *Son mellizas. Una es muy rubia y, _____, la otra es morena.*
a) en cambio   b) a cambio

12 [Con unos amigos] *¿ _____ de vosotros va a venir conmigo?*
a) Alguien
b) Alguno

13 [En una carrera de coches] *Ha llegado en _____ lugar.*
a) tercer   b) tercero

14 [Hablando de planes] *_____ que estudiar.*
a) Tengo   b) Debo

15 [Con un amigo] *_____ que viajé en avión tenía tres años.*
a) La primera vez
b) El primer tiempo

16 [En un restaurante] *No, _____ no hemos pedido.*
a) todavía   b) ya

17 [Con un amigo, delante de un edificio] *Aquí es donde yo vivo, es un edificio muy _____.*
a) antiguo   b) anciano

18 [Con un compañero de clase] *Yo no cojo el autobús, _____ porque vivo cerca.*
a) ando
b) voy andando

19 [Con un compañero de clase] *¿Comemos algo _____ clase?*
a) antes de   b) antes

20 [En un gimnasio] *Echa la cabeza _____.*
a) atrás   b) detrás

21 [Explicando una dirección] *La calle Salitre está _____ la oficina de Correos.*
a) detrás   b) detrás de

22 [Hablando de la ciudad en la que estoy viviendo] *Me gusta mucho mi _____ porque hay muchas tiendas.*
a) suburbio   b) barrio

23 [Un día caluroso] *Hace _____ calor.*
a) bastante
b) suficiente

24 [Con un amigo, hablando de planes] *Esta noche voy a estar estudiando en la _____ porque pasado mañana tengo un examen.*
a) librería   b) biblioteca

25 [Con un amigo, hablando de un viaje] *Ya tengo _____ para Berlín.*
a) los billetes
b) las entradas

26 [Con un amigo, hablando de planes] *Ya tengo _____ para el concierto de U2.*
a) los billetes   b) las entradas

27 [En un supermercado] *¿Quieres _____?*
a) bolsas   b) bolsos

28 [En una zapatería, con una amiga] *Prefiero gastarme más dinero y que los zapatos sean de buena _____.*
a) cualidad   b) calidad

29 [Un día caluroso] *Hoy hace mucho _____.*
a) calor   b) caliente

30 [Hablando de una clase] *Esta clase _____ una hora y media.*
a) tarda   b) dura

31 [Con un amigo] *Me hace ilusión cuando recibo una _____.*
a) carta
b) letra

32 [En clase de Español] *Para mañana tenéis que escribir _____ sobre vuestro tiempo libre.*
a) un ensayo   b) una composición

33 [Con un amigo] *¿Conoces _____ Juan?*
a) a   b) Ø

34 [Con un familiar, viendo unas fotos antiguas] *¿Has visto las fotos de la boda de tus padres? _____ así era la moda en los años 70.*
a) Como   b) Ø

35 [Preguntando por una ciudad] *¿ _____ Granada?*
a) Conoces   b) Sabes

36 [En una tienda, con una amiga] *¿ _____ camiseta te gusta más?*
a) Cuál   b) Qué

37   [Recomendando un producto a una amiga]
Es estupendo para todo tipo de pieles y
puedes encontrarlo en _____ farmacia.
a) cualquiera   b) cualquier

38   [Con un amigo] *Te escribiré un mensaje*
cuando _____.
a) llegaremos   b) lleguemos

39   [Con un compañero de clase] *Me acabo de*
_____ *que María lleva dos días sin venir a*
clase.
a) dar cuenta de   b) realizar

40   [Con un amigo extranjero] *Estudio español*
_____ *un año.*
a) hace   b) desde

41   [Con un amigo] *Nos vemos _____ las*
clases.
a) después   b) después de

42   [Hablando de un compañero de clase]
Siempre se distrae _____ explica el profesor.
a) durante   b) mientras

43   [Hablando de una amiga] *Le encantan*
_____ *deportes de riesgo.*
a) los   b) Ø

44   [En el periódico] *Shakira _____ con sus*
bailarinas antes del concierto que dará el
próximo domingo.
a) ensaya   b) practica

45   [En una fiesta] *¿Quién es _____ chico tan*
atractivo?
a) ese   b) eso

46   [Hablando de la programación] *Esta semana*
ponen la segunda _____ de House.
a) temporada   b) estación

47   [Expresando una opinión] *La gente _____*
muy simpática.
a) son   b) es

48   [Hablando de un hijo] *Héctor lleva siempre*
_____ *de béisbol que le regaló su amigo de*
Estados Unidos.
a) el gorro   b) la gorra

49   [Hablando de un compañero] _____ *gusta*
que la gente sea puntual.
a) Le   b) Se

50   [Hablando de gustos] *Me gusta _____*
chocolate.
a) el   b) Ø

51   [Con un amigo extranjero] *En mi ciudad hay*
_____ *museo del vino que es interesante.*
a) el   b) un

52   [En una clase] *Siempre _____ muchos*
errores cuando hablo español.
a) cometo   b) hago

53   [En un restaurante] _____ *el vino, está muy*
bueno.
a) Intenta   b) Prueba

54   [Con una amiga, por teléfono] *Ahora _____*
para tu casa.
a) vamos   b) venimos

55   [Hablando de una chica] *La chica _____*
vino con nosotros es la hermana de
Gonzalo.
a) que   b) quien

56   [En un restaurante, con un amigo extranjero]
¿_____ son las migas?
a) Qué   b) Cuál

57   [Con un compañero de clase] *¿ _____ es tu*
correo?
a) Qué   b) Cuál

58   [Hablando del novio de una amiga] *¡_____*
alto es!
a) Cómo   b) Qué

59   [En la mesa, antes de terminar de comer] *No*
puedo más. Estoy _____.
a) lleno   b) completo

60   [Recibiendo una visita en casa] *Pasa _____*
que está María esperándote.
a) adentro   b) dentro

61   [En clase, el profesor informa a los alumnos]
Los exámenes empezarán _____ dos
semanas.
a) dentro de   b) dentro

62   [Con un compañero de piso] *He dejado las*
llaves del coche _____ del cajón de la
entrada.
a) adentro
b) dentro

63   [Hablando de una casa] _____ compramos
hace seis años.
a) La   b) Ø

64   [Hablando de una amiga] *A Carmen no*
_____ *invité a mi cumpleaños.*
a) la   b) Ø

65   [Hablando de una casa] *La casa* _____
compramos hace seis años.
a) la   b) Ø

66   [En una fiesta de cumpleaños] *¿Qué* _____
has regalado a Carmen?
a) le   b) Ø

67   [Probando un plato] *¿* _____ *has puesto*
pimienta a la salsa?
a) Le   b) Ø

68   [Hablando de un vestido] *El vestido* _____
compré hace varios años.
a) lo   b) Ø

69   [Un profesor a su alumno] _____ *mucho*
que no hayas aprobado el examen.
a) Siento   b) Lo siento

70   [En la terraza de una heladería] _____,
¿puedo coger la silla?
a) Perdona   b) Lo siento

71   [Hablando de las vacaciones] *Este verano*
hemos pasado una semana en un hotel
_____.
a) de lujo   b) lujurioso

72   [Hablando de un conocido] *No me gusta*
nada como trata a su novia. Es un _____.
a) macho
b) machista

73   [Con un amigo, en la calle] *Aquí van a abrir*
una residencia para _____.
a) viejos   b) mayores

74   [Hablando con un compañero del colegio] *En*
mi clase la mayoría _____ *a favor del uso*
del uniforme.
a) votó   b) votaron

75   [Una noticia sobre una encuesta] *La* _____
de los españoles cree que paga muchos
impuestos.
a) media   b) mitad

76   [Hablando de aficiones] _____ *también me*
encanta bailar salsa.
a) A mí   b) Yo

77   [En la calle, con un amigo] *Ese coche verde*
que está ahí detrás es el _____.
a) mí   b) mío

78   [En un bar, pidiéndole al camarero] *Yo quiero*
_____ *mismo.*
a) lo   b) el

79   [En casa, hablando de la cena] *Hemos*
cenado lo mismo _____ *ayer.*
a) como   b) que

80   [Con un extranjero] *Aquí, todo el mundo*
_____ *a la playa en verano.*
a) van   b) va

81   [Con un compañero de piso] _____ *hay*
nada en la nevera para cenar.
a) Ø   b) No

82   [En clase] _____ *de nosotros habla bien*
alemán.
a) Ninguno   b) Nadie

83   [Con un amigo extranjero] *No hay* _____
restaurante abierto a esta hora.
a) ninguno   b) ningún

84   [Haciendo turismo en la montaña] _____
había visto nunca un paisaje con tanta
vegetación.
a) Ø   b) No

85   [En la oficina, con una compañera] *¿Quieres*
_____ *otro café?*
a) Ø   b) un

86   [En un restaurante] *Camarero, ¿puede*
traerme un poco de sal y de _____?
a) pimiento   b) pimienta

87   [En un bar] _____ *un café para mí.*
a) Pide   b) Pregunta

88   [En clase] *Os voy a* _____ *a un nuevo*
estudiante que ha llegado esta mañana.
a) introducir b) presentar

89   [Hablando de tenis] *Manolo Santana*
fue el _____ *tenista español en ganar*
Wimbledon.
a) primer   b) primero

90 [Con un amigo, en un museo] *Está prohibido
_____ hacer fotos.*
a) de   b) Ø

91 [Hablando del pasado] *Aquel sábado no
pudimos ir a verla, pero fuimos el _____
fin de semana.*
a) siguiente   b) próximo

92 [En una entrevista de trabajo] *_____ vivo
en Barcelona, pero estoy dispuesto a
trasladarme.*
a) Actualmente   b) De hecho

93 [Un extranjero hablando de España] *No es
la primera vez que estoy aquí. _____, los
tres últimos años he venido en verano.*
a) Actualmente   b) De hecho

94 [En un crucero] *_____ mucho el mar.*
a) Me gusta   b) Quiero

95 [Con un compañero de trabajo] *He estado un
_____ de vacaciones.*
a) tiempo   b) rato

96 [Hablando de planes] *No voy a salir porque
tengo que escribir _____ para mi clase de
mañana.*
a) una redacción   b) un papel

97 [Un profesor en clase] *Dejar el asiento a los
mayores en el autobús, es una muestra de

_____.*
a) respeto   b) respecto

98 [Con un compañero de clase] *Como vivo
cerca de la escuela, voy _____.*
a) a pie   b) de pie

99 [Con un amigo] *No había asientos libres
en el autobús, así que fui todo el camino

_____.*
a) a pie   b) de pie

100 [Con un amigo extranjero] *Yo no soy
católica, _____ protestante.*
a) sino   b) si no

101 [En un colegio] *Juan es el _____ que ha
hecho los deberes.*
a) único   b) solo

102 [Hablando del tiempo] *Hace _____ mucho frío.*
a) tan   b) Ø

103 [Hablando de unas elecciones] *Hay muchas
personas que te _____, así que puedes
presentarte.*
a) apoyan   b) soportan

104 [Con un compañero de clase] *¿Cuál es el
_____ de tu presentación?*
a) tema   b) tópico

105 [Planificando un viaje] *Yo _____ he estado
en Roma. ¿Por qué no vamos a otro sitio?*
a) todavía   b) ya

106 [Hablando de un idioma] *_____ alemán es
muy difícil.*
a) El   b) Ø

107 [Con un amigo, dando una opinión] *_____
ordenadores de Apple me parecen caros.*
a) Los   b) Ø

108 [Con un compañero de trabajo] *¡Hoy es
_____ viernes!*
a) el   b) Ø

109 [Hablando de aficiones] *Me gusta _____ fútbol.*
a) el   b) Ø

110 [En un hotel, informando a un cliente] *_____
desayuno es en la primera planta.*
a) El   b) Ø

111 [Hablando de su único coche] *Tengo _____
coche en el garaje.*
a) el   b) un

112 [Describiendo a un familiar] *Tiene _____
ojos marrones.*
a) los   b) Ø

113 [En una tienda, informando a un cliente]
*Todos los muebles tienen _____ treinta
por ciento de descuento.*
a) el   b) Ø

114 [Hablando de una ciudad] *En el centro hay
_____ oficina de turismo.*
a) la   b) una

115 [En un bar] *Póngame _____ otro café.*
a) un   b) Ø

116 [Presentándose a un nuevo compañero de
clase] *Soy _____ informático.*
a) un   b) Ø

Claves de ejercicios

◼1 Género masculino y femenino

1 a	2 b	3 a	4 b	5 b	6 b
7 b	8 a	9 b	10 b	11 b	12 b
13 b	14 b	15 a	16 b	17 a	18 b
19 b	20 b	21 a	22 b	23 b	24 b
25 b	26 a	27 a	28 a	29 b	30 a
31 a	32 a	33 b	34 b		

◼2 Ser / Estar

1 b	2 a	3 a	4 a	5 a	6 b
7 b	8 b	9 b	10 b	11 b	12 b
13 a	14 a	15 a	16 a	17 a	18 a
19 a	20 a	21 b	22 b	23 a	24 a
25 b	26 a	27 b	28 b	29 a	30 b
31 a	32 a	33 b	34 b	35 b	36 a
37 b	38 b	39 b	40 b	41 b	42 b
43 a	44 a	45 a	46 a	47 b	48 a
49 b	50 a	51 a	52 a	53 a	54 b
55 b	56 a	57 b	58 b	59 b	60 a
61 a	62 a	63 a	64 b	65 b	66 a
67 b	68 b	69 b	70 b	71 b	72 a
73 a	74 b	75 b	76 a	77 a	78 a
79 b	80 b	81 b	82 b	83 b	84 a
85 a	86 b	87 a	88 b	89 a	90 a
91 b	92 a	93 a	94 b	95 a	96 b

◼3 Verbos de afección

1 b	2 a	3 b	4 b	5 b	6 a
7 b	8 a	9 b	10 b	11 b	12 a
13 b	14 b	15 b	16 b	17 b	18 a
19 b	20 b	21 b	22 b	23 a	24 b
25 b	26 b	27 b	28 b	29 a	30 b
31 b	32 a	33 b	34 b	35 b	36 b
37 a	38 b	39 b	40 b	41 b	42 b
43 b	44 a	45 b	46 a		

◼4 Verbos con uso pronominal y no pronominal y verbos que necesitan un pronombre de complemento indirecto

1 a	2 a	3 a	4 b	5 b	6 a
7 a	8 a	9 a	10 a	11 a	12 a
13 a	14 a	15 a	16 b	17 a	18 a
19 a	20 a	21 a	22 a	23 a	24 a
25 b	26 a	27 a	28 a	29 a	30 a
31 b	32 a	33 b	34 a	35 b	36 a
37 a	38 a	39 a	40 a	41 a	42 a
43 a	44 b	45 b	46 a	47 a	48 a
49 a	50 b	51 a	52 a	53 b	54 b
55 a	56 a	57 b	58 a	59 a	60 a
61 b	62 a	63 a	64 a	65 a	66 a
67 a	68 b	69 b	70 b	71 b	72 b
73 a	74 a	75 b	76 b	77 a	78 a
79 b	80 b	81 b	82 a	83 b	84 a
85 b	86 b	87 b	88 a	89 b	90 a

◼5 Preposiciones

1 a	2 a	3 a	4 a	5 a	6 a
7 a	8 a	9 a	10 a	11 a	12 b
13 a	14 a	15 a	16 a	17 a	18 a
19 a	20 b	21 b	22 b	23 b	24 b
25 a	26 a	27 b	28 a	29 b	30 b
31 a	32 a	33 b	34 b	35 b	36 b
37 b	38 b	39 a	40 a	41 a	42 a
43 b	44 b	45 b	46 b	47 b	

◼6 Verbos con preposición

1 b	2 b	3 b	4 a	5 b	6 a
7 b	8 b	9 b	10 b	11 b	12 b
13 a	14 b	15 a	16 b	17 a	18 a
19 b	20 a	21 a	22 a	23 b	24 b
25 a	26 a	27 b	28 a		

7 Indicativo / Subjuntivo. Verbos y expresiones impersonales

1 b	2 b	3 b	4 a	5 b	6 a
7 b	8 b	9 a	10 a	11 b	12 b
13 a	14 a	15 a	16 a	17 a	18 a
19 a	20 b	21 a	22 a	23 b	24 a
25 a	26 b	27 b	28 b	29 a	30 b
31 a	32 a	33 a	34 b	35 b	36 a
37 b	38 b	39 b	40 a	41 b	42 a
43 b	44 b	45 a	46 b	47 a	48 a
49 b	50 b	51 a	52 a	53 a	54 a
55 b	56 b	57 b	58 a	59 b	60 a
61 a	62 b	63 b	64 b	65 a	66 b
67 b	68 b	69 b	70 b	71 b	72 b
73 b	74 b	75 b	76 a	77 a	78 a
79 a	80 a	81 a	82 a	83 b	84 b
85 a	86 b	87 b	88 b	89 b	90 b
91 b	92 b	93 b	94 b	95 b	96 a
97 b	98 a	99 b	100 a	101 b	102 a
103 b	104 b	105 a	106 b	107 a	108 b
109 a	110 b				

8 Indicativo / Subjuntivo. Conectores

1 a	2 a	3 a	4 a	5 a	6 b
7 a	8 b	9 b	10 a	11 b	12 b
13 b	14 a	15 b	16 b	17 a	18 a
19 b	20 a	21 a	22 b	23 a	24 b
25 b	26 a	27 b	28 b	29 a	30 b
31 a	32 a	33 b	34 a	35 a	36 b
37 a	38 b	39 a	40 b	41 a	42 b
43 a	44 b	45 a	46 b	47 b	48 a
49 b	50 a	51 a	52 a	53 b	54 a
55 b	56 b	57 b	58 a	59 b	60 b
61 a	62 a	63 b	64 b	65 b	66 b
67 a	68 b	69 a	70 a	71 b	72 a
73 a	74 b	75 a	76 b	77 b	78 b
79 a	80 b	81 b	82 b	83 a	84 a
85 b	86 a	87 a	88 a	89 b	90 a
91 b	92 b	93 a	94 a	95 a	

9 Verbos de cambio

1 a	2 a	3 b	4 a	5 b	6 b
7 a	8 b	9 b	10 a	11 b	12 b
13 b	14 a	15 b			

10 Perífrasis

1 b	2 b	3 a	4 a	5 b	6 b
7 a	8 a	9 b	10 b	11 b	12 b
13 b	14 a	15 b	16 b	17 b	18 a
19 b	20 b	21 b	22 b	23 b	24 a
25 b	26 b	27 b	28 b	29 a	30 a
31 a	32 b	33 b	34 b	35 a	36 b
37 b	38 b	39 b	40 a	41 b	42 b
43 b	44 b	45 b			

11 Palabras con tilde y sin tilde

1 a	2 b	3 b	4 a	5 a	6 a
7 b	8 a	9 a	10 b	11 b	12 b
13 a	14 a	15 b	16 a	17 b	18 b
19 b	20 a	21 b	22 a	23 a	24 b
25 a	26 b	27 a	28 b	29 a	30 b
31 a	32 b	33 b	34 a	35 b	36 b
37 a	38 a	39 a	40 a	41 b	42 a
43 a	44 b	45 a	46 a	47 a	48 b
49 a	50 a	51 a	52 a	53 b	54 a
55 a	56 b	57 a	58 a	59 a	60 b
61 b	62 a	63 a	64 b	65 a	66 b
67 a	68 a	69 b	70 a	71 b	72 b
73 b	74 a	75 b	76 b	77 a	

12 Uso incorrecto de una palabra

1 b	2 a	3 a	4 b	5 a	6 a
7 a	8 b	9 a	10 b	11 a	12 b
13 a	14 a	15 a	16 a	17 a	18 b
19 a	20 a	21 b	22 b	23 a	24 b
25 a	26 b	27 a	28 b	29 a	30 b
31 a	32 b	33 a	34 b	35 a	36 b
37 b	38 b	39 a	40 a	41 b	42 b
43 a	44 a	45 a	46 a	47 b	48 b
49 a	50 a	51 b	52 a	53 b	54 a
55 a	56 a	57 b	58 b	59 a	60 a
61 a	62 b	63 a	64 a	65 a	66 a
67 a	68 a	69 a	70 a	71 a	72 b
73 b	74 a	75 b	76 a	77 b	78 a
79 b	80 b	81 b	82 a	83 b	84 b
85 a	86 b	87 a	88 b	89 a	90 b
91 a	92 a	93 b	94 a	95 a	96 a
97 a	98 a	99 b	100 a	101 a	102 b
103 a	104 a	105 b	106 a	107 a	108 b
109 a	110 a	111 a	112 a	113 a	114 b
115 b	116 b				

Bibliografía

Diccionarios y Gramáticas

- *Diccionario de la lengua española* (Real Academia Española): http://www.rae.es/rae.html
- *Diccionario Panhispánico de dudas*: http://lema.rae.es/dpd/
- Diccionario *Wordreference*: http://www.wordreference.com/es/
- Real Academia Española y Asociación de Academias de la Lengua Española, *Nueva gramática de la lengua española*, ESPASA, Madrid, 2009.
- Real Academia Española y Asociación de Academias de la Lengua Española, *Ortografía de la lengua española*, ESPASA, Madrid, 2010.
- Alonso, R., Castañeda, A., Martínez, P., Miquel, L., Ortega, J. y J.P. Ruiz, *Gramática básica del estudiante de español*, Difusión, Barcelona, 2005.

Manuales de español

- Cano, G., *Las preposiciones*, Colección practica tu español, SGEL, Madrid, 2007.
- Corpas, J., Garmendia, A. y C. Soriano, *Aula 1*, Difusión, Barcelona, 2003.
- Corpas, J., Garmendia, A. y C. Soriano, *Aula 2*, Difusión, Barcelona, 2003.
- Corpas, J., Garmendia, A. y C. Soriano, *Aula 3*, Difusión, Barcelona, 2004.
- Corpas, J., Garmendia, A. y C. Soriano, *Aula 4*, Difusión, Barcelona, 2005.
- Corpas, J., Garmendia, A., Sánchez N. y C. Soriano, *Aula 5*, Difusión, Barcelona, 2007.
- Fernández, F. y J. Muñoz, *Problemas frecuentes del español*, Colección practica tu español, SGEL, Madrid, 2012.
- Losana, J. E., *Los tiempos del pasado*, Colección practica tu español, SGEL, Madrid, 2006.
- Miñano, J., *Practica la conjugación*, Colección practica tu español, SGEL, Madrid, 2005.
- Miñano, J., *Ser y estar*, Colección practica tu español, SGEL, Madrid, 2007.
- Miñano, J., *Uso y contraste de tiempos verbales*, Colección practica tu español, SGEL, Madrid, 2011.
- Molina, I., *El subjuntivo*, Colección practica tu español, SGEL, Madrid, 2006.
- Moreno, C., Moreno V. y P. Zurita, *Nuevo Avance 1*, SGEL, Madrid, 2009.
- Moreno, C., Moreno V. y P. Zurita, *Nuevo Avance 2*, SGEL, Madrid, 2009.
- Moreno, C., Moreno V. y P. Zurita, *Nuevo Avance 3*, SGEL, Madrid, 2010.
- Moreno, C., Moreno V. y P. Zurita, *Nuevo Avance 4*, SGEL, Madrid, 2010.
- Moreno, C., Moreno V. y P. Zurita, *Nuevo Avance 5*, SGEL, Madrid, 2010.
- Moreno, C., Moreno V. y P. Zurita, *Nuevo Avance 6*, SGEL, Madrid, 2011.
- Moreno, C. y M. Tuts, *Curso de perfeccionamiento*, SGEL, Madrid, 1993.
- VVAA, *Español Lengua Viva 3*, Santillana, Madrid, 2011.

—Priorities—

Maeve   You serve them.